U0102318

齊白石全集

第九卷：書法

齊白石

凡例

一　《齊白石全集》分雕刻、繪畫、篆刻、書法、詩文五部分,共十卷。

二　本卷為書法部分。收入約一九〇二年至一九五六年書法作品二六二件,作品按年代順序排列。

三　本卷内容分為三部分:一概述,二圖版,三著録、注釋。

目録

目録

書法(約一九〇二年－一九五六年)

著録·注釋

CONTENTS

CONTENTS

BIBLIOGRAPHY, AND ANNOTATIONS

齊白石的書法

約一九〇二年—一九五六年

齊白石的書法

李　松

齊白石在一九三六年

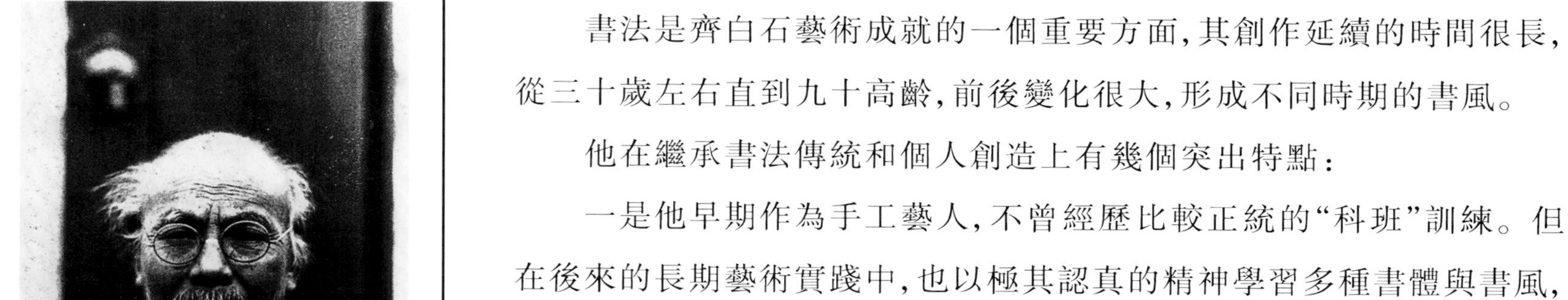

書法是齊白石藝術成就的一個重要方面，其創作延續的時間很長，從三十歲左右直到九十高齡，前後變化很大，形成不同時期的書風。

他在繼承書法傳統和個人創造上有幾個突出特點：

一是他早期作為手工藝人，不曾經歷比較正統的"科班"訓練。但在後來的長期藝術實踐中，也以極其認真的精神學習多種書體與書風，甚至達到逼肖的地步，由此而形成他的書法發展衍變的階段性特點，并最後消融統一，鑄成自家面目。

二是齊白石作為一位畫家，繪畫創作的思路、審美追求、技巧特點、創作習慣，都影響着在書法繼承上的取向和藝術面貌的形成。他的書法作品特別體現出書畫相通的特色。

三是齊白石早年做雕花木工，二十七歲以後學習篆刻，腕底功夫特別強，由此助成齊白石藝術成熟期富於內涵的力度之美，無論書與畫都充滿陽剛之氣。

齊白石畫室

四是齊白石整體文化素養的積累過程是由民間藝人向文人畫家演變的過程，他的詩文、書畫、篆刻，基本上是同步發展的。其藝術的成熟期在六十歲"衰年變法"之後，到七八十歲時達到高峰階段。

齊白石自認為"我的詩第一，印第二，字第三，畫第四"①。這裏面顯然包含着由來已久的社會心理因素，認為詩與篆刻、書法更能體現人的文化修養。黃賓虹對此持相反的評價，他認為"齊白石畫藝勝於書法，書法勝於篆刻，篆刻又勝於詩文"②。這是比較客觀的。齊白石在當代文化史上的地位主要是由他在繪畫藝術上的成就確立的。

在書法藝術上，齊白石的主要成就在行書和篆隸兩個方面。行書多用於繪畫作品的題跋，或為別人書寫的書名、題識等，偶爾作榜書。有些自由書寫的便箋、日記等，最能鮮明地體現書寫時的心態、性情，筆意縱橫，也被作為藝術品為人什襲珍藏。齊白石不作草書，一九四七年他看過李可染的畫後曾說過："你的畫是畫中草書，徐青藤的畫也是草書。我很喜歡草書，也很想寫草書，但是我一輩子到現在，還是寫的正楷。”③

他的篆隸書體主要取法於印章和漢、魏晋南北朝之際兼有篆隸結體與韵味的碑版，未聞在金文和《說文解字》上着力過。他寫的篆書字體有的不是很規範的小篆，更未上溯到商周金文。齊白石的篆隸書法，多以擘窠大字寫楹聯、中堂、橫披。其所追求的是在篆隸相間中表現出的那種豪邁、放逸、自由創造的精神意趣。

齊白石的書法與繪畫同步成熟於花甲之年。對於齊白石書法藝術啟迪最大的是《祀三公山碑》和李邕的《雲麾將軍碑》。他的書法最具特色，成就最高的是八十歲前後的作品。其字風突出的審美特色是古拙蒼勁，氣勢雄强，具體體現在綫條的力度和結構的寬博、恢閎。齊白石書法的力度之美固與他早年做過木匠、後來又在篆刻方面達到精深造詣有直接關係，其書風的形成也是清代晚期推崇北碑、影響及於整個書畫創作以至於一個時期藝術創作審美思潮的直接産物。

〔唐〕雲麾將軍李思訓碑（局部）

齊白石書法藝術的淵源

齊白石對於自己學習書法的歷程有過如下記述：

> “我起初寫字，學的是館閣體，到了韶塘胡家讀書以後，看了沁園、少蕃兩位老師寫的都是道光年間我們湖南道州何紹基一體的字，我也跟着他們學了。又因詩友們有幾位會寫鐘鼎篆隸兼會刻章的，我想學刻印章，必須先會寫字，因之我在閑暇時候也常常寫些鐘鼎篆隸了。”④

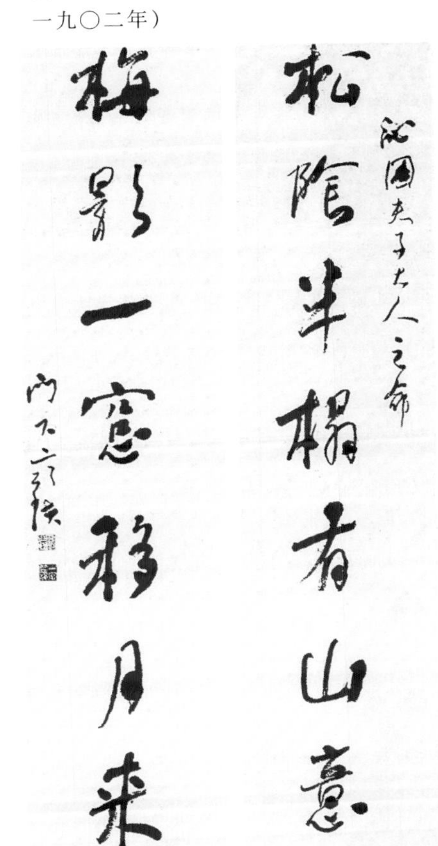

松陰半榻有山意　梅影一窗移月來（約一九〇二年）

光緒十五年（一八八九年）齊白石二十七歲時拜胡沁園、陳少蕃二師學畫、作詩，三十二三歲時與王仲言、羅真吾等結龍山、羅山詩社。從齊白石學習書法的起步時期，直到四十歲前後，他主要臨學何紹基書體，約有十來年時間。湘潭保存有齊白石為乃師胡沁園所書對聯“松陰半榻有山意，梅影一窗移月來”和為胡沁園長子胡仙譜寫的“補讀山房”橫披及行書手卷，都是其早年何體墨迹中的用心之作。

何紹基（一七九九年—一八七三年），字子貞，湖南道州人，為晚清一代書法大家。精於行楷、分隸，其行書得顏真卿《争座位帖》法乳，晚年喜分篆，以金石文字融入行楷，遒勁圓轉，表現出不為成法所拘的獨

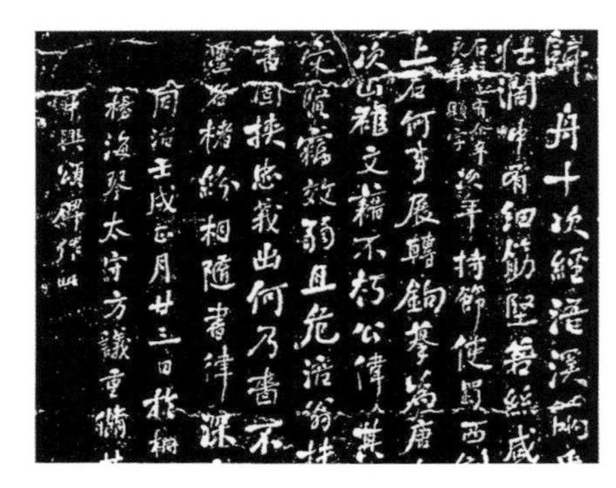
〔清〕何紹基浯溪刻石(局部)

補讀山房(約一九〇二年)

〔南朝〕爨龍顏碑

〔三國〕天發神讖碑(局部)

創精神。齊白石與何紹基是大同鄉。何去世時,齊白石還是一個十一歲的鄉村少年,自然無緣識荆,但是他從兩位老師那裏間接受到何字的影響。此外,何紹基的墨迹在湖南和四川兩地留下很多。離湘潭不遠的祁陽縣浯溪碑林就有顔真卿的名碑《大唐中興頌》和阮元、何紹基等人的墨迹石刻。從齊白石所書"補讀山房"字體上可以明顯見到何紹基浯溪石刻的影響,例如其中的"山"、"房"兩個字即有直接臨仿的痕迹。就連何字行筆的一些筆病也都因襲下來了。

齊白石四十歲以後改學《爨龍顔碑》,題畫款識、鈔録詩詞仿金冬心體。他在自述中稱:"以前我寫字是學何子貞的,在北京遇到了李筠庵,跟他學寫魏碑,他叫我臨《爨龍顔碑》,我一直寫到現在。人家說我出了兩次遠門,作畫寫字刻印章都變了樣啦,這確是我的改變作風的一個大樞紐。"⑤

另據胡佩衡、婁師白等人記述,齊白石還談過:

"我早年學何紹基,後來又學金冬心,最後我學李北海,以寫李北海《雲麾碑》下的功夫最大。"

"書法得力於李北海、何紹基、金冬心、鄭板橋與《天發神讖碑》的最多。寫何體容易有肉無骨,寫李體容易有骨無肉,寫金冬心的古拙,學《天發神讖碑》的蒼勁。"⑥

看來,這些碑刻、書體對他的影響不僅止於書法,也包括篆刻,例如《天發神讖碑》就直接影響了齊白石治印刀法風格的變化。

對於金冬心的繪畫、書法風格的喜愛與臨仿,影響了齊白石五十歲前後的藝術面貌。

啟功《記齊白石先生軼事》一文中曾談到過:

"齊先生送給過我一册影印手寫的《借山吟館詩草》,有樊樊山先生題簽,還有樊氏手寫的序。册中齊先生鈔詩的字體扁扁的,點畫肥肥的,和有正書局影印的金冬心自書詩稿的字迹風格完全一樣。……齊先生說:'我的畫,樊山說像金冬心,還勸我也學冬心字,這册即是我學冬心字體所寫的。'其實先生學金冬心還不止鈔詩稿的字體,金有許多别號,齊先生也曾一一仿效。"⑦

樊樊山在一九一七年為《借山吟館詩草》寫的序文中劈頭就説"瀕生書畫皆力追冬心",他為《借山圖》題詩稱"揚州八怪冬心亞"。趙元禮、楊圻、黎松庵、汪榮寶、張次溪等人為一九三三年所刊《白石詩草》題詞中也一致肯定齊白石的作品"絶似冬心筆"、"專門嫡派雲門語"。對此,齊白石不無自得地在詩中説:"與公真是馬牛風,人道萍翁正學公"(《書冬心先生詩集後》),"愧顏題作冬心亞,大葉粗枝世所輕"(《作畫戲題》)。他還對自己的學生于非闇説過:"冬心的書體有他的獨創性,最好是用這種字體鈔寫詩集,又醒眼,又可以唱念,更可以玩味。"⑧

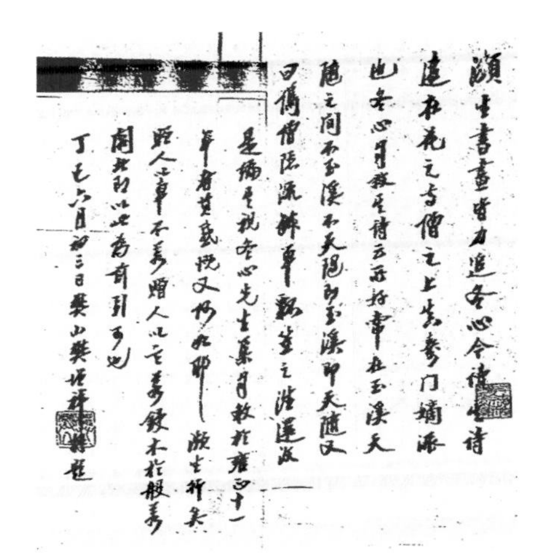
樊樊山手書《借山吟館詩草》序文(一九一七年)

齊白石在一九一九年"三客京華"之後在北京定居下來。當時的客觀社會環境,使他面臨藝術道路上新的抉擇,於是便有"衰年變法",據他自己講,"變法"的契機之一是受到黄慎畫風的影響。⑨實際上,在這個時期影響於齊白石的不僅是黄慎,而是整個揚州畫派。黄慎繪畫的放縱"近似於荒唐"的審美意趣和取材上的民間性特色與齊白石有共鳴。然而在書法風格上齊白石却不取黄慎粗服亂頭的禿筆狂草,甚至也不曾畫過類似黄慎後期以狂草入畫的繪畫風格作品,而師法文人氣質更醇厚的金農與鄭板橋。

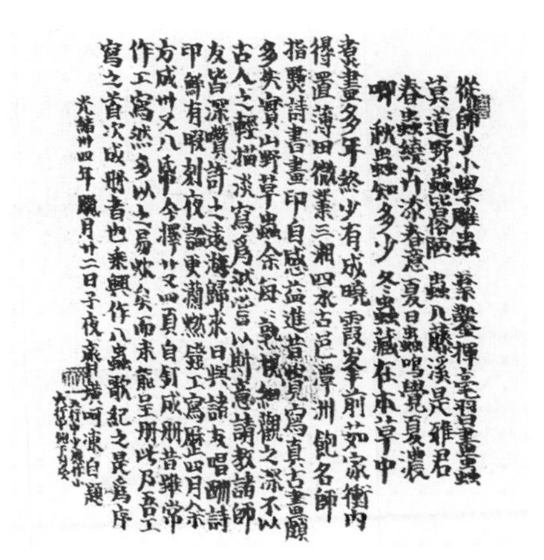
齊白石手書《花鳥蟲草册》前言(一九〇九年)

金農書法從漢八分入手,後來又出入於《禪國山碑》和《天發神讖碑》,"以拙為妍,以重為巧"(馬宗霍語),創出"漆書"一體,用之於題畫,古拙渾穆而别有意趣。齊白石學金農的梅花、古佛和人物畫法,别有會心。於書法,他不取所謂"漆書",而仿效如啟功指出的那種"字體扁扁的,點畫肥肥的"金冬心自書詩稿的字迹風格。今存齊白石所摹金冬心《驊騮圖》的款識,正是那種風格的字迹。齊白石從書畫的結合上體味金冬心的書法,也從金冬心書法的源流上溯《天發神讖碑》等碑刻,由此而使自己的書法與繪畫進入新的境界。

齊白石所摹金冬心《驊騮圖》款題(二十年代)

齊白石學鄭板橋書體的作品今已鮮見,胡佩衡、胡槖在《齊白石畫法與欣賞》一書中曾講過,作者特意請齊白石背臨鄭板橋筆法,結果和鄭的原作對照,筆意大致相同。可見他對鄭板橋書法確曾下過很大功夫。

齊白石"衰年變法"以後,形成自己的藝術面貌。在書法方面,受李邕《雲麾將軍碑》影響,形成行楷書體的最後面目;受《祀三公山碑》、《天發神讖碑》影響,完成篆隸書體的最後衍變;而更接近的榜樣是同時代的吴昌碩的書畫藝術。

王森然在《回憶齊白石先生》一文中提供了齊白石字風變化的一個

重要綫索：

> “有一次我問齊先生：‘您的字從什麽時候改變了體？您最喜歡的是什麽碑帖？’他説：‘從戊辰以後，我看了《三公山碑》才逐漸改變的。’”⑩
>
> 戊辰，爲一九二八年，時年齊白石六十六歲。

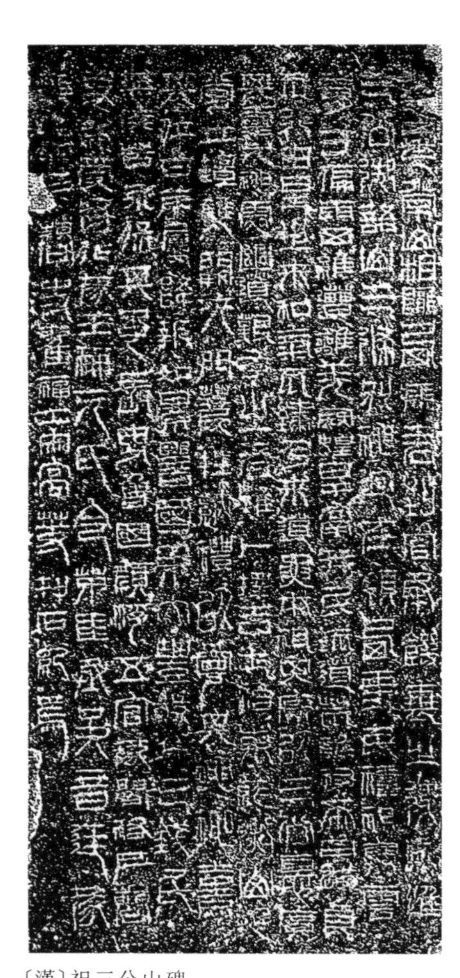
〔漢〕祀三公山碑

《三公山碑》即《祀三公山碑》，在河北省元氏縣，俗稱“大三公碑”，因當地另有《三公山碑》和《三公山神碑》。《三公山碑》刻於東漢靈帝光和四年（一八一年），左尉樊瑋立，因其字體較小，俗稱“小三公”；《三公山神碑》刻於質帝本初元年（一四六年），字多已漫漶。《祀三公山碑》是其中最重要的一件碑刻，刻於安帝元初四年（一一七年），在元代已有著録，後來失落，到清代乾隆年間始復被尋獲，對乾、嘉以後的字學産生影響。清代楊守敬《平碑記》稱它：“非篆非隸，蓋兼兩體而為之，至其純古遒厚，自不待言，鄧完白篆書多從此出。”它出現在隸書已經高度成熟，各種風格兼備的東漢中期，却與同時代所有的碑刻書風都不同。其字形包含着篆、隸兩種不同的書體，而基本的間架結構是方形，筆畫有方有圓，主要是方筆，已具波磔，有的收筆拖長，又顯出草書韵味。從整體上表現出一種簡率、似不經意的風格，接近於同時期的簡牘。它留下了書體嬗變過程的印記。

在章法布局上，它主要取直行縱勢，橫不成列。避免了早期宫書體金文（如大盂鼎銘、大克鼎銘）、小篆（如瑯玡臺刻石、泰山刻石）以至正規隸書碑刻中那種講究規整、嚴謹而易産生的呆板之感。其自由放縱、不拘守成法的特點正是齊白石“衰年變法”之時所渴慕的理想創造精神和表現樣式。

研究齊白石書風的衍變，須與他的篆刻作一體觀。齊白石在《白石印草》跋中説他初學治印是從丁敬、黄易印譜得其門徑。“後數年得《二金蝶堂印譜》，方知老實為正，疏密自然乃一變；再後喜《天發神讖碑》，刀法一變；再後喜《三公山碑》，篆法一變；最後喜秦權，縱横平直，一任天然，又一大變”。

齊白石講得很有分寸。趙之謙《二金蝶堂印譜》的啟迪主要在章法布局；《天發神讖碑》改變了他的治印刀法；《三公山碑》改變了他的篆法面貌，而秦漢人的書法、璽印“一任自然”的天趣則決定了齊白石藝術的審美取向。這種變化發展的軌迹，從他不同年代存世墨迹的參照比較中也能看得很清楚。齊白石三十年代以前的書法明顯地受趙之謙篆刻的影響,然而比趙書厚重。如一九二三年所書詩友王訓贈他的詩句:"老樹著花偏有態,春蠶食葉例抽絲"字的綫條比較圓厚,結構富於變化。⑪一九三〇年寫的"活色生香五百春"橫幅,字的結體和筆畫婀娜多姿,七個字的橫排章法煞費經營,有高低錯落的變化而重心很穩,字形結構的主要部位都嚴格聚在占上下高度之半的中心部位。伸出的筆畫上下、左右相互聯係照應,具有節奏感,正是篆刻章法在書法布局上的生動運用。

齊白石三十年代以後的篆書,無論用筆、結體皆由圓趨方,隸書的筆意加重,秉筆直書,無藏鋒、回鋒,而筆力遒勁,隨處皆留,從一九三九年所書"惟吾德馨"橫披,一九四一年所書對聯"群持山作壽,常與鶴同儕"(首都博物館藏)等作品中都可以明顯見到這些特色。

齊白石對於《祀三公山碑》的汲取、借鑒主要表現在三個方面:

一是在字的結體上,《祀三公山碑》兼有篆隸兩種書體的筆意。從習慣於楷書結體的眼光看,有些筆畫的安排是出乎常規常情的,却由此而表現為特别古拙、奇逸的意態。它為齊白石所理解和欣賞,從齊白石後期的書法作品中隨處可以見到《祀三公山碑》的影子。有些作品徑是集《祀三公山碑》文字書寫的,如一九三九年所書聯"官禮立馮相氏,本紀起太史公"(首都博物館藏)、一九四五年寫的"禮稱王史氏,治紀大馮君"(湖南省博物館藏),字體、意態全然是從碑文中脱出。一九四五年時,齊白石八十五歲(實八十三歲)已是書畫藝術最成熟時期,依然勤奮學習,揣摩《祀三公山》筆意,以此為根基,確立自己書風的面貌。

二是在章法布局上借鑒《祀三公山碑》,重豎行排列的整體氣勢,單個的字依筆畫多少和結構的不同,大小不一,從整齊中求變化,具體實例如前舉的對聯"群持山作壽","山"字平扁而"持"、"作壽"三字較大,從整體的筆畫疏密、空間安排上顯得更為妥貼。借鑒《祀三公山碑》章法,端莊而富於變化的作品還有一些大幅的篆書,如一九五一年為楊嘯天所書明·馬世忠語録"丈夫處世即壽考不過百年……"大中堂。字的大小疏密、黑白分布從整體看,是一幅完整的書法,也像是一幅構圖完美的畫。書法布局也同於繪畫的經營位置,齊白石書法嚴謹的理性設計竟然能够與書寫時奔放自如的心態達到統一,寫出來的字迹渾若天成。

三是由《祀三公山碑》等秦漢書法所體現的那種不假雕琢,純任自然的天趣和自由創造精神的啟發意義。

活色生香五百春(一九三〇年)

惟吾德馨(一九三九年)

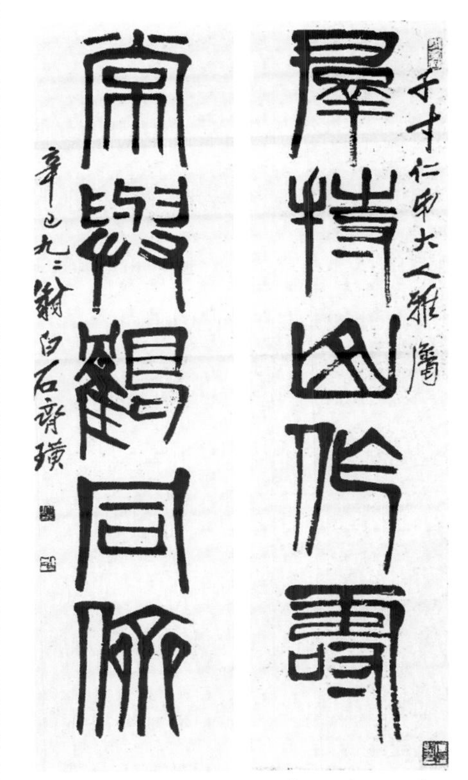

群持山作壽　常與鶴同儕(一九四一年)

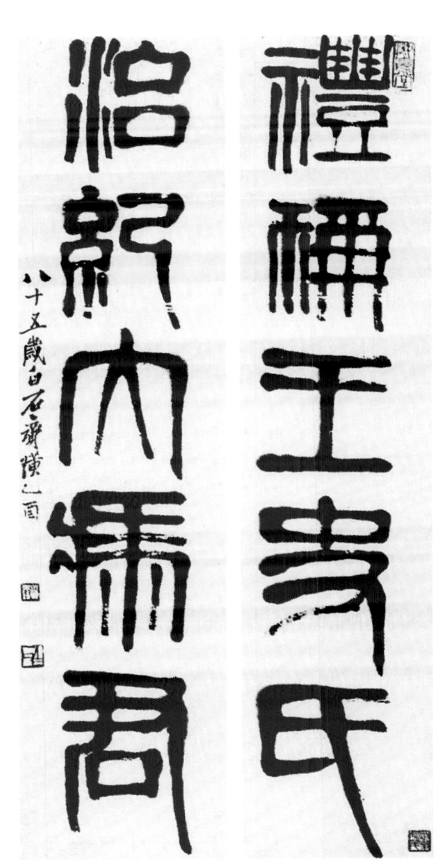

禮稱王史氏　治紀大馮君(一九四五年)

齊白石推重“秦漢人有過人處，全在不蠢，膽敢獨造，故能超出千古”（一九二一年題陳曼生印語）。但他更强調要能脱出漢人窠臼，成自家面貌。他看不起那種刻意雕琢、故作姿態的書風，一九二二年在行書七言聯的題跋中，他寫道：

“余行年六十，學書不成，以爲書不必工，但能雅足矣。嘗見人摹寫漢碑，其用筆擺舞做成古狀，以愚世人，嘗居海上，時人稱爲書中之聖、書中之王，深知書中三昧者耻之。”

大漠孤烟直　長河落日圓（一九五三年）

雲龍高駕　天馬遠行（一九五〇年）

齊白石篆隸書法愈到晚年愈有神彩，到八九十歲寫得非常隨意，自由出入於不同門派，筆力更加雄强、厚重、恣肆，吴作人稱他寫的篆書“壽”字的鈎筆可以懸挂一座山。雖然有的作品也有偏於荒率或枯硬的，但精品很多。如一九五三年為王朝聞所書聯“大漠孤烟直，長河落日圓”（王維詩《使至塞上》句），一九五一年為郭秀儀所書聯“昔者湘蘭見，今人南樓逢”，與任潮等屢屢書寫的“持山作壽，與鶴同儕”等。“大漠長河”一聯，書家情懷為詩中意象所激動，寫得極豪邁磊落，富於氣勢。白石老年也有一些雜隸行草書於一篇之内，無羈無束，逸出常格，如一九四九年寫的七律“宅邊楓樹坳”中堂，一九五〇年書聯“雲龍高駕，天馬遠行”，都寫得很隨意，很自由。

對於齊白石後期的行楷書體影響最深的是李邕的《雲麾將軍李思訓碑》。他自己説過，“寫李北海《雲麾碑》下的功夫最大，幾乎每天手不離筆，不僅對着碑臨，還背着碑臨，一直待到我在紙上臨的字與碑帖上拓的字套起來看，大部分都能吻合無差為止。”[12]

李邕（六七八年—七四七年），字泰和，官至北海太守，因而被人稱為“李北海”。其所書《雲麾將軍碑》有二：一為《雲麾將軍李思訓碑》，書於開元八年（七二〇年），全名為《唐故雲麾將軍右武衛大將軍贈秦州都督彭國公謚曰昭公李府君神道碑并序》，流傳較廣；另一為《雲麾將軍李秀碑》，書於天寶元年（七四二年），明初被裂為柱礎，有臨川李宗瀚藏全文影印本傳世。它們與書於開元十八年（七三〇年）的《麓山寺碑》同為李邕的代表作品，也是唐代行書的代表作。李思訓碑字風較瘦勁雄健，作於李邕晚年的李秀碑趨於豐腴。

明代董其昌《畫禪室隨筆·跋李北海縉雲三帖》稱：“右軍（王羲之）如龍，北海如象。”贊李邕書法“出奇不窮”、“為書中仙”。龍與象，都是借具體形象說明書法形象難於用文字表述的審美印象。龍，言其夭矯的動感；象，喻其峻拔、厚重的靜態美。然而，在李邕的行書中又有動靜相參的特點，因之，後人對李邕書法還有一個更生動、確切的形容便是“金鐵烟雲”。

齊白石從李邕書法中不僅找到了理想的楷模，而且也找到了與他後期的繪畫風格非常諧調一致的題跋字體樣式。對於李邕書法的刻苦臨習和深入把握，標志着齊白石藝術面貌的最後完成。齊白石奉李邕的名言“學我者生，似我者死”為座右銘，經過長期學習揣摩，最終破繭而出，形成自己的書法面貌，然而，直到晚年，在齊白石個人藝術風格高度成熟以後的作品中，仍然可以見到李邕書風的影子。

事實上，齊白石一生都不曾放鬆對古代書法的吸收借鑒，據齊良遲回憶，齊白石到九十四歲(實九十二歲)還開始臨寫體兼篆隸的隋代《曹植廟碑》，且“日日臨帖不倦”(《父親齊白石和我的藝術生涯》)。

經過博采廣取，他的行楷書法也因內容、幅式和書寫時心境的不同而有不同的面貌，例如晚年的一些大字書法作品：一九五〇年為胡文效(龍襲)所書聯“城鄉處處人長壽，風雨時時龍一吟”；同年，為中央美術學院成立所書賀詞“從群衆中來到群衆中去”；一九五四年為北京榮寶齋所書“發揚民族文化”等作品，有的縱放，有的持重，有的雄邁，在統一的風格之中有豐富的審美表現。

〔隨〕曹植廟碑

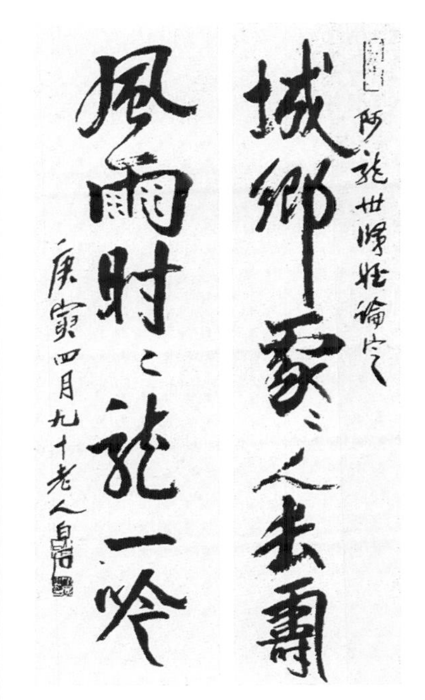

城鄉處處人長壽　風雨時時龍一吟
(一九五〇年)

從群衆中來到群衆中去
(一九五〇年)

齊白石書法藝術的審美特色

齊白石的學生，畫家李可染在藝術論著中多次談到對齊白石藝術之精粹處的認識：

> “我過去認爲筆墨非常重要，爲此訪問過很多人，講得最好的是黄賓虹，實踐最好的是齊白石。……齊白石的字寫得很好，力能扛鼎，齊白石在幾十年來的繪畫實踐中，筆法成就最高。”(《論筆法》)

有力，并不是藝術創作的至高境界。齊白石書畫作品中力能扛鼎的綫條，含蓄、内在，能够傳達意境，他畫的杯中花、青蛙、蝦、蟹等，着筆不多，然而挂在室内，能讓人久看不厭，其感人處超出形象自身，除了物象的生動性之外，筆墨綫條的變化中表現出的韵律之美也是具有生命力的。當這種綫條運用於書法,其形式美的價值便愈發突出了。

李可染從師十年,磨墨理紙,對齊白石運筆特點的一個重要體悟就是運筆要慢。

運筆慢的實質是氣的凝聚、運行,上下周流。

"我在齊白石家十年,主要在於學習他筆墨上的功夫。他畫大寫意畫,不知者以爲他信筆揮灑,實則他行筆很慢,他畫枝幹、荷梗,起筆無頓痕,行筆沉澀,力透紙背,收筆截然而止,毫無疙瘩,筆法中叫'硬斷',力平而留,到處可收。"(《談學山水畫》)

"白石老師晚年作畫,喜歡題'白石老人一揮'幾個字,不了解的人就會聯想到大畫家作畫,信筆草草一揮而就。實際上,老師在任何時候作畫都很認真,很慎重,并且是很慢的,從來没有如一些人所想象的那樣信手一揮過。他寫字也是一樣,比如有人請他隨便寫幾個字,他總是把紙叠了又叠,前後打量斟酌,有時字寫了一半,還要抽出筆筒裏的竹尺在紙上横量竪量,使我在旁按紙的人都有點着急,甚至感到老師做事有點笨拙,可是等這些字畫懸了起來,馬上又會使你驚嘆,你會在那厚實拙重之中,感到最大的智慧和神奇。"(《談齊白石老師和他的畫》)⑬

李可染對齊白石用筆特點的理解,對於他自己後期書畫藝術的發展起過關鍵性的作用。李可染是在藝術上已有相當成就之時從師於齊白石、黄賓虹的。在書法藝術上,他不取何紹基、趙之謙、鄭板橋等對齊白石早年書法起過引導作用的畫家,而推重奠立齊白石書畫藝術根基的《祀三公山碑》、《天發神讖碑》、《爨龍顔碑》和顔魯公、李北海。他從齊、黄藝術中抓住筆墨這一根本要素,特别是從齊白石運筆慢之中得到深刻體悟,徹底改變了自己的畫風。終於在五六十年代建立起"李家山水"畫派,在七八十年代創立了自己的書法藝術面貌。從齊白石到李可染、李苦禪,都是在書畫相通之中把握書法藝術的規律,以"膽敢獨造"的精神走出自己的路。在他們的書法作品中表現出的力度之美和雄强博大的氣勢是一個時代審美風尚的體現,也是近世書法藝術繼趙之謙、吴昌碩等人之後的新的開拓。

吴昌碩年長於齊白石十九歲，他的藝術對齊白石後期産生過影響。盡管有過“南吴北齊”的說法[14]，但齊白石對吴昌碩的藝術是一向心儀的，欽佩“老缶衰年别有才”以至於說“我欲九原為走狗三家（朱耷、石濤、吴昌碩）門下轉輪來”，齊白石也曾購買過不少吴昌碩的作品進行觀摩、研究。但是，吴昌碩、齊白石都是個性很强的藝術家，已經走向成熟期的齊白石不可能像早年學習何紹基、金冬心那樣地臨仿吴昌碩的書畫作品，否則便會失去自我。[15]

吴昌碩的藝術“畫氣不畫形”、“活潑潑地饒精神”，在氣勢的磅礴、情感的熱烈、風格的樸拙等方面，與齊白石的書畫創作有不少一致之處，如齊白石自己所說“我們的筆路倒是有些相同的”。但是兩人的藝術淵源有别，文化根基、創作經歷不同，作品的精神境界、審美特色有很大差异。吴昌碩的藝術渾厚、沉鬱、雄闊、樸茂、氣度雍容，包涵有更多遠古的文化信息；齊白石的藝術雄强、直率、生辣、恣肆，有着更多執著的生活熱情和民間文化氣息。更概括一點說，在大氣磅礴的共同審美基調之中，吴昌碩的藝術傾向於渾古，齊白石的藝術偏於清逸。

融合於各人藝術整體之中的書法創作，兩人都受到過近世書法家趙之謙等人開創的新書風和漢魏書《祀三公山碑》等的影響。但無論篆、隸、行、楷，吴昌碩都上溯得更遠，取法更寬，根基更厚。“曾讀西漢碑，曾抱十石鼓”、“强抱篆隸作狂草”的吴昌碩書法有“自我作古空群雄”的氣概和影響力。齊白石没有吴昌碩那樣優越的條件和機遇，借鑒的範圍較窄，他在傳統的學習、繼承上是按照自己的發展軌迹前進的。他在一度學習時人之後，選擇漢晋碑刻和李北海為立足根基，融進詩書畫印，寫真性情，他的書法作品在雄强、蒼勁之中，還有一種風流蕭散的韵致，在矛盾對立中達到互補、和諧。在書法與繪畫的關係上，吴昌碩是以書法入畫，强化了筆墨的表現力；齊白石是作書如作畫，他的書法布局、行次，字的大小、疏密、濃淡、正與變，有很多繪畫性因素。他的書與畫把傳統與現代、與生活拉近了距離。吴昌碩與齊白石是在十九、二十世紀之交，先後矗立於中國近代藝術史上的兩位巨匠，在强化筆墨，更新中國書畫面貌上，各自起着重要的推進作用。

齊白石不要後人“似”他，他的書法作品不曾作為範本流傳，但貫穿於他的書法藝術之中的創造精神和對於書法規律一超直入的理解與把握，在書法史上是具有永恒價值的，他的大量墨迹遺存也將永遠為人們所寶愛。

一九九六年四月於北京安外

已卜餘年見太平（五十年代）

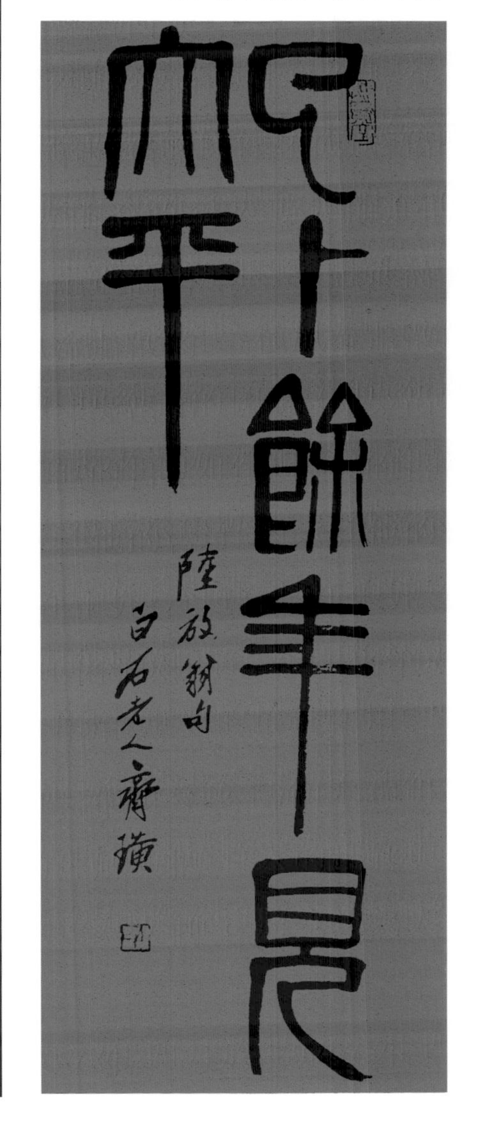

附注

①見傅抱石《白石老人的篆刻藝術——<齊白石作品集·印譜>序》注一,其中提到齊白石對自己藝術的評價有三種説法:一是"詩第一,篆刻第二,字第三,畫第四"(據胡絜青在"齊白石遺作展"座談會上的發言);二是"刻印第一,詩詞第二,書法第三,畫第四"(于非闇《感念齊白石老師》);三是"詩第一,治印第二,繪畫第三,寫字是第四"(胡佩衡、胡橐《齊白石畫法與欣賞》)。

②見王伯敏《黄賓虹畫語録》第二五頁,上海人民美術出版社,一九六一年,上海。

③見孫美蘭《李可染研究》第四〇頁,江蘇美術出版社,一九九一年,南京。

④見《白石老人自述》(張次溪筆録)第四七頁,岳麓書社,一九八六年,長沙。

⑤見上書第六〇頁。

⑥引自《齊白石研究大全》第二五八—二五九頁,湖南師範大學出版社,一九九四年,長沙。

⑦見《啓功叢稿》第三三二頁,中華書局,一九八一年,北京。

⑧于非闇《白石老人的藝術》,見《新觀察》一九五七年第二四期。

⑨據《白石文鈔·己未雜記》:八月十九日"同鄉人黄鏡人招飲,獲觀黄慎真迹《桃源圖》,又花卉册子八開,此人真迹,余初見也。此老筆墨放縱,近於荒唐,較之余畫,太工緻刻板耳。""始知余畫過於形似,無天然之趣,决定從今天變,人欲罵之,余勿聽也;人欲譽之,余勿喜也。"

黄慎與金冬心都是清代揚州畫派的代表性畫家。

黄慎(一六八七—一七六八年後),字恭壽,又字恭懋,號癭瓢子,福建寧化人,寓揚州以賣畫爲生,能詩,有《蛟湖詩草》。

金冬心(一六八七—一七六四年),名農,字壽門,又字司農、吉金,號冬心先生、稽留山民、曲江外史、昔耶居士、心出家粥飯僧等。浙江仁和人。曾被薦舉博學鴻詞科,不就。寓揚州鬻詩文,書畫,精於鑒别。著有《冬心先生集》、《冬心齋硯銘》。

⑩見《美術論集》第一輯第一九頁,人民美術出版社,一九八二年,北京。

⑪啓功《記齊白石先生軼事》一文中也曾提到過這副對聯:"筆畫圓潤飽滿,轉折處交代分明,一個個字,都像老先生中年時刻的印章,又很像吴讓之刻的印章,也像吴昌碩中年學吴讓之的印章。"

⑫同注⑥。

⑬引文均見《李可染論藝術》,人民美術出版社,一九九〇年,北京。

⑭在《白石老人自述》中談到一九二〇年時有如下記述:"同鄉易蔚儒(宗夔)是衆議院的議員,請我畫了一把團扇,給林琴南看見了,大爲贊賞説:'南吴北齊,可以媲美。'他把吴昌碩跟我相比,我們的筆路倒是有些相同的。"

⑮謝稚柳在齊白石遺作展覽座談會上曾談到"從前我有幾個熟人都告訴過我説,齊白石先生平生非常經濟,不肯浪費一錢的,但是他却花很多錢買吴昌碩的畫,這説明他在那裏研究吴昌碩先生的畫筆。"(見《上海美術通訊》一九五八年第六期"上海美術家座談齊白石的藝術"專輯)。

又,李可染在《談齊白石老師和他的畫》一文中講過齊白石曾對他談過陳師曾在日本爲他帶來幾本吴昌碩的畫册,他看後非常歡喜,翻閱到深夜不能罷休,可是第二天却畫不出畫了。他説:"我鄉居數十年,又五次出遊,胸中要畫的東西很多,但這次看到吴的畫册,却受到了約束。"因之他把畫册送給他的兒子子如了。

書法作品

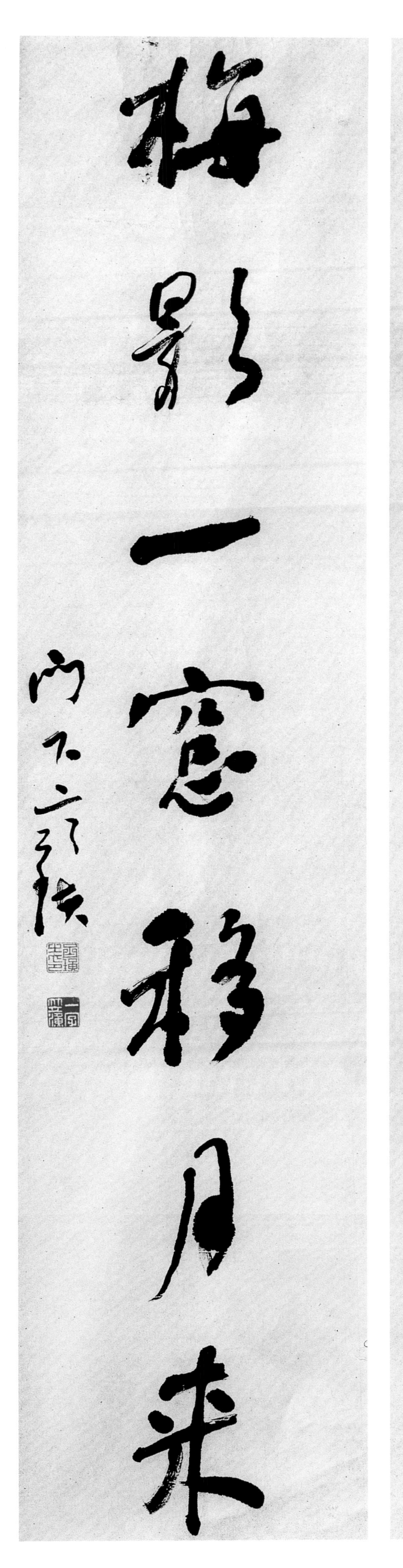

一　行書聯　約一九〇二年　縱一八九厘米　橫四〇・二厘米

行書（局部）

行書（局部）

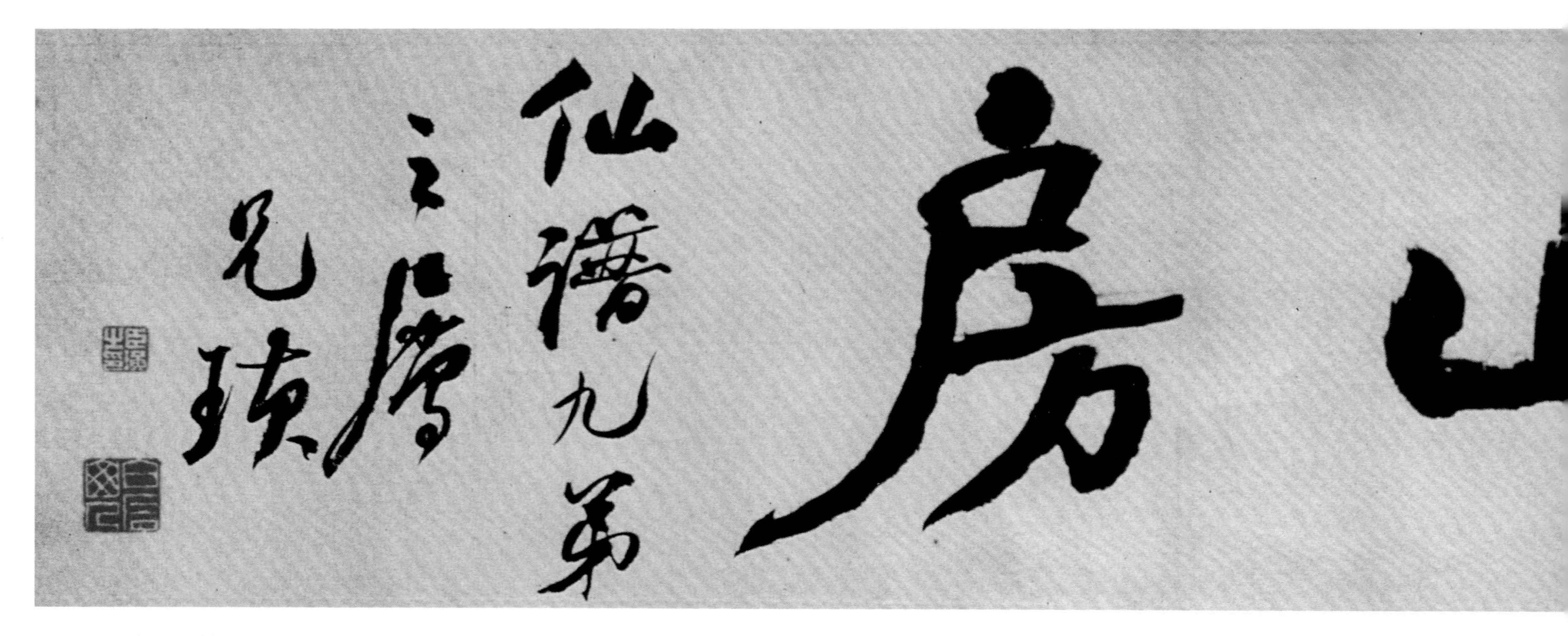

二　行書横幅　約一九〇二年

補讀

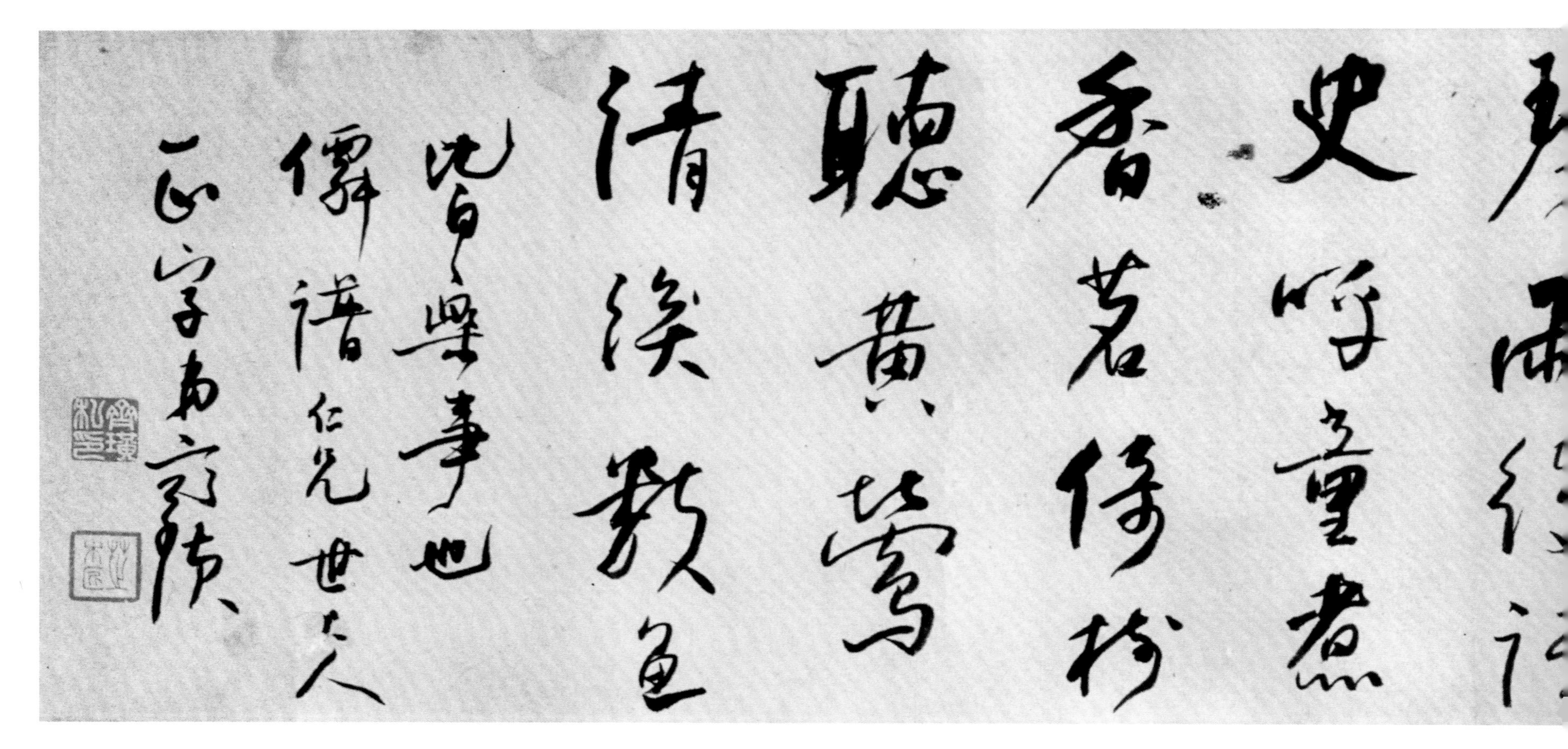

三　行書橫幅　約一九〇二年

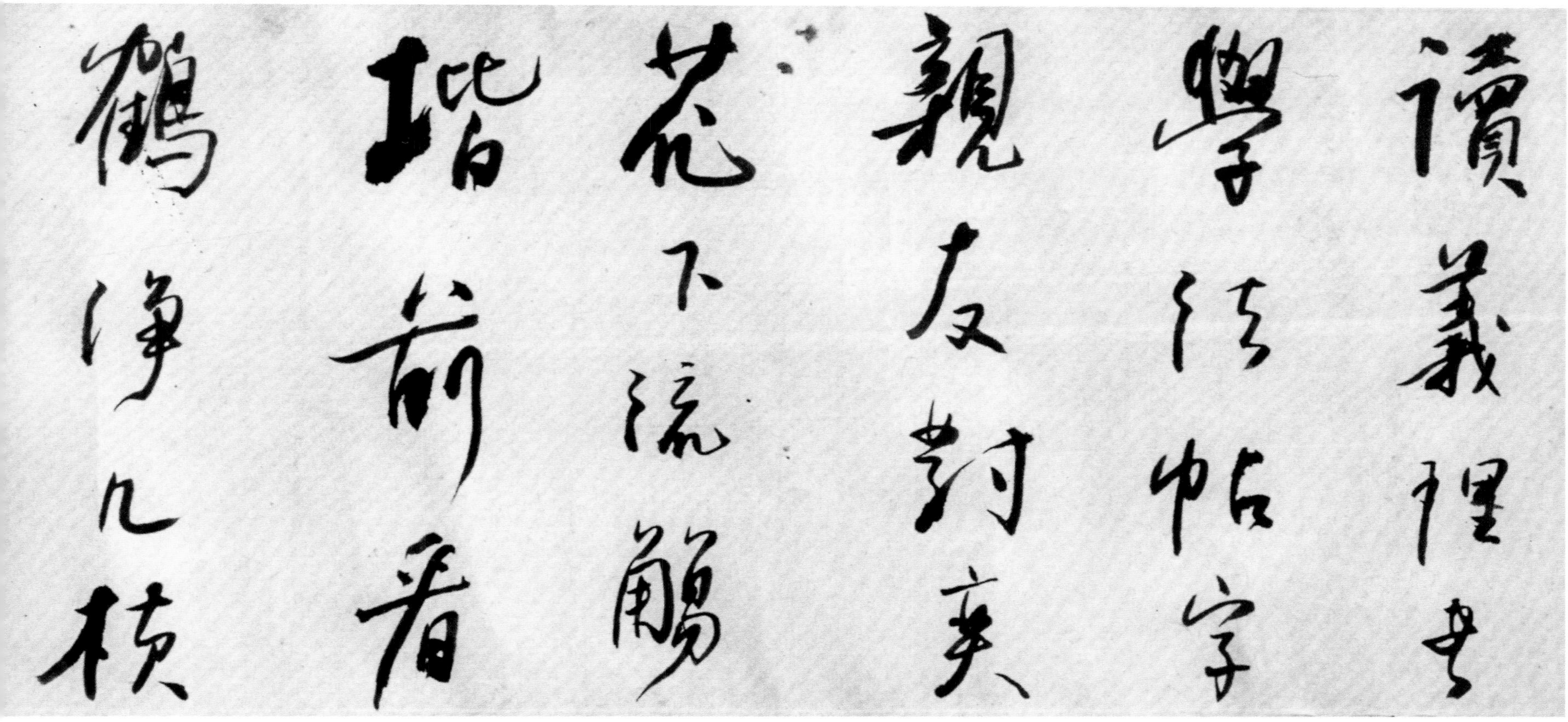

讀義理書
學法帖字
親友對弈
花下流觴
階前看
鶴淨几横

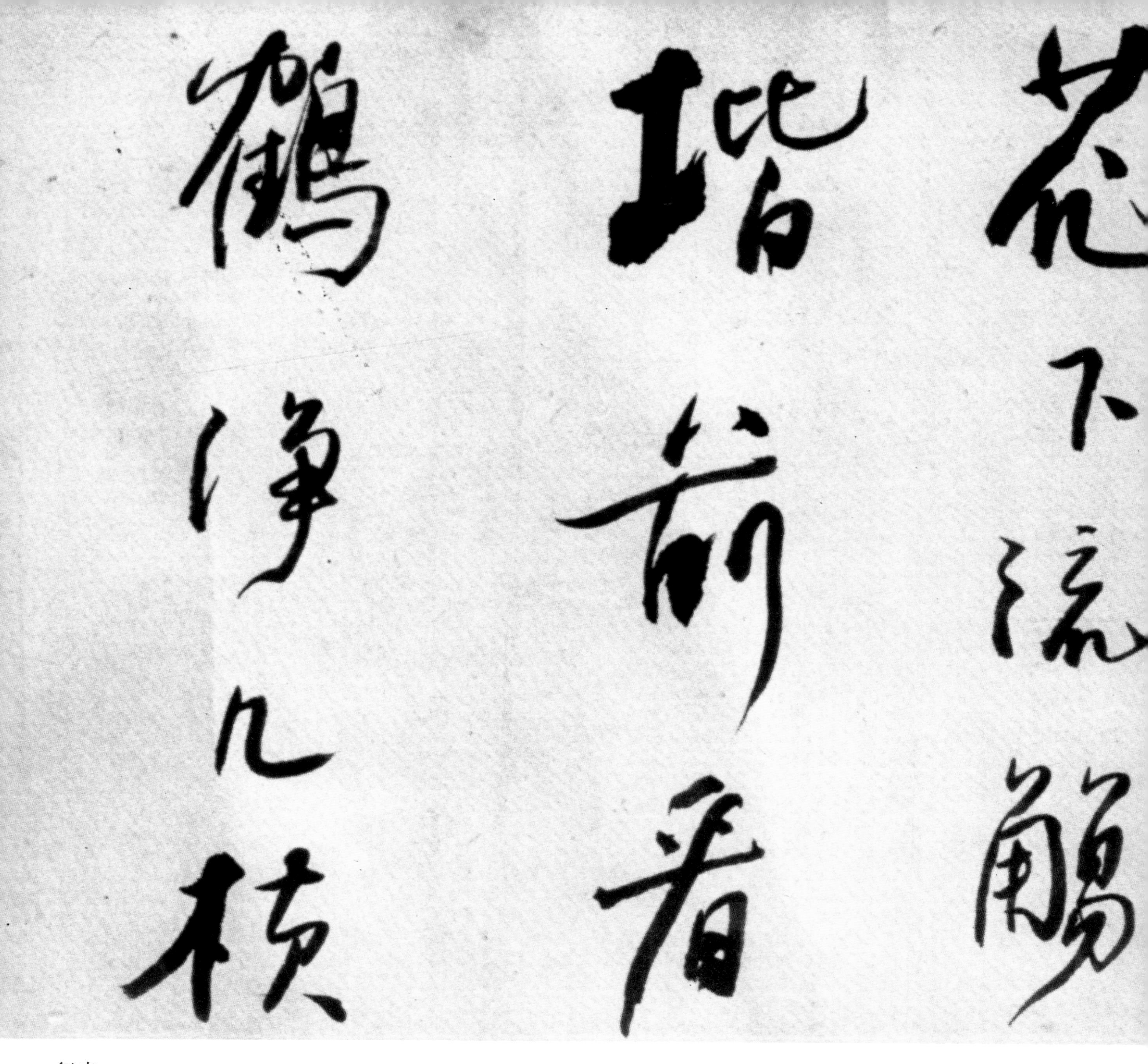

行書 （局部）

讀義理書
學法帖字
親友對奕

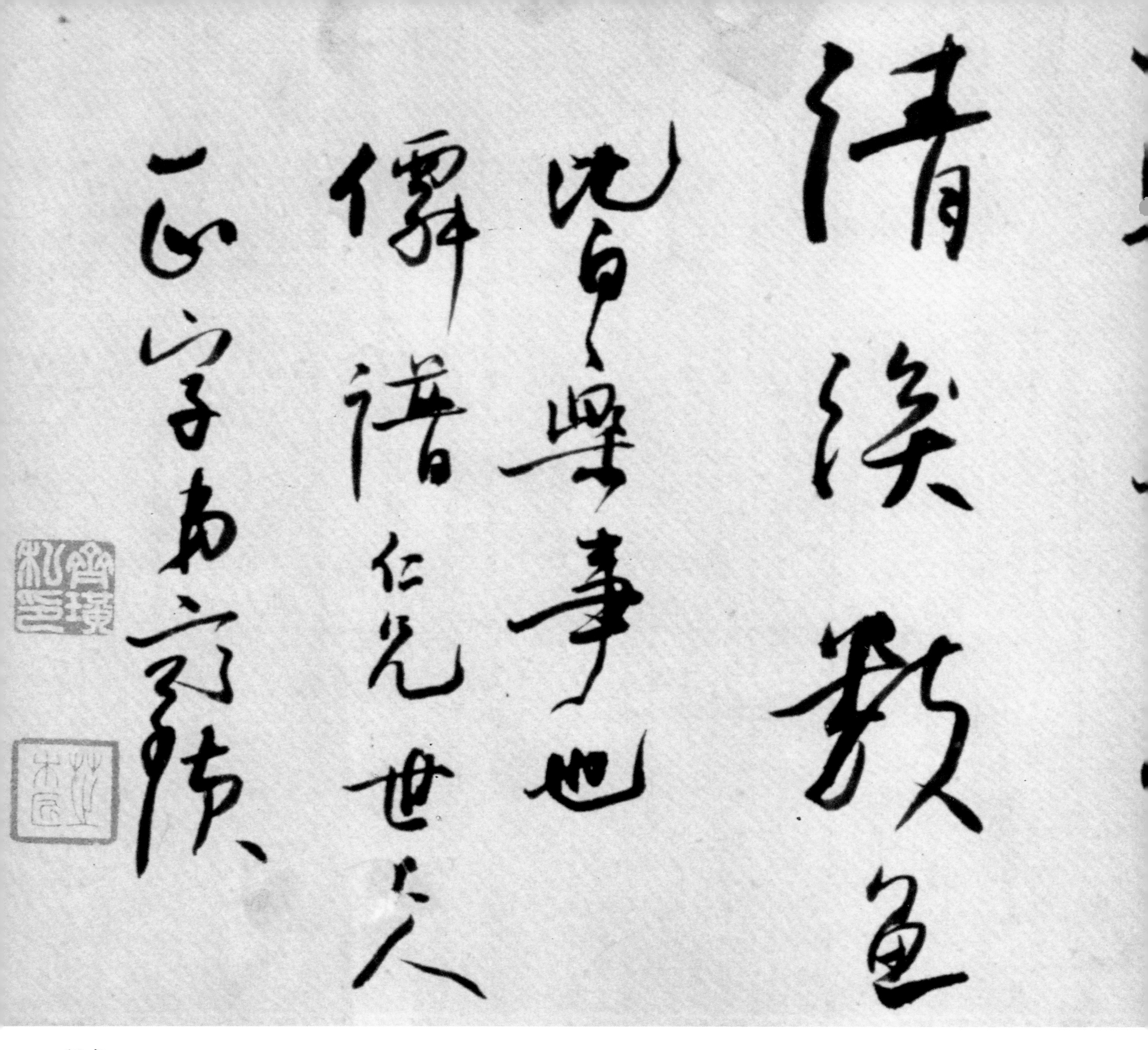

行書 （局部）

琴雨後讀史呼童煮香茗倚樹聽黄鸝

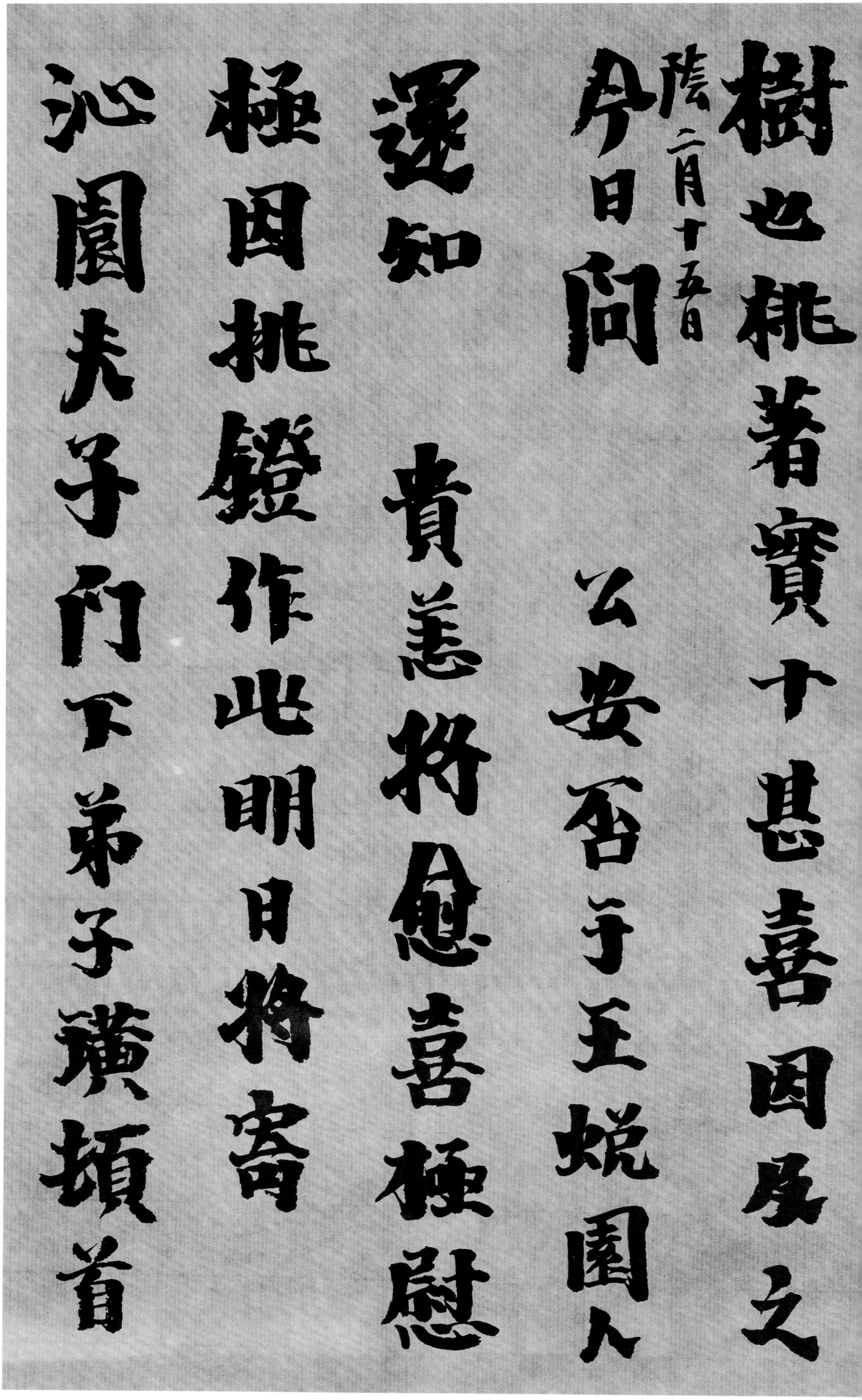

四　楷書信札　約一九〇九年——一九一四年

樹也桃著實十甚喜因屢之

陰二月十五日

丹日問　公安否于王蛻園人

還知　貴恙將愈喜極慰

極因桃鐙作此明日將寄

沁園夫子門下弟子黃頓首

楚人之像極似尊人遂去道

出　尊處々　公加酋為索

酬謝也今春植梨樹卅餘株

備嘗栽活明春可奉贈一二株

移於　沁園深處以報　賜桃

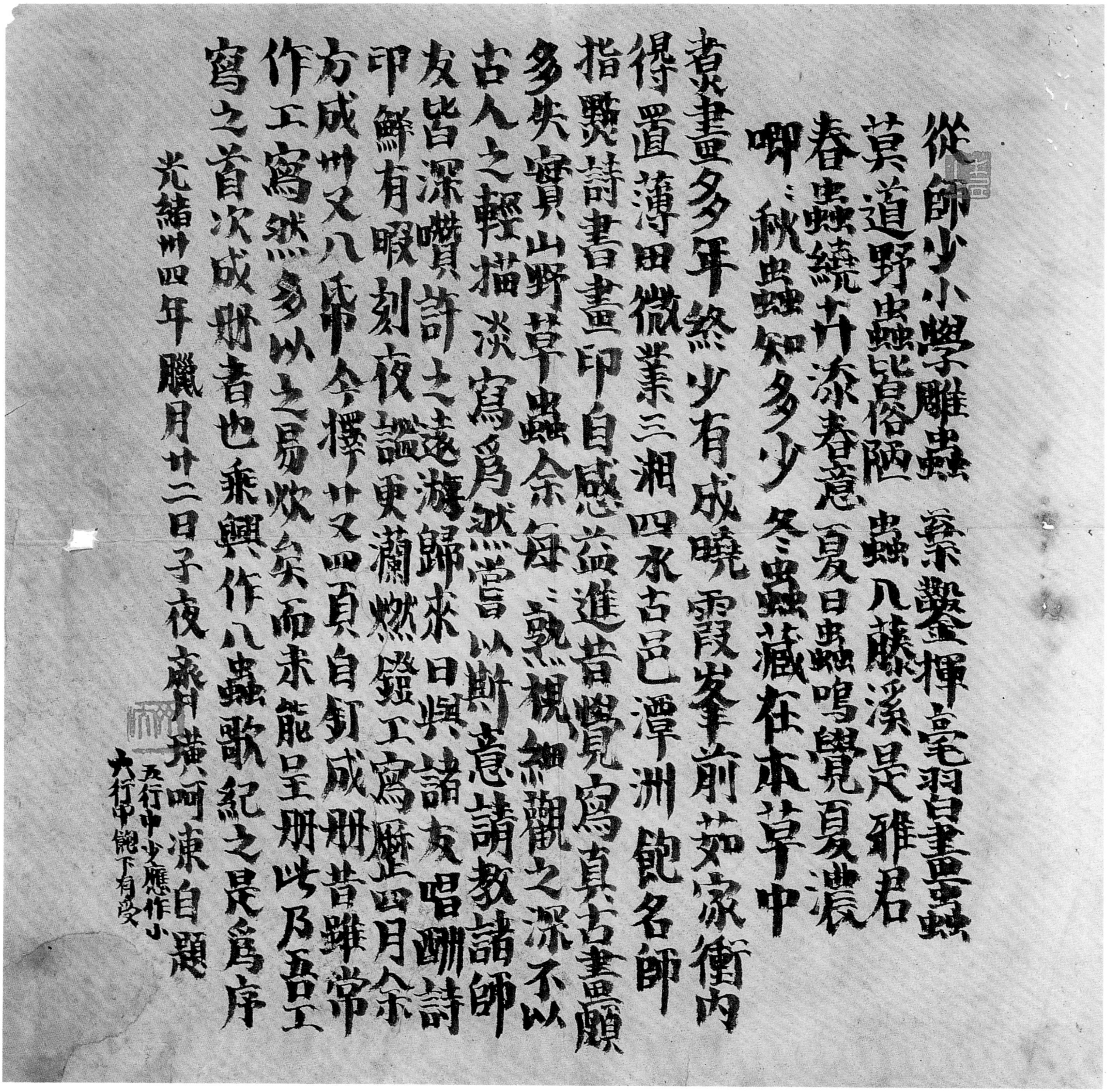

從師少小學雕蟲 棄鑿揮毫習畫蟲
莫道野蟲皆俗陋 蟲入藤溪是雅君
春蟲繞卉添春意 夏日蟲鳴覺夏濃
唧唧秋蟲知多少 冬蟲藏在本草中

畫蟲多年終少有成。曉霞峯前茹家衝內得置薄田微業，三湘四水古邑潭洲飽名師指點，詩書畫印自感益進。昔覺寫真古畫頗多失實，山野草蟲余每每熟視細觀之，深不以古人之輕描淡寫爲然，嘗以斷意請教諸師友，皆深讚許之。遠游歸來，日與諸友唱酬詩印，鮮有暇刻，夜讌更闌，燃燈工寫，歷四月余方成卅又八紙，今擇廿又四頁自釘成冊。昔雖常作工寫，然多以之易炊矣，而未能呈冊，此乃吾工寫之首次成冊者也。乘興作八蟲歌紀之，是爲序。

光緒卅四年臘月廿二日子夜 齊璜呵凍自題

五行中少應作小
六行中飽下有受

五　楷書題記　一九〇九年

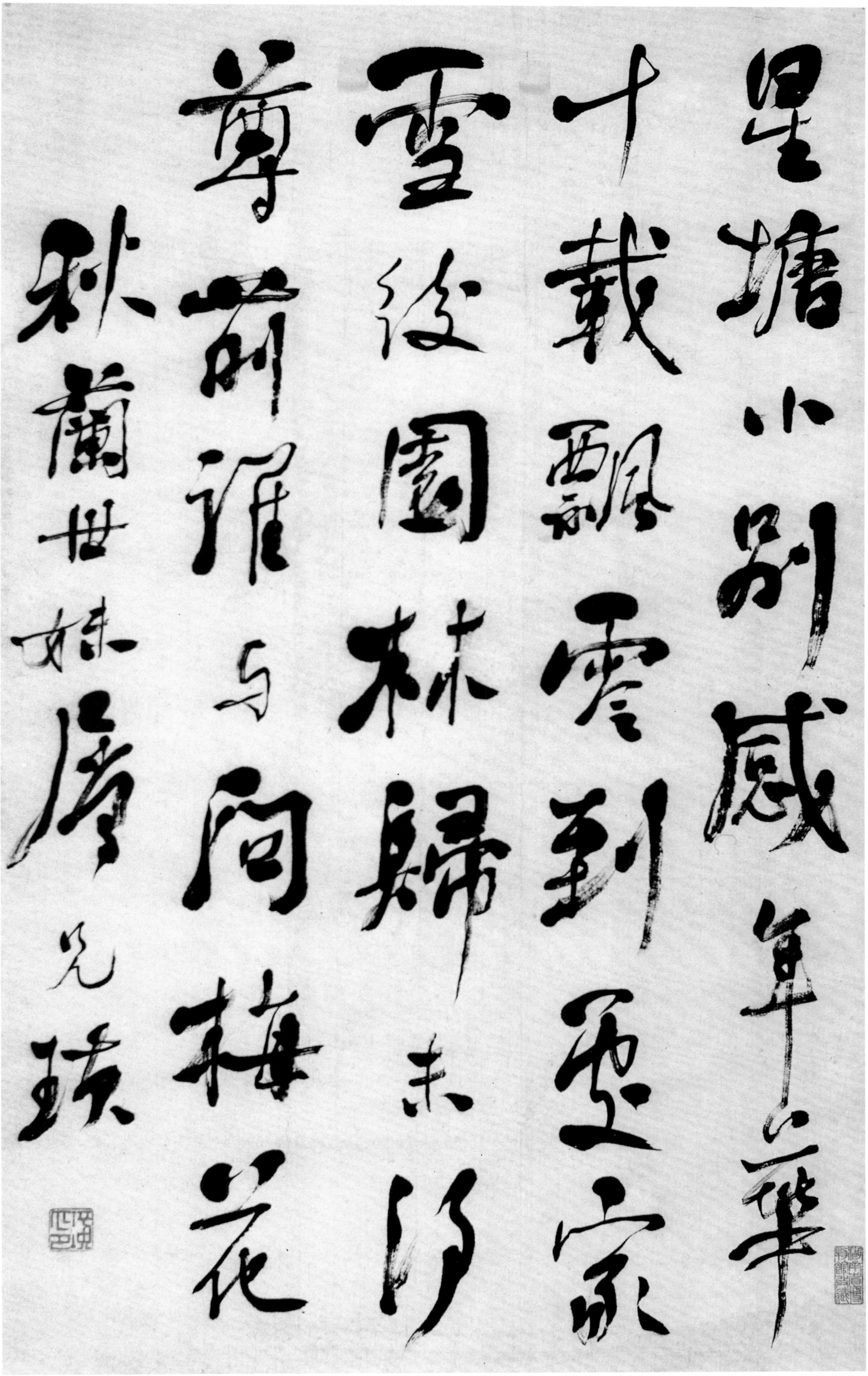

六　行楷立軸　約一九〇九年

星塘小別感年華
十載飄零到處家
雪後園林歸未得
尊前誰與問梅花
秋蘭世妹屬　兄瑛

七

行楷立軸

一九一一年　縱七九厘米　橫三四・五厘米

司馬西河實公名彥澄碩德高闡
紹賢遠識器宇岳厚拉橡冰清屬
以帥長攝行隨手以己而廣於詩書
以家而形於孝友以重而雅俗自興
辛亥正月白石山長

八　楷書手札（之二）　一九一九年　縱一九厘米　橫一六厘米

前朝庚戌冬小住長沙於茶陵譚大武齋中獲觀二金蝶堂印譜余以墨鉤其最心佩者越明年此原譜黎薇蓀借來阜山余轉借歸借山館以朱鉤之觀者莫辨原拓鉤填也且刊一印其文曰撝尗印譜瀕生雙鉤填朱之記迄今九年以來重游京師於廠肆所見撝尗印譜皆偽本今夏六

九　楷書手札（之二）　一九一九年　縱一九厘米　橫二五厘米

月瀘江呂習恒以二金蝶堂印譜与觀
亦係真本其印之增減与譚大武
所藏之本各不同只二三印而已余
令侍余游者楚仲華以填朱法鈎
之又借入二金蝶[注]印賸擇其圓折筆
畫者亦鈎之合為一本其印之篆畫
之精微失之全無矣白石後人欲師
其法只可求章法篆法摹倣不可
以筆畫求之善學者不待余言時

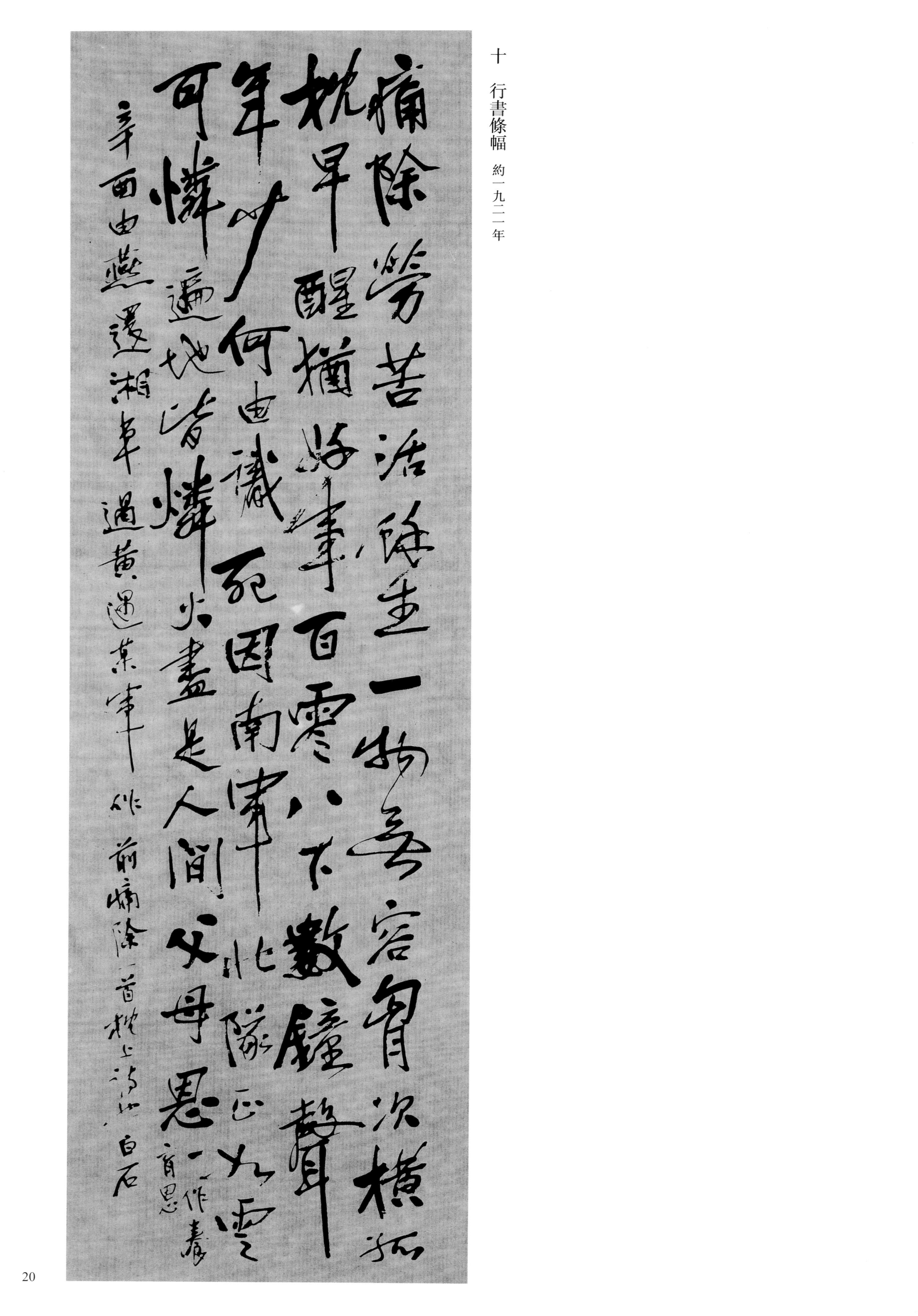

十 行書條幅 約一九二二年

弘大[illegible][illegible][illegible]庵刻印如和尚之信
佛全藏集言彼之其所短自知
其長如此彼自去其之病以存[illegible]
理而師無須我老許饒舌
耳　辛酉五月十七日又記歸之

一二　行書聯　一九二二年　縱一四二厘米　橫二一・二厘米

文章江左家家玉

烟月揚州樹樹花

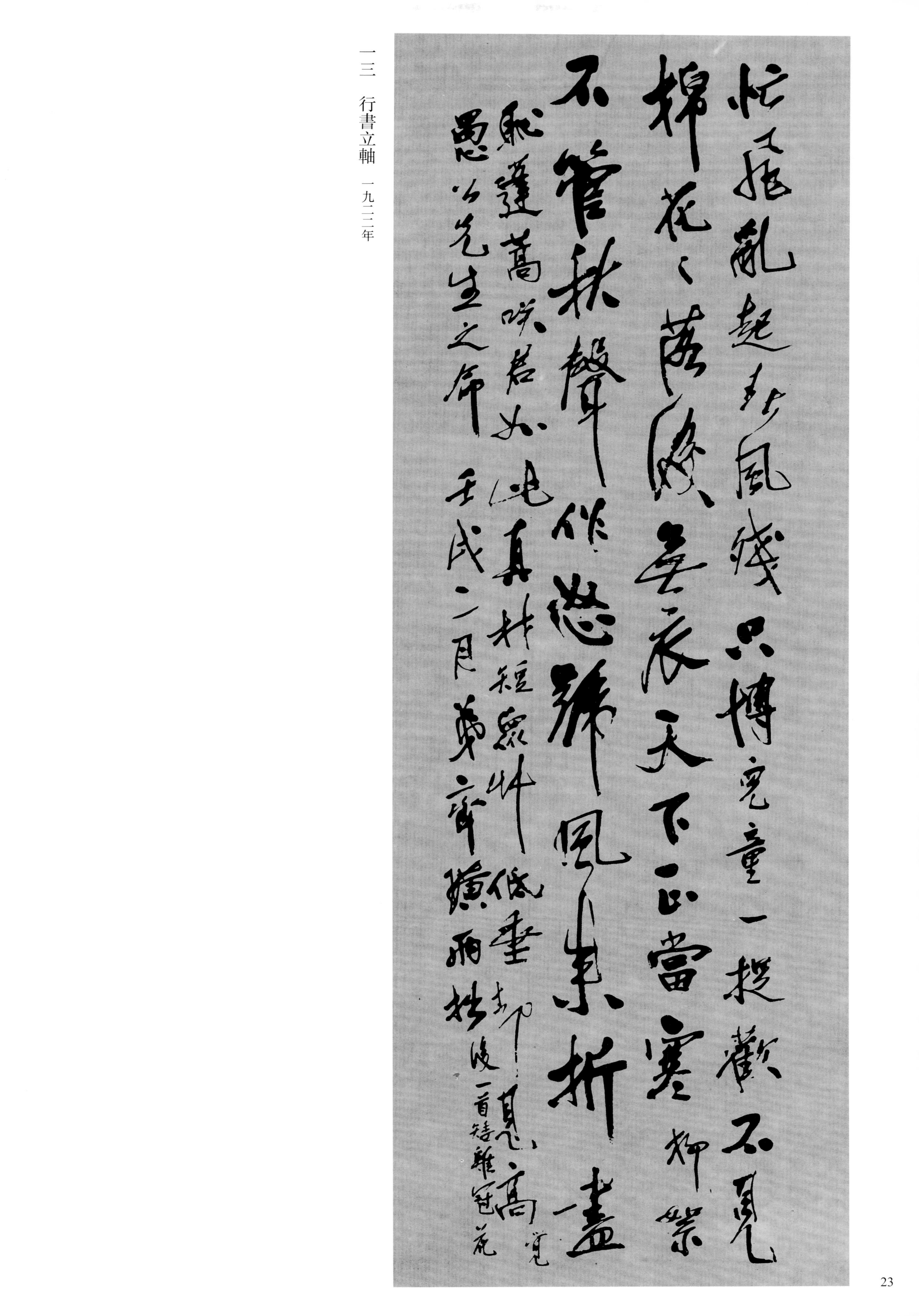

一三　行書立軸　一九二二年

我書意造本無法

此詩有味君勿傳

壬戌二月二十七日弟齊璜白石翁并記

一五　篆書聯　一九二三年　縱一三〇・五厘米　橫一八・五厘米

刻印吾謂古今人不能印
印譜佳者明文何雖負不
善變一生無一佳印后解此之
日之後舉前清西泠六家推
丁君有數印能過當時人物刻
趙無悶白文多佳者十居五

一七 行書題簽（之二） 一九二三年

若謂空絕前人也余此譜中稍有七八印可觀者謂平生幸事張老仁兄勿咲余言狂且妄耳 癸亥四月廿五日 白石山翁燈下記

客路逢詩寄謝家閒情筆下亂如麻如今哪有前時事馬上斜陽城下花　長安道中寄阿樹

千年七日總時光休信神仙不老方問汝牽牛攜過那一時雙鬢卽無霜　畫牽牛花題詞

人生歡會幾時常折花枝寄遠思狂態未除情總作錢塘旋被雨風知　畫梅花題詞

薔薇滿院是荊棘相近掛衣刺更長寄語人間種以花叟幽蘭雖好不當門　畫薔薇題詞

閒花地梁橋萬萬四角多無得覩山鞭在手一家料不過黃河　燕京果實勝有燒家園　破笠青衫老庶民

法源寺裏舊遊還重來幸有桃花在認得寒翁是故人　法源寺桃花　身如朽木口加緘兩字塵情

一筆刪咲倒此翁真是我越無人識越安閒　有人為余畫小像門人以為未似余自戲題一絕句　破筆成塚於世何補筆筆寫

吾豈甘與汝同死　銘筆

元[illegible]仁兄請書詩句令人生醜加倍也　癸亥二月　弟白石山翁

一八　行書立軸　一九二三年　縱一三九厘米　横三四厘米

一九　篆書屏（之一）　一九二四年

贈胡生鄂公序

余日患中國文字之亡也，因與同志于余師講[illegible]之南學，尚秦漢魏晉宋之文。胡生鄂公與席聽講，寒暑[illegible]輟。生黄陂舊部也。歲辛亥，鄂中事起，生從就黄陂于武昌，追漢上逆旅主人窘辱之。既黄陂屬以卒五千

渡江前鋒，縛得間諜，視之則漢上逆旅主人也。生笑曰：汝決不爲諜，或冒利爲人所構。汝應識我，我不爲南將軍也。趣釋之。于是列將咸多其勇容。戊申除廣州道尹，謝弗就。已出奇得檄論蜀，蜀主兵者生故人也。于是西南不廷久，生亟獨禮以而傳吹笛伐鼓迎

二〇　篆書屏（之二）　一九二四年

之轅門時顧陝之師旅雲集而需合生平企望世鋒雖
海上哲言約其定然蜀中固已生之於而盟謚矣嗚呼而
下奇變其有朋見如今日者商之用代順廟調和藩鎮
養癰不治尚有云和淮蔡之師今財劉將投兵弗戰
欲求如悲度之鎮定南邦之勇毅則已難矣然則蜀中

之宜謚固不能不推生之能折衝于尊俎也勉哉胡生而下
唯先私者始足以感人日吾國家世變私利勿論不足盡
衆而可諱以為之棘手何為者生從吾游持論和易寬而
下大勢其當矯激為試內外之吾余樂生養之粹而謀
之藏其所為之言以振之　乙未三月九日　畏廬老人林紓拜纂
南湖作弟令以鎔獻於度之宜書之不足為　教也　[illegible]
甲子三月十五日
令財列將說劉將

二一　行書立軸　一九二四年　縱一二〇厘米　橫二四厘米

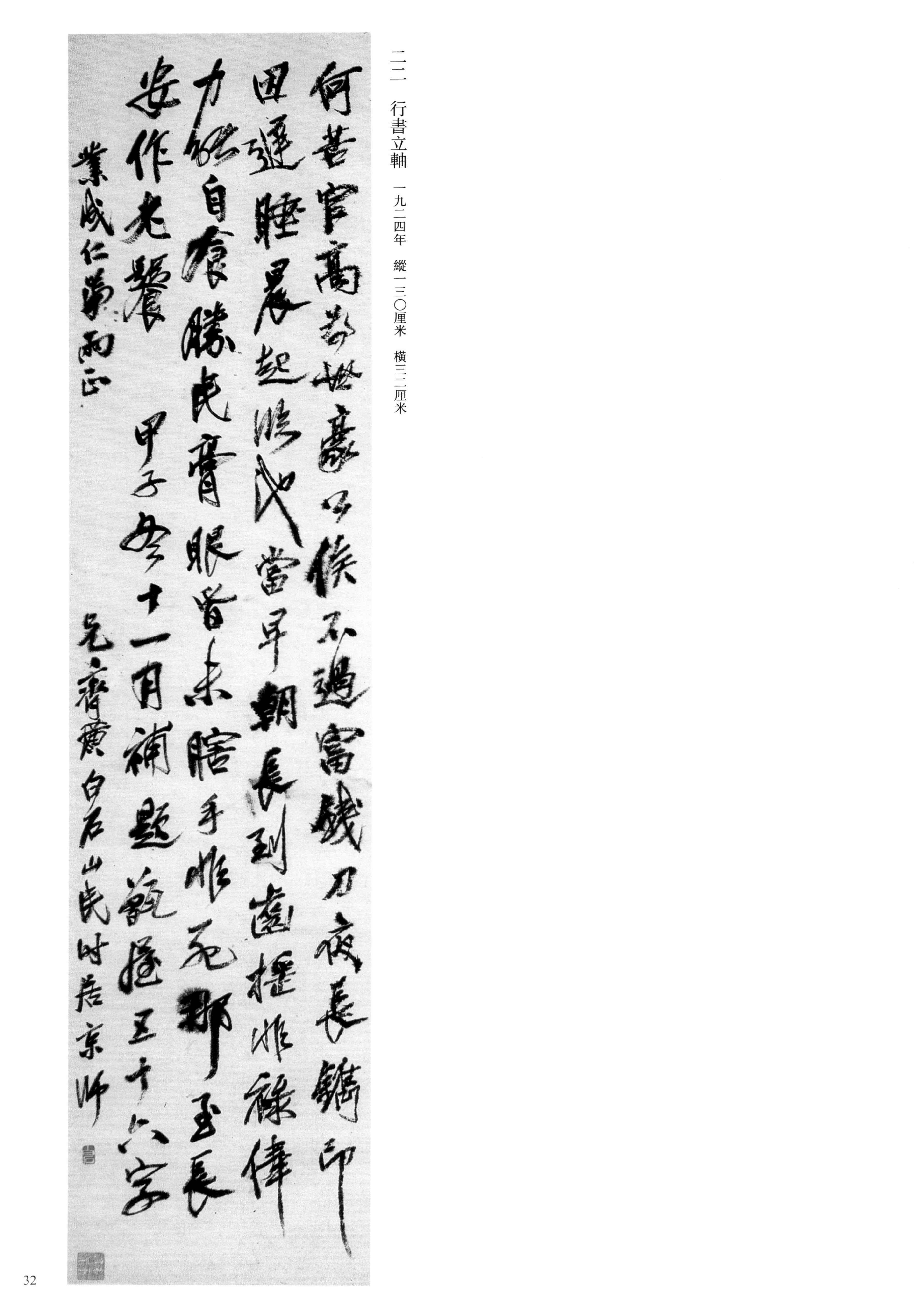

二三　行書立軸　一九二四年　縱一三〇厘米　橫三二厘米

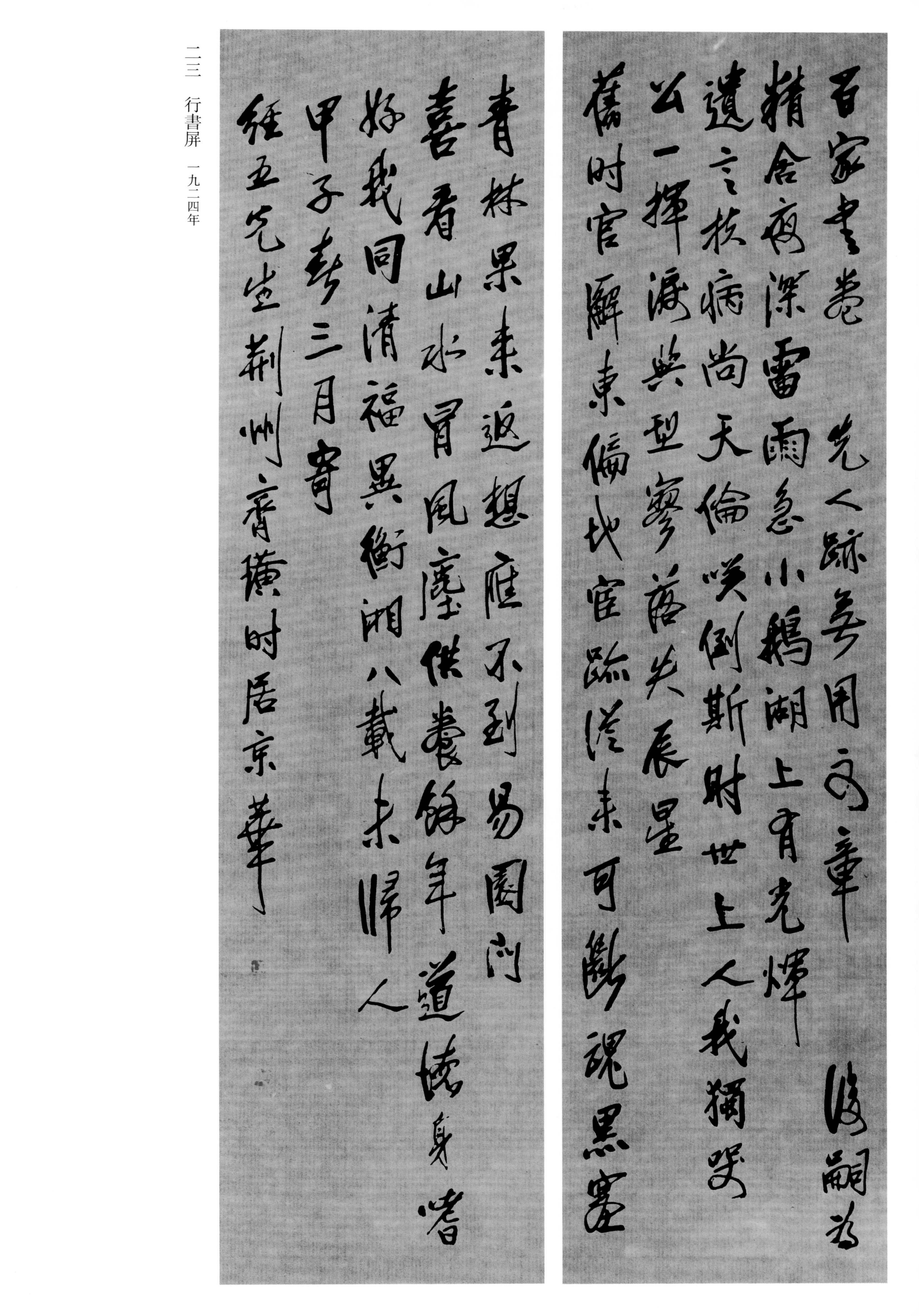

行書屏　一九二四年

二四　篆書聯　一九二四年

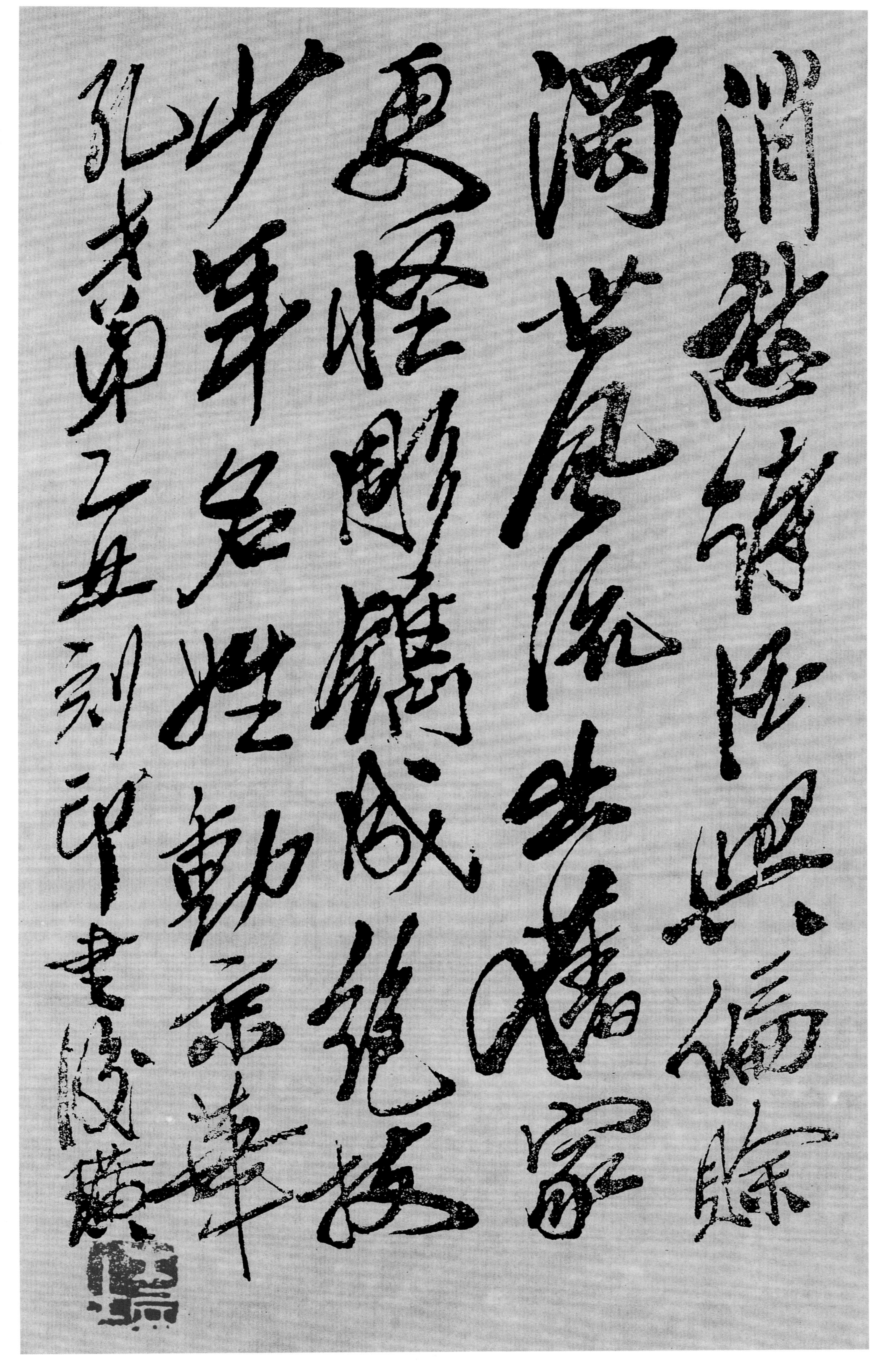

二五　行書題簽　一九二五年

二六　篆書横幅　一九二五年

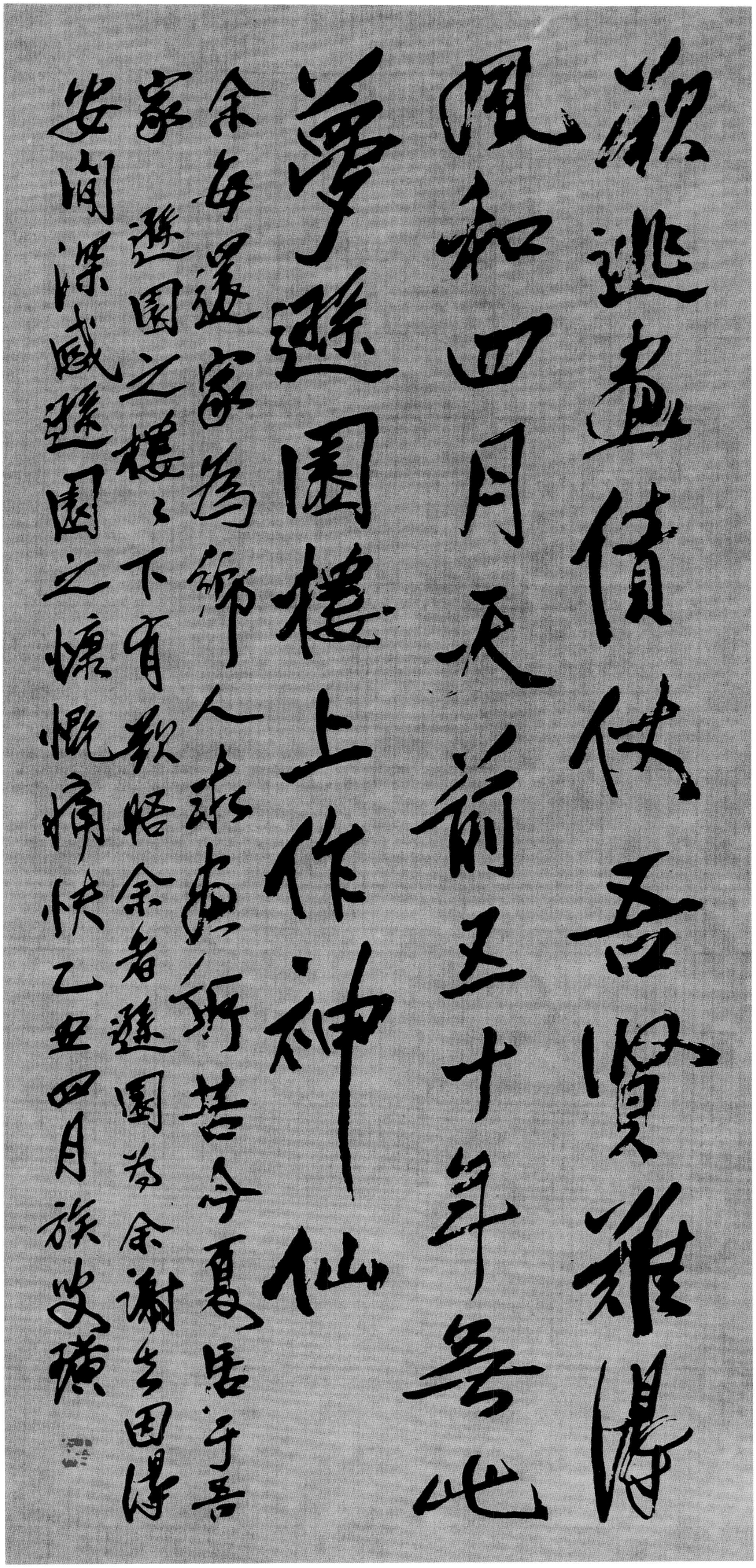

二七　行書立軸　一九二五年

二八　行書題簽（之一）　一九二五年

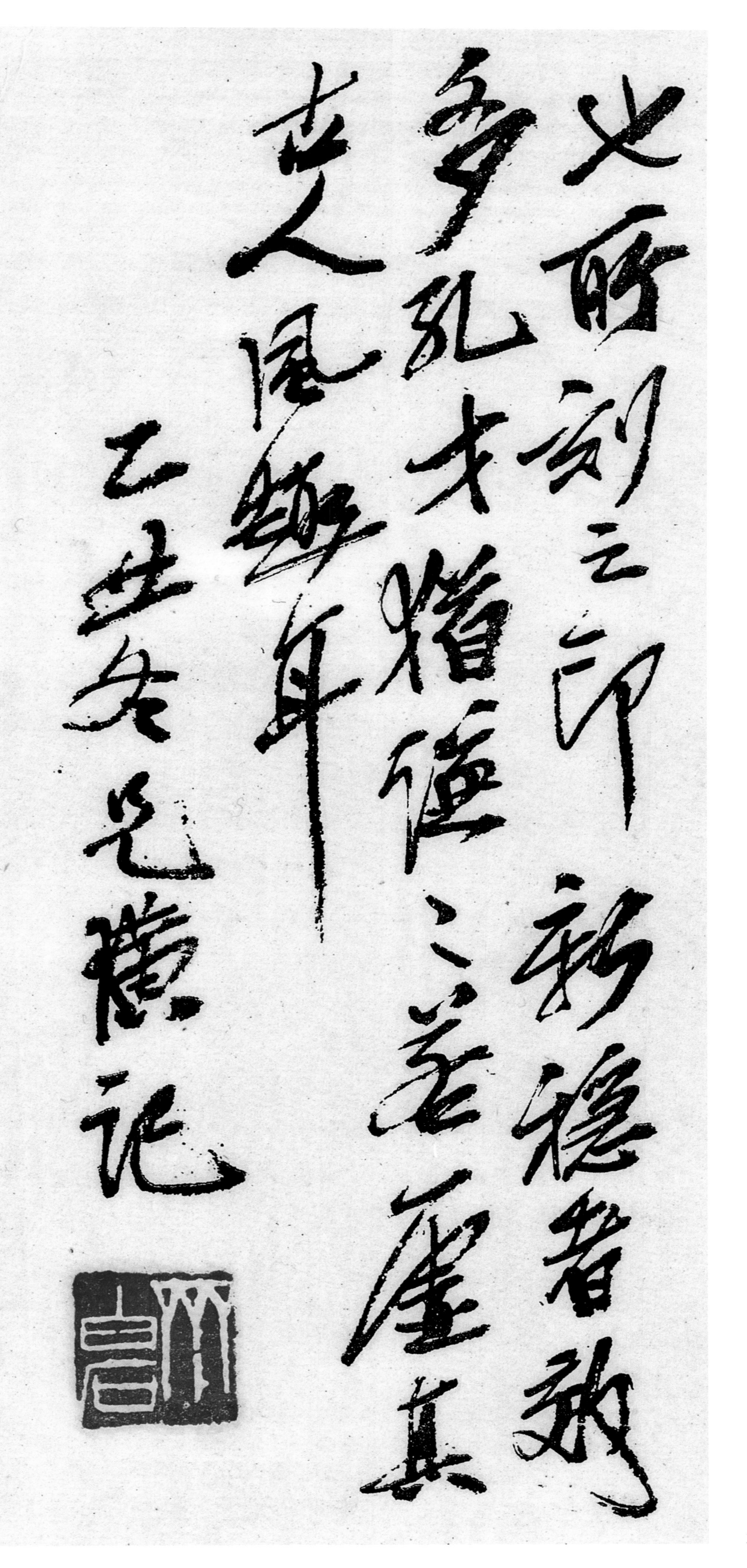

二九　行書題簽（之二）　一九二五年

三〇　行書手札　一九二六年　縱四一・五厘米　橫三三厘米

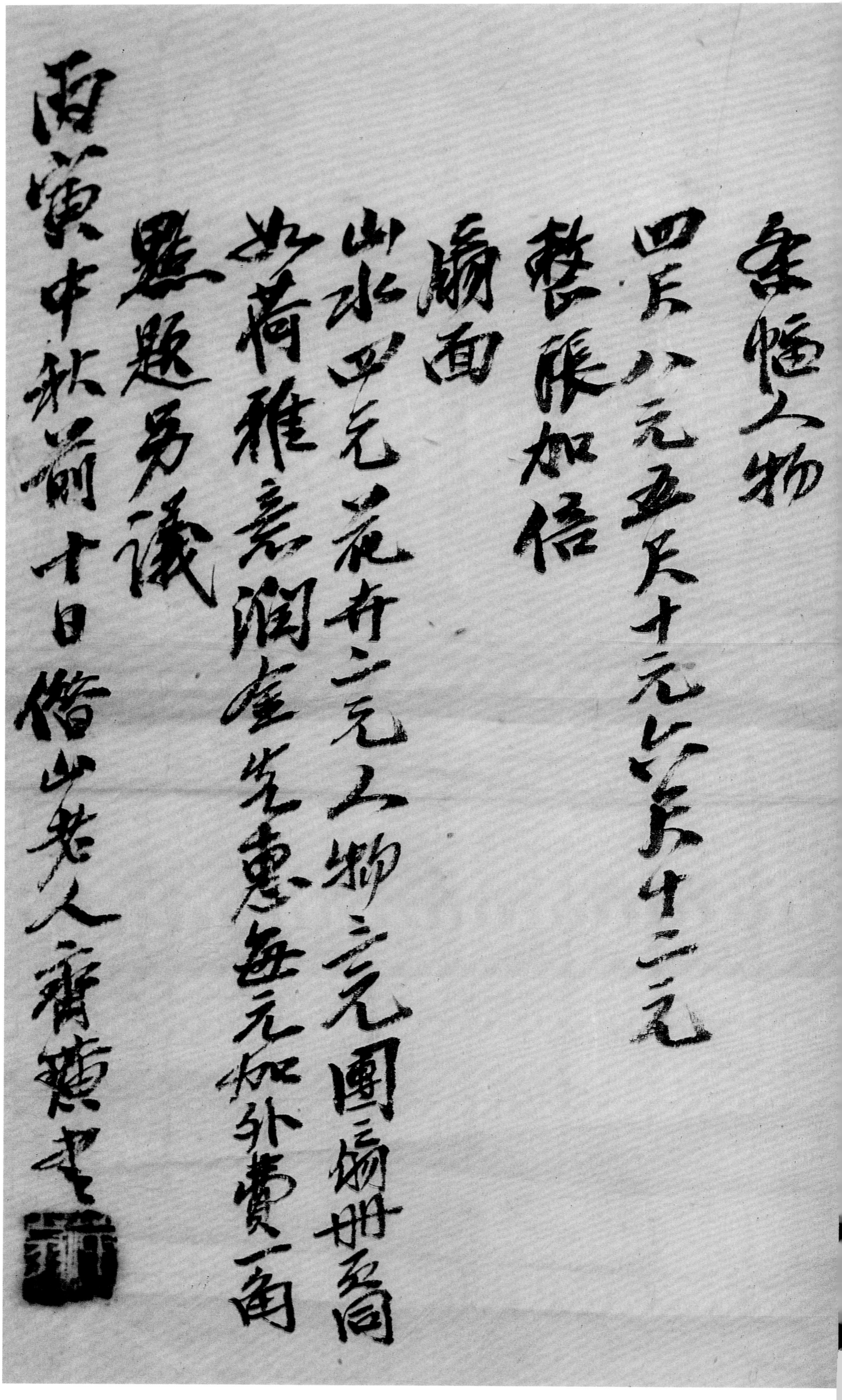

条幅人物
四尺八元五尺十元六尺十二元
整張加倍
扇面
山水四元花卉二元人物三元團扇冊頁
如荷雅意潤筆先惠每元加外費一角
畫題另議
丙寅中秋前十日借山老人齊璜書

雪个润格

雪个画山水似宋刻丝及大滌子画品高
故知者难覓得年来外之求者益
由入余情甚一笔苦心何不供诸天下好
定润格求者自得门径昔拙公和尚来
以板桥润格为人笑多事也

条幅山水
四尺十二元 五尺十六元 六尺二十元

条幅花卉

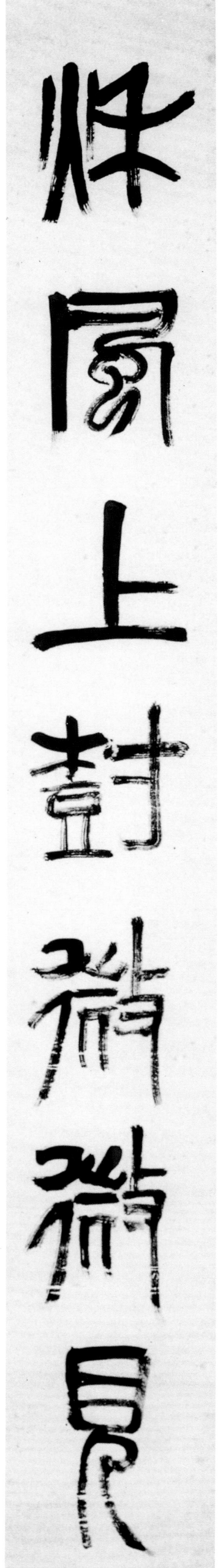

三一 篆書聯

一九二六年 縱一七五·二厘米 横二三·四厘米

余年卅至五十年歲傷於喪亂時所作
之詩感傷而已雖嬉笑怒罵幸未傷風雅
十年得一千二百餘首為兒輩背攜出篇
數余手友朋處挍選之詩幾付詩四百二十
餘首親手寫為四本以二本寄湘綺師
刪改不數日師復其稿又失挍選之詩幾

三三　行草手札（之二）　一九二八年

三四　行書扇面　一九二九年

三五　行書扇面　一九二九年

三六　篆書聯　一九三〇年　縱一六六厘米　横四〇厘米

怪之甚。數日始聞禪卿

為人說戒事，又未能

歸，何日得知說戒行

枉賢，良幸也。即問

近安

[illegible]

三七　行書信札　二十年代　縱一六厘米　橫二五·五厘米

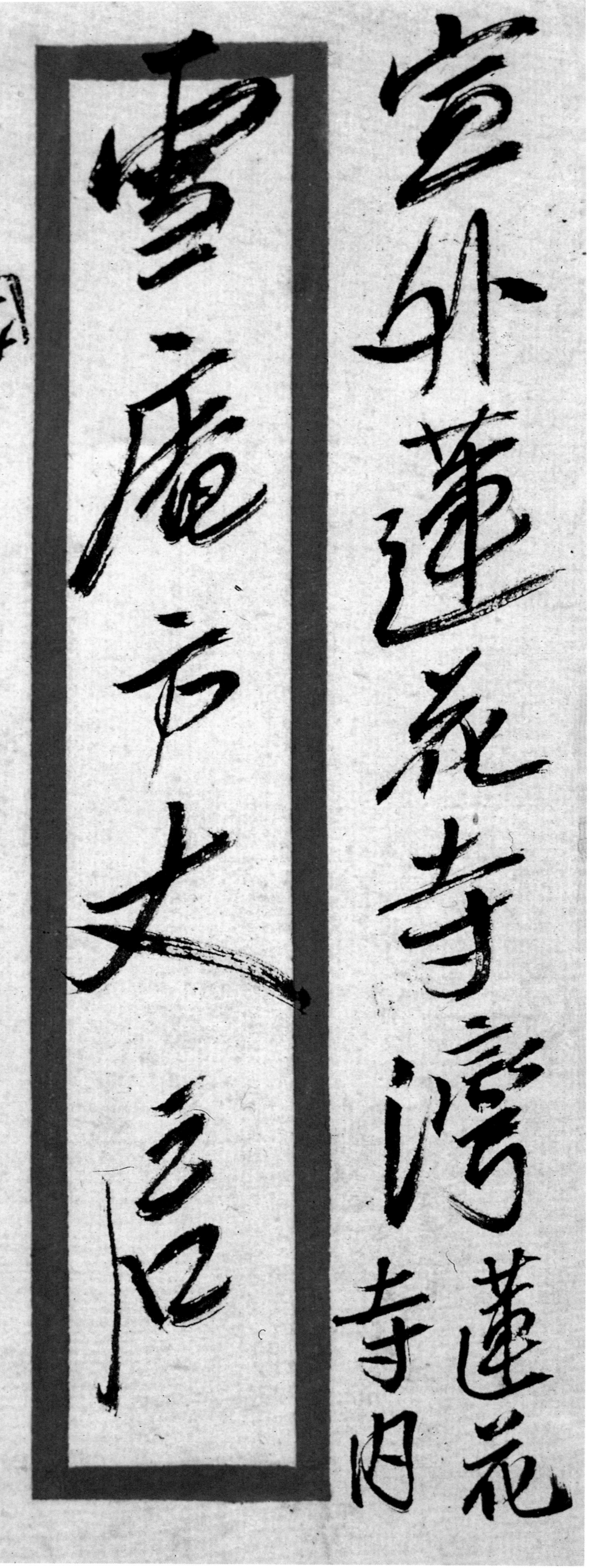

三八　行書信封　二十年代

禿筆掃驊騮韋侯畫馬之妙也其紅鶴霞復背圖一軸乾隆元年見之京師王侍郎宅余曾題詩左方侍郎逝後此畫爲廝養卒竊去歸諸內城賣漿家矣今拈毫追想其意所謂頭一點尾一抹者乃于素縑中摹得之每逢上巳湔帚之日不無有斜陽芳草香輪漸遠之感 此幅原題

杏子塢老民齊璜鐙昏錄摹冬心先生驊騮圖并其款識百餘字

齊璜

三九　楷書立軸　二十年代　縱五四厘米　橫一八厘米

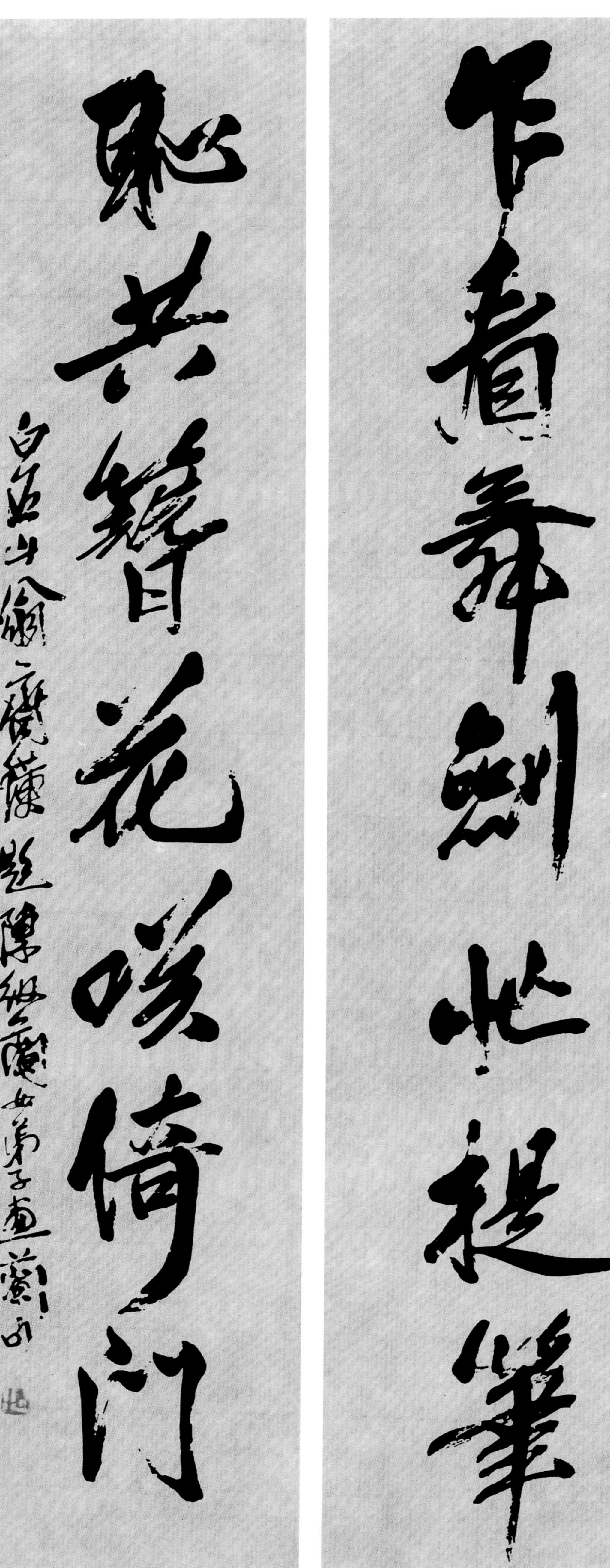

四〇　行書聯　約二十年代

四一　行書立軸　約二十年代

四二　篆書聯　約二十年代

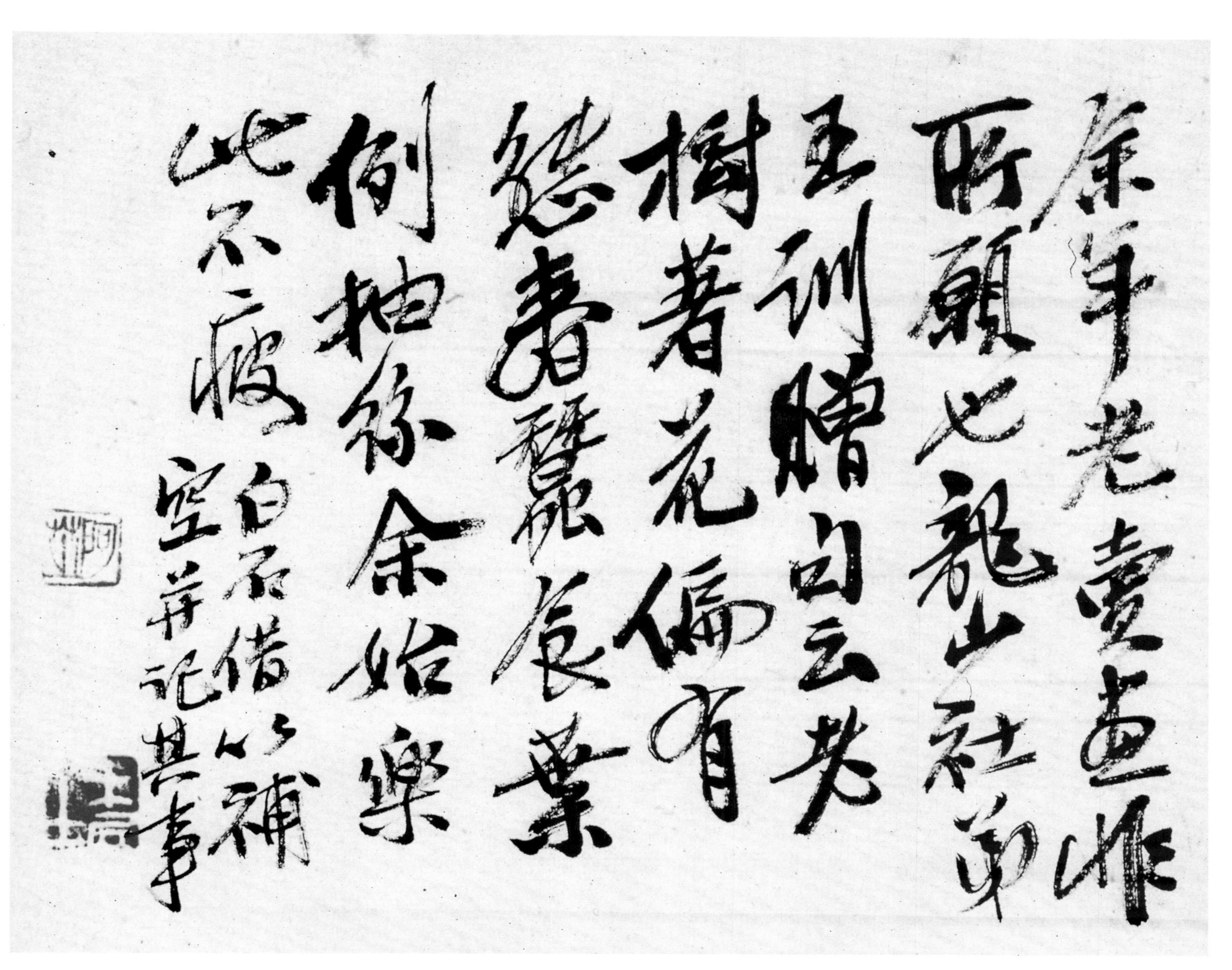

四三　行書題款　約二十年代

四四　行書扇面　約二十年代　縱二四厘米　橫五二厘米

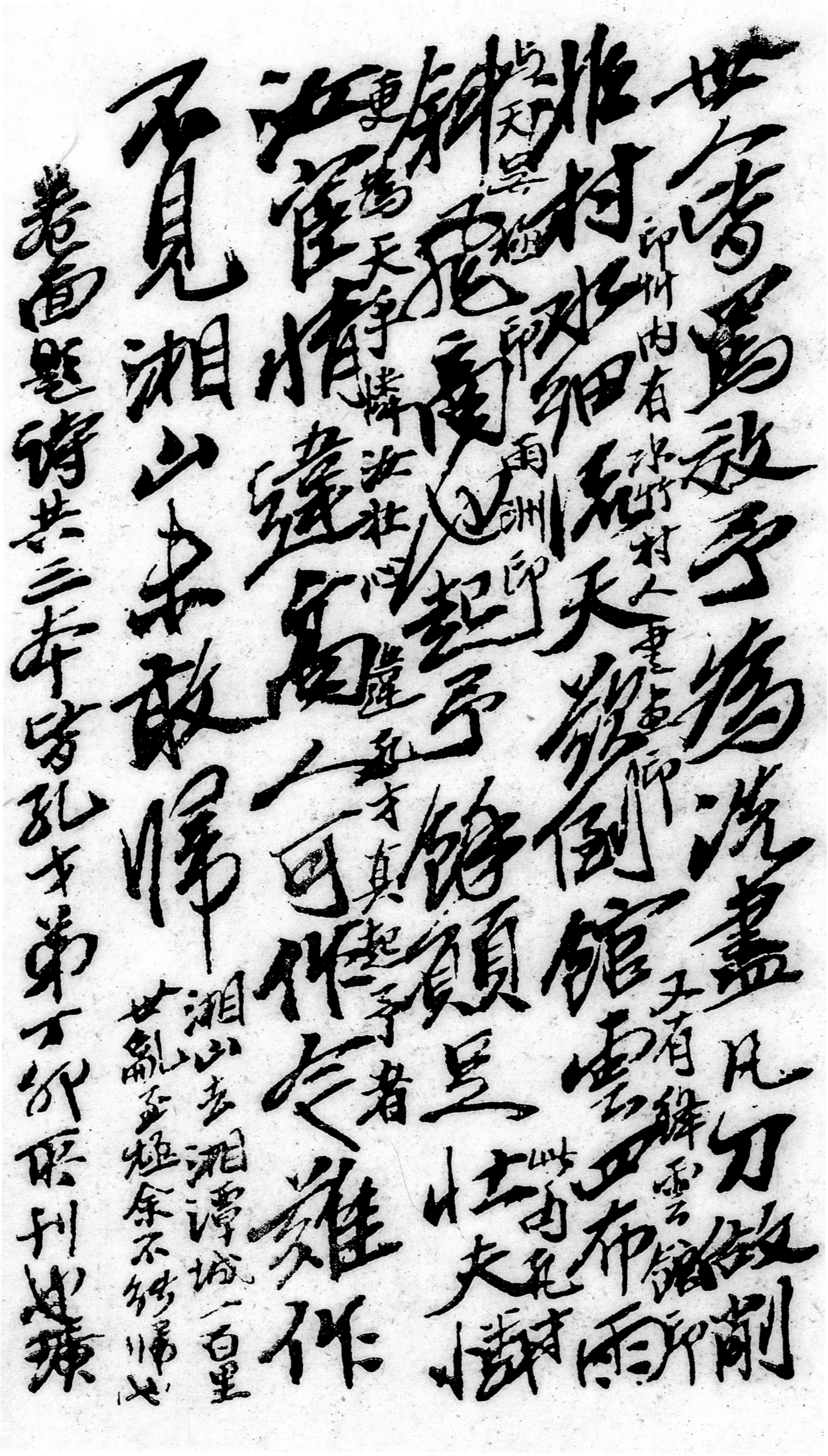

世肯為我設予為洗盡凡刀斧削（又有餘霞館印）

非村江細紅天翻倒館雲布雨（邵州內有邵村人畫印）

（白石天吳極）鋪飛印南（雨洲印）起予餘領足壯夫（此句凡村）

（重為天手靖汝杜門）遠何人可作之雜作（蓬孔才真起予者）

不見湘山未敢歸（湘山去湘潭城一百里　世亂不極余不能歸也）

老面題詩共三本皆孔才弟子所思刊也　璜

四六　行草題簽　二十年代

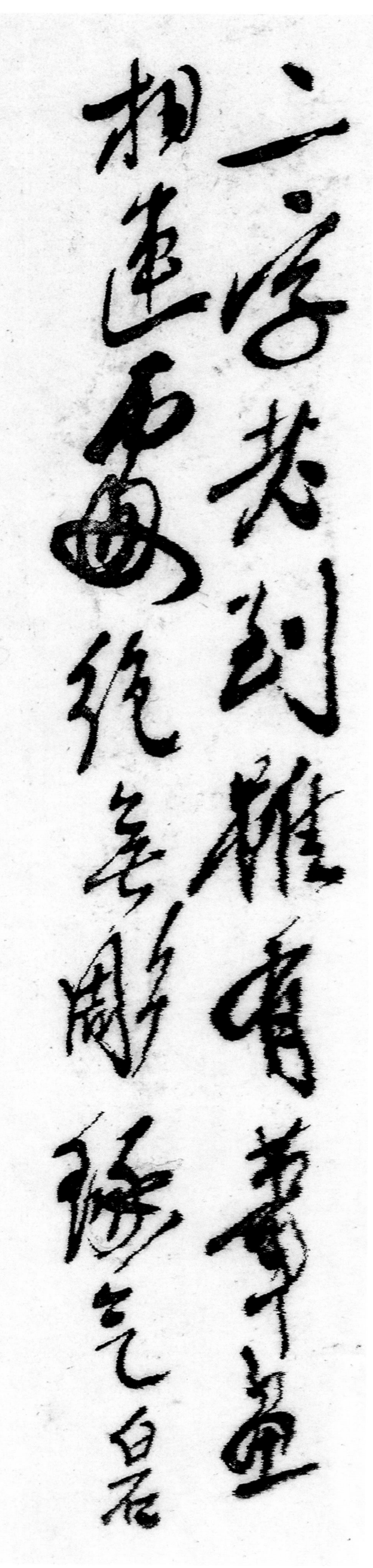

萬慮抛剛手悲人与世相違我輩紛情劍銘
破成死物見刀截玉露泥痕傳鑪灘縣与人
張鼓鼎飛盤壺記愛俱哭殺冶工三萬雙
漢書以下士人愚解取鐫銅哭鑄鐘青
年賀趙大廷真來絶出龍滄席馬行
空聲電馭云天忽烈
生平趙生大廷工具飛來京華推自刊印題
余之惡三絶句畫君
孤求之弟此印册後之題識

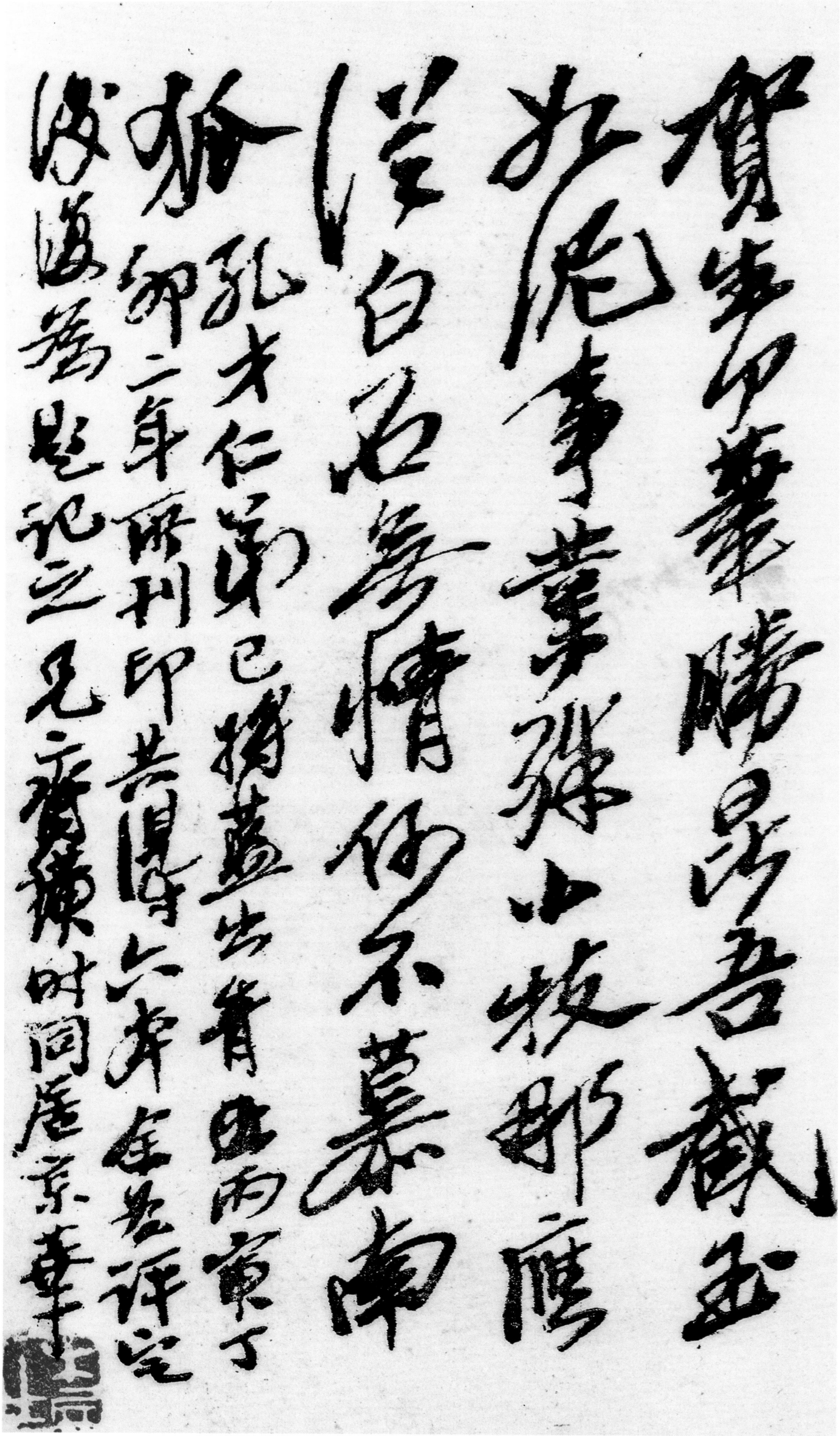

賀生印草勝吾藏五
於此事業羨小牧耶應
羞白石着情何不慕南
陔孔才仁弟已將盡出前自丙寅丁
卯二年所刊印共得六本余為評定
後復為題記之　兄齊璜　時同居京華

西泠吉極雅極雅此時之京華刻印家不能夢見即吾昔年亦不常有也君子刻石上手此余

白石山翁

五一　行書立軸　二十年代　縱一五〇厘米　橫二五・三厘米

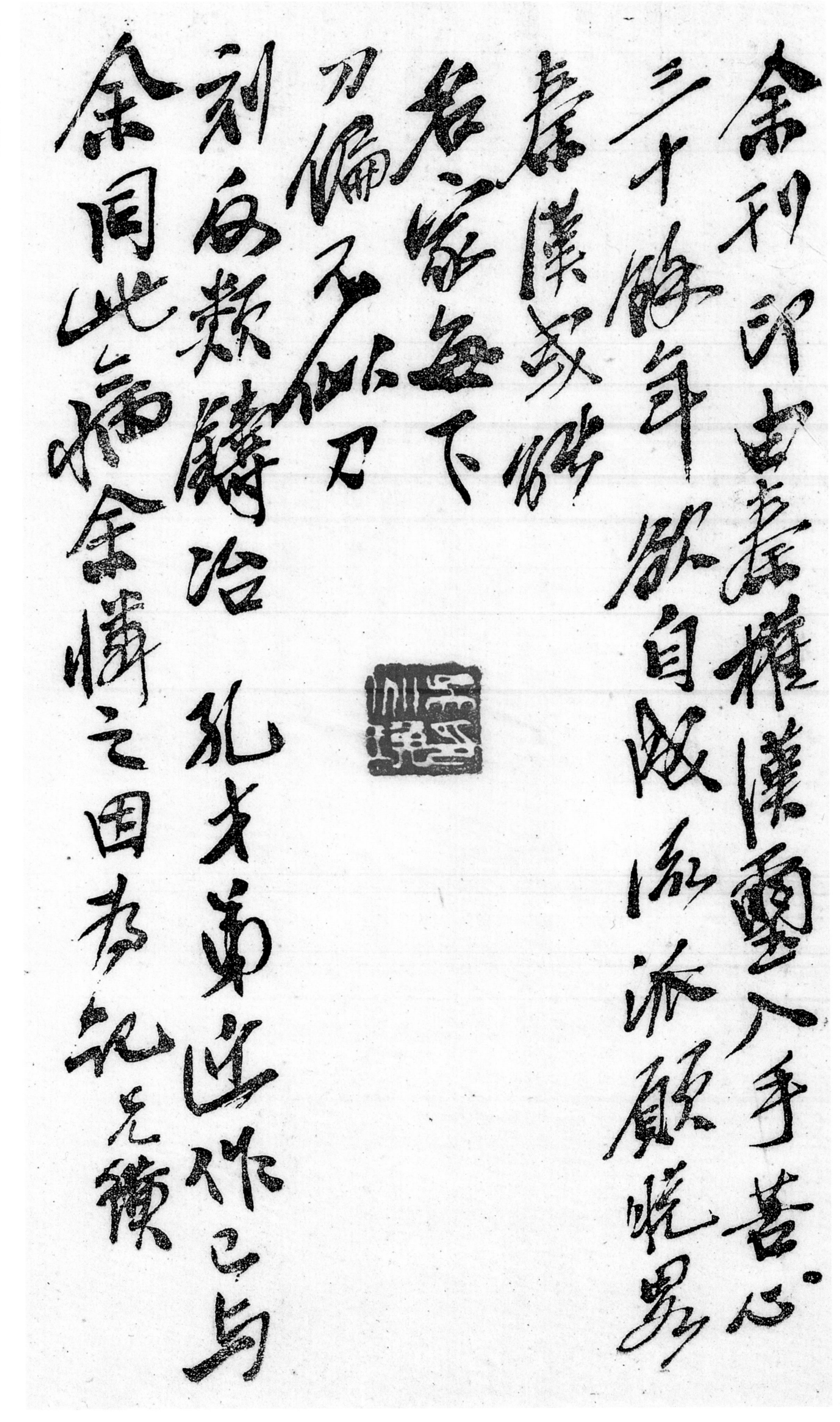

五二　行書題簽　二十年代

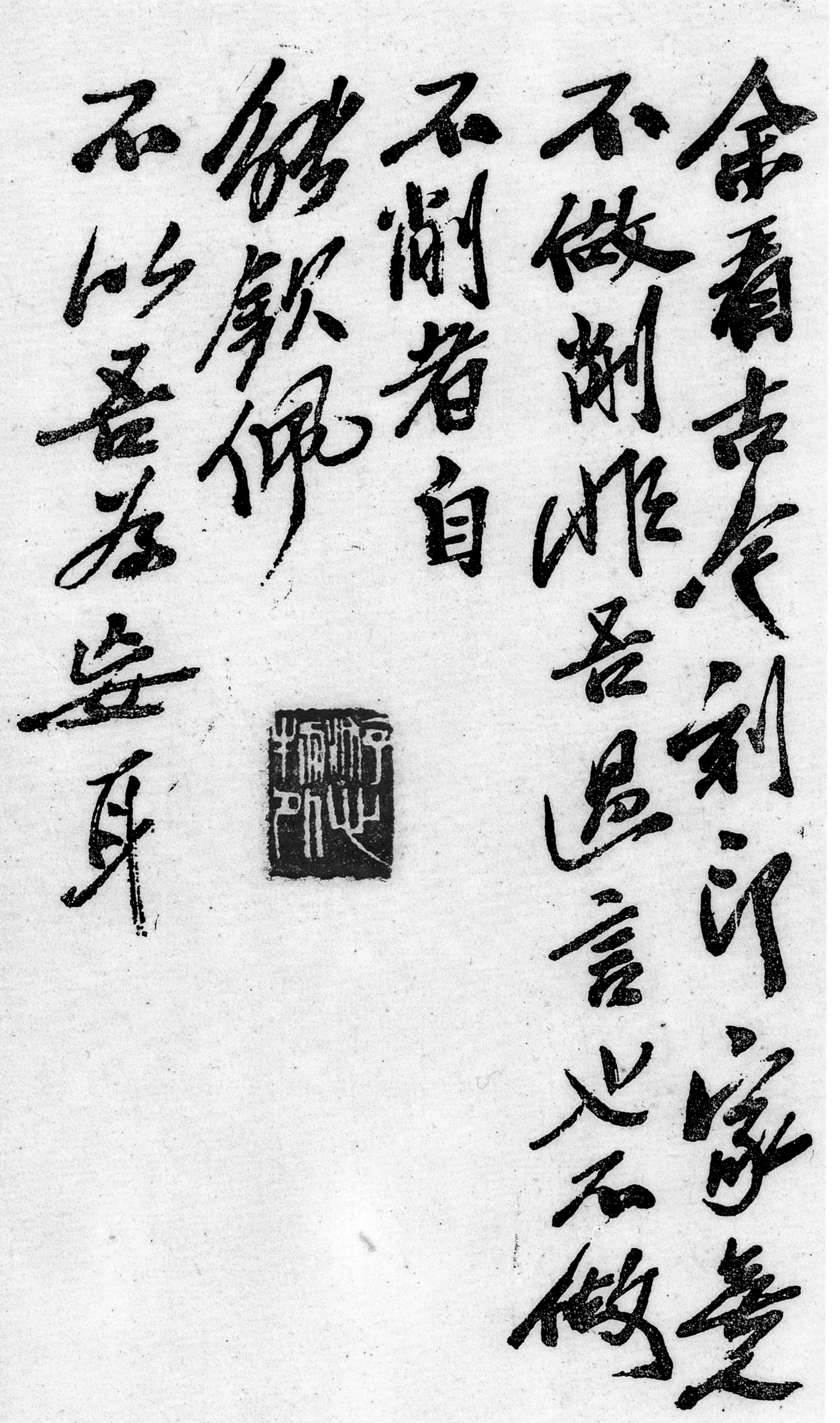

五三　行書題簽　二十年代

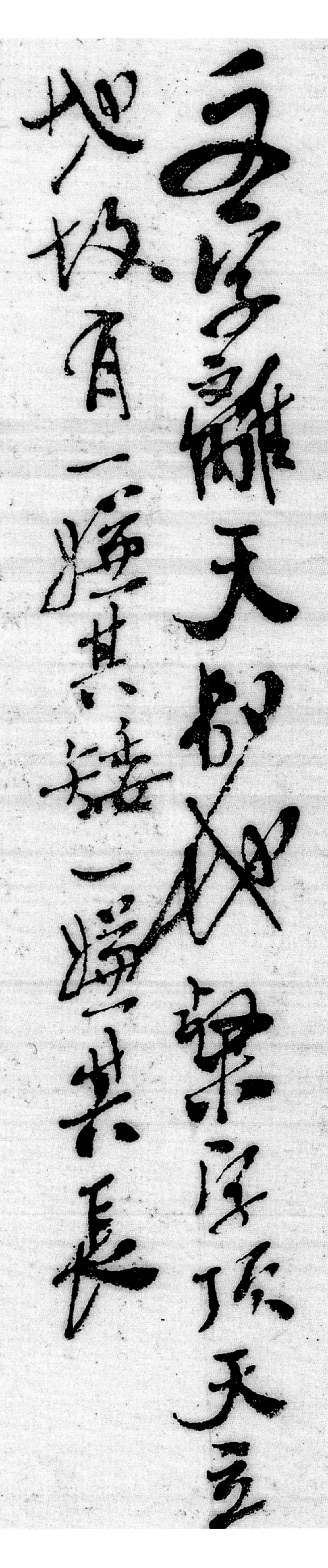

五五　行書題簽　二十年代

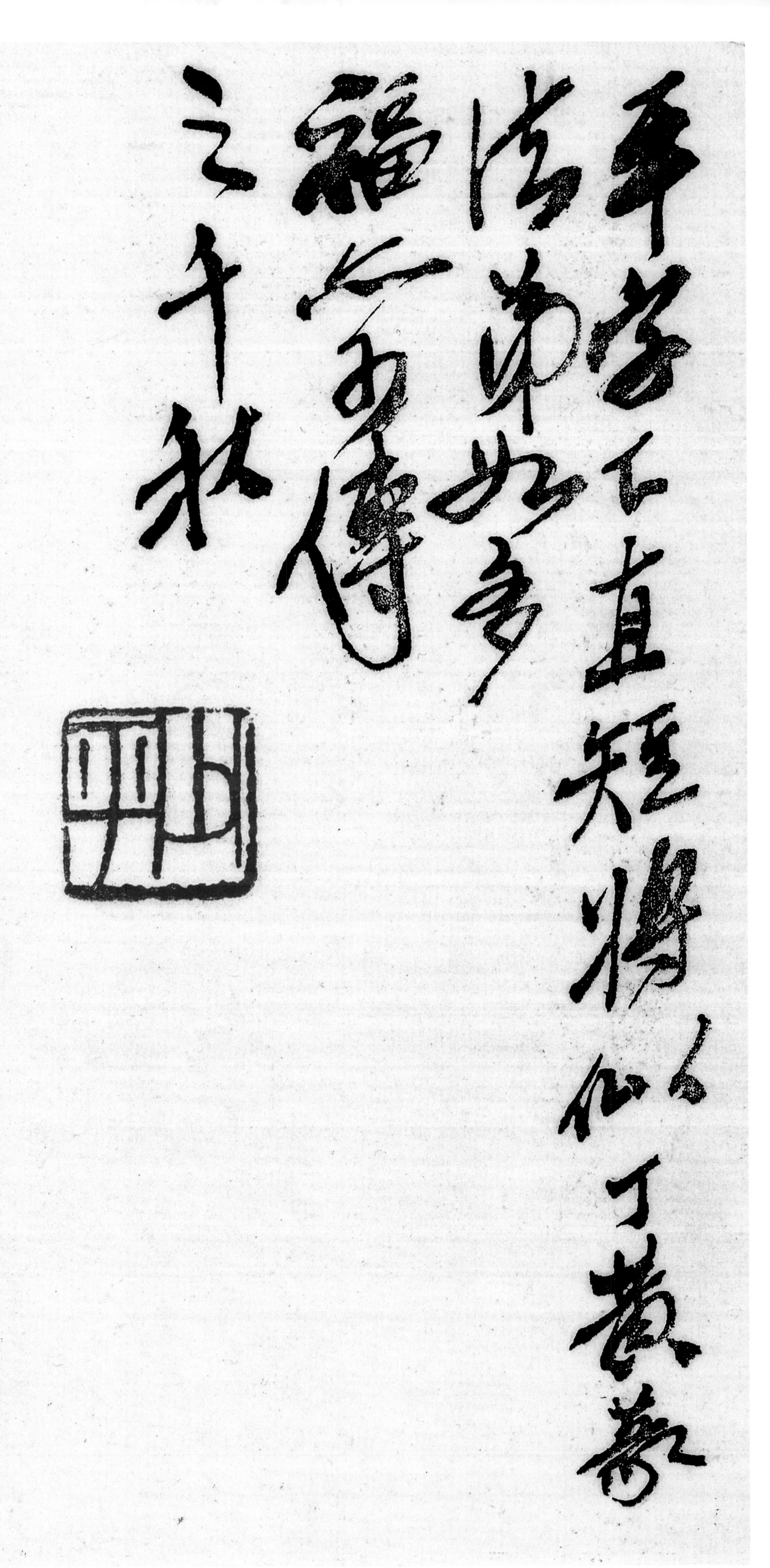

行書題簽　二十年代

陳寶秦漢匠趣殊冶鑪惟
子解從予蛇神牛鬼推始起有
活虎生龍捉者多下擇獨據
僅僕美之傳還差源上邀俱
上夫深愛殘譽識仗爲人蓮譽
大匠孔才任氣縱抵刊齊璜題記

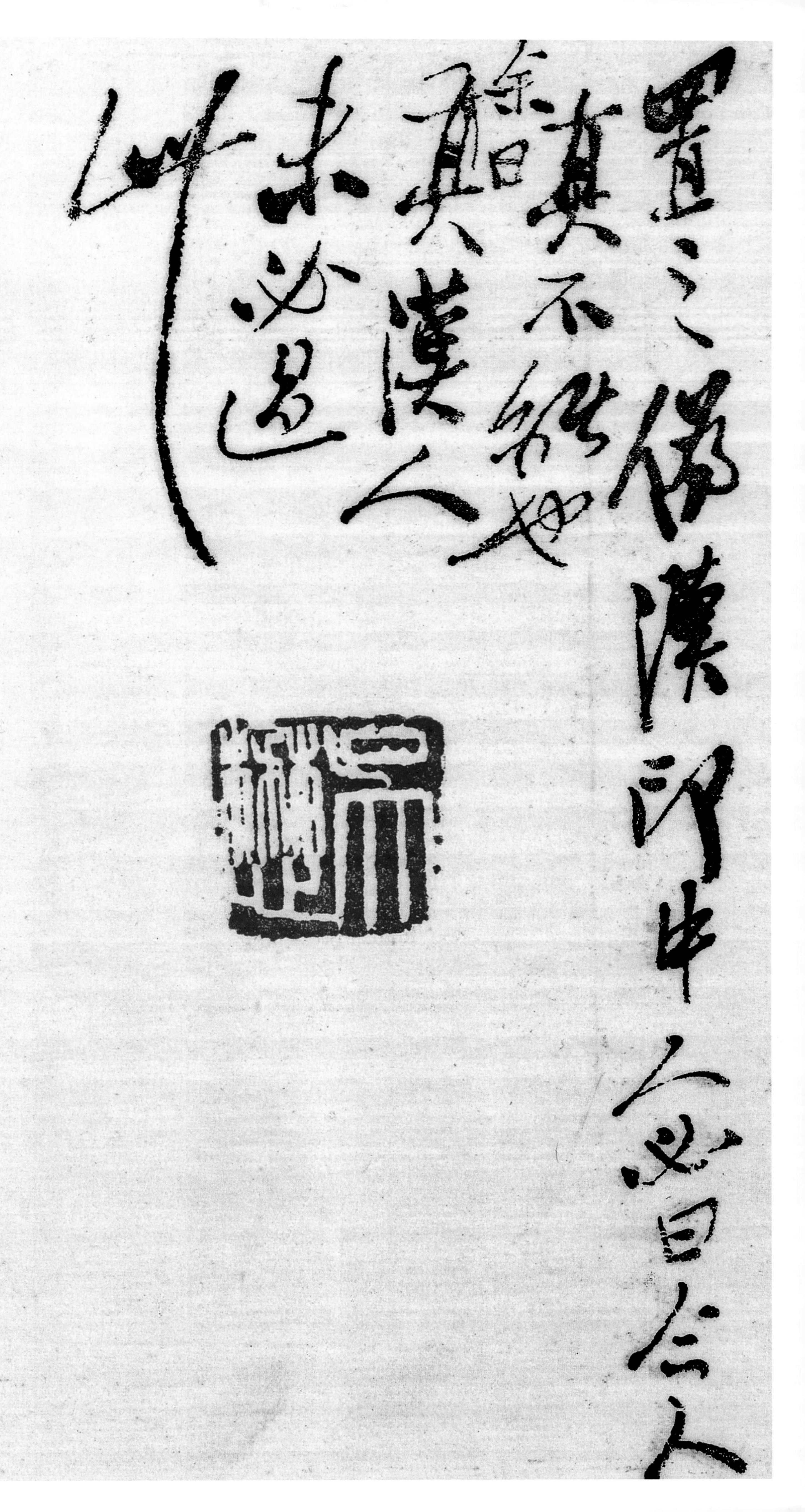

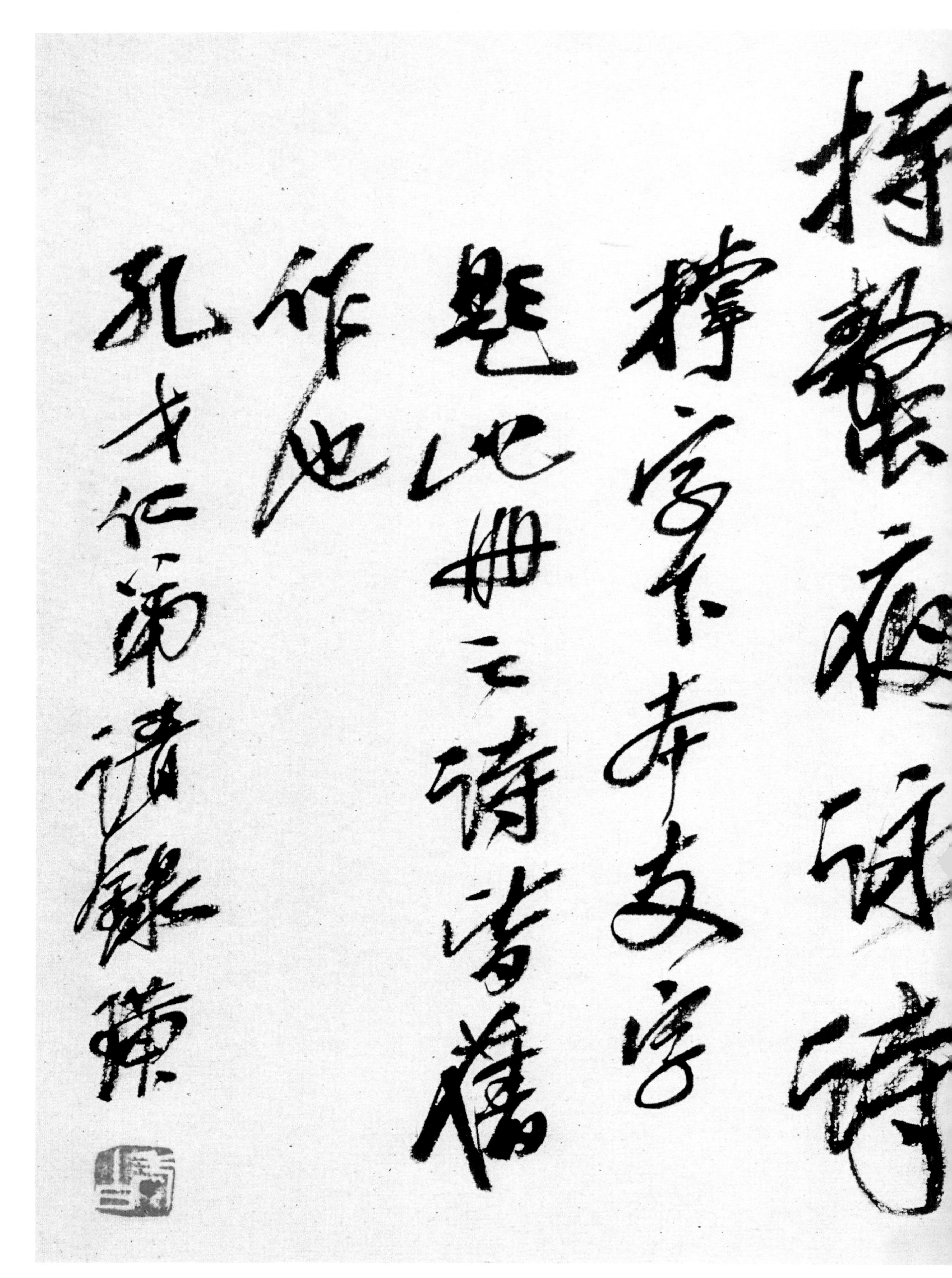

五九　行書册頁　二十年代

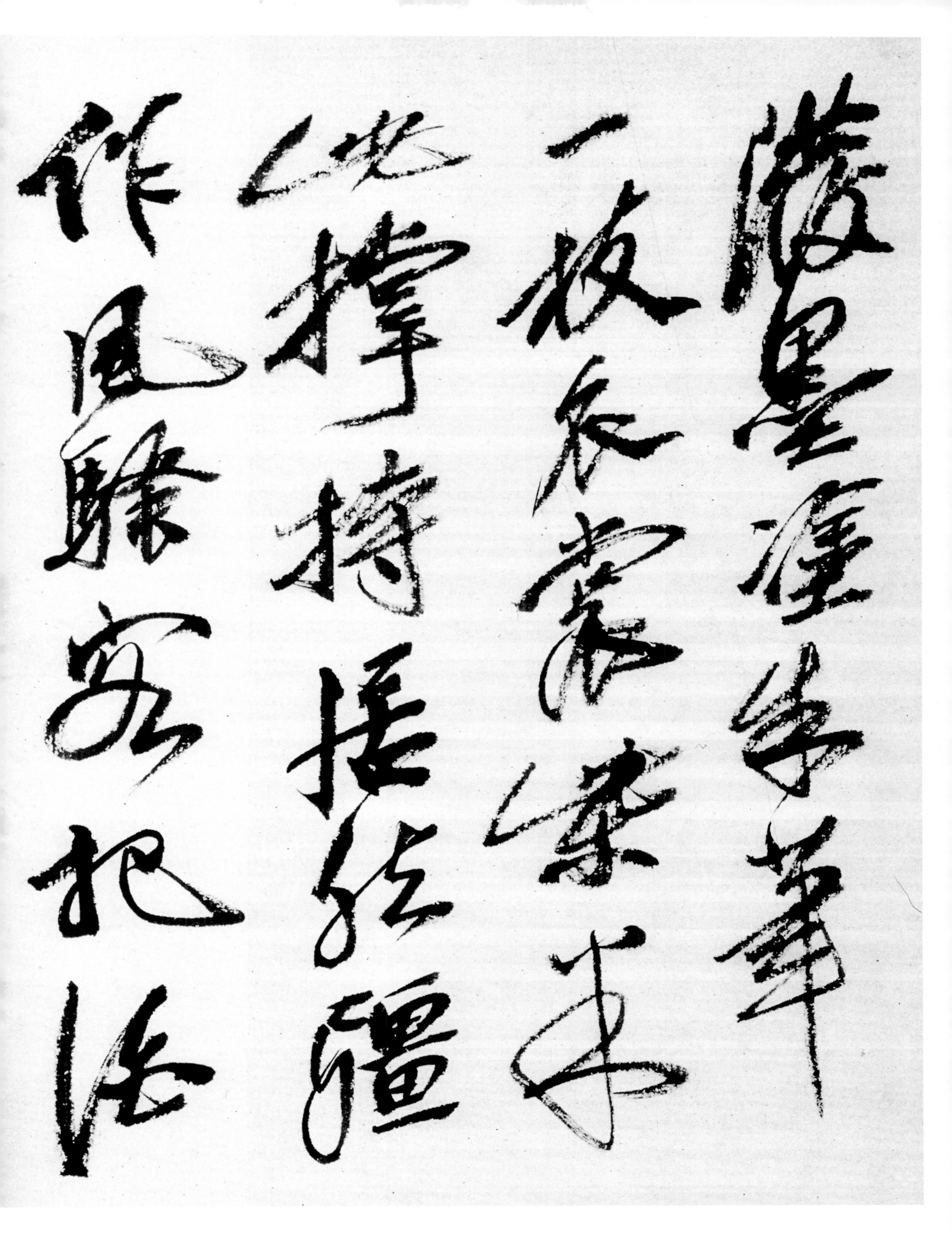

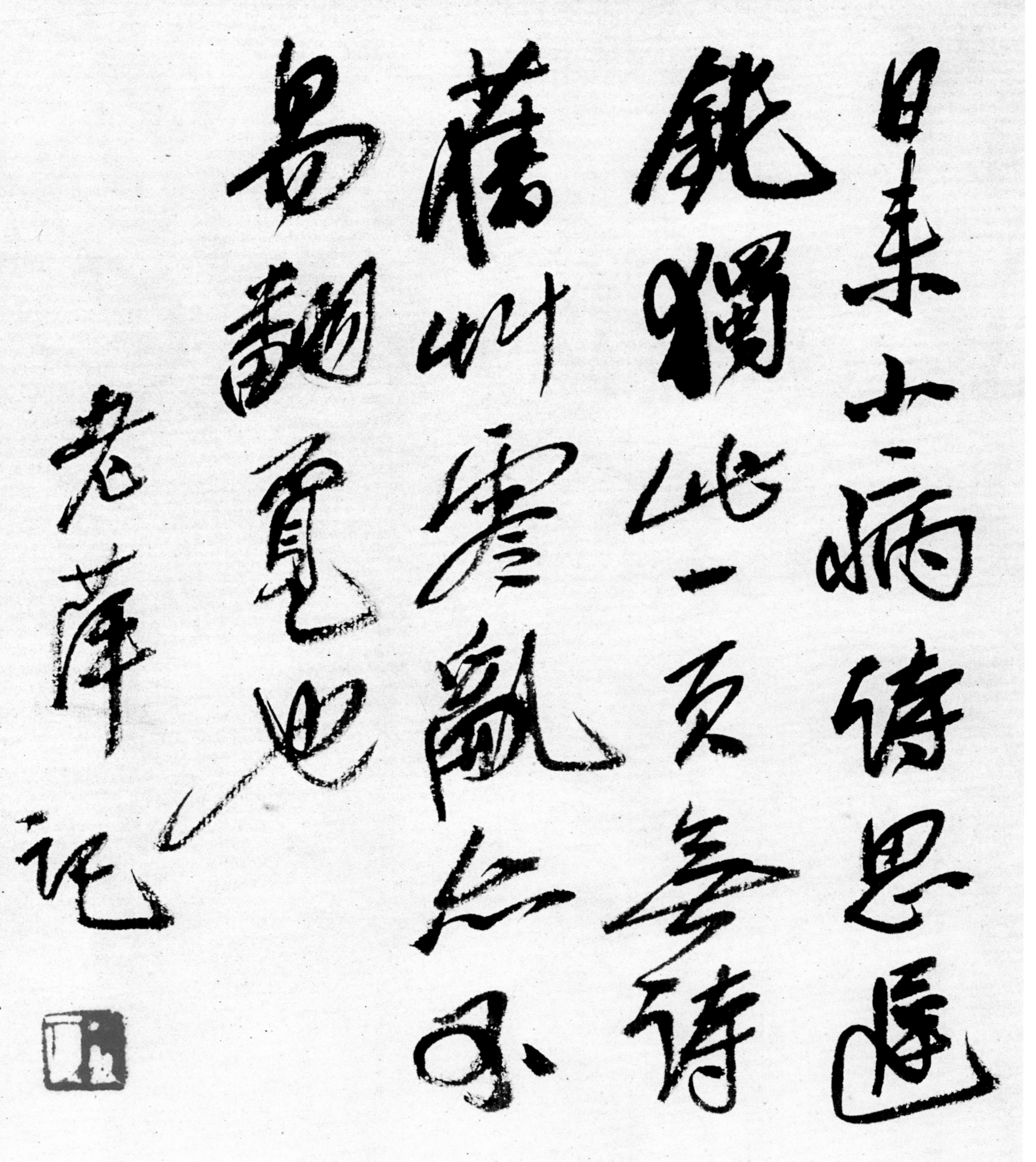

六〇　行書冊頁　二十年代

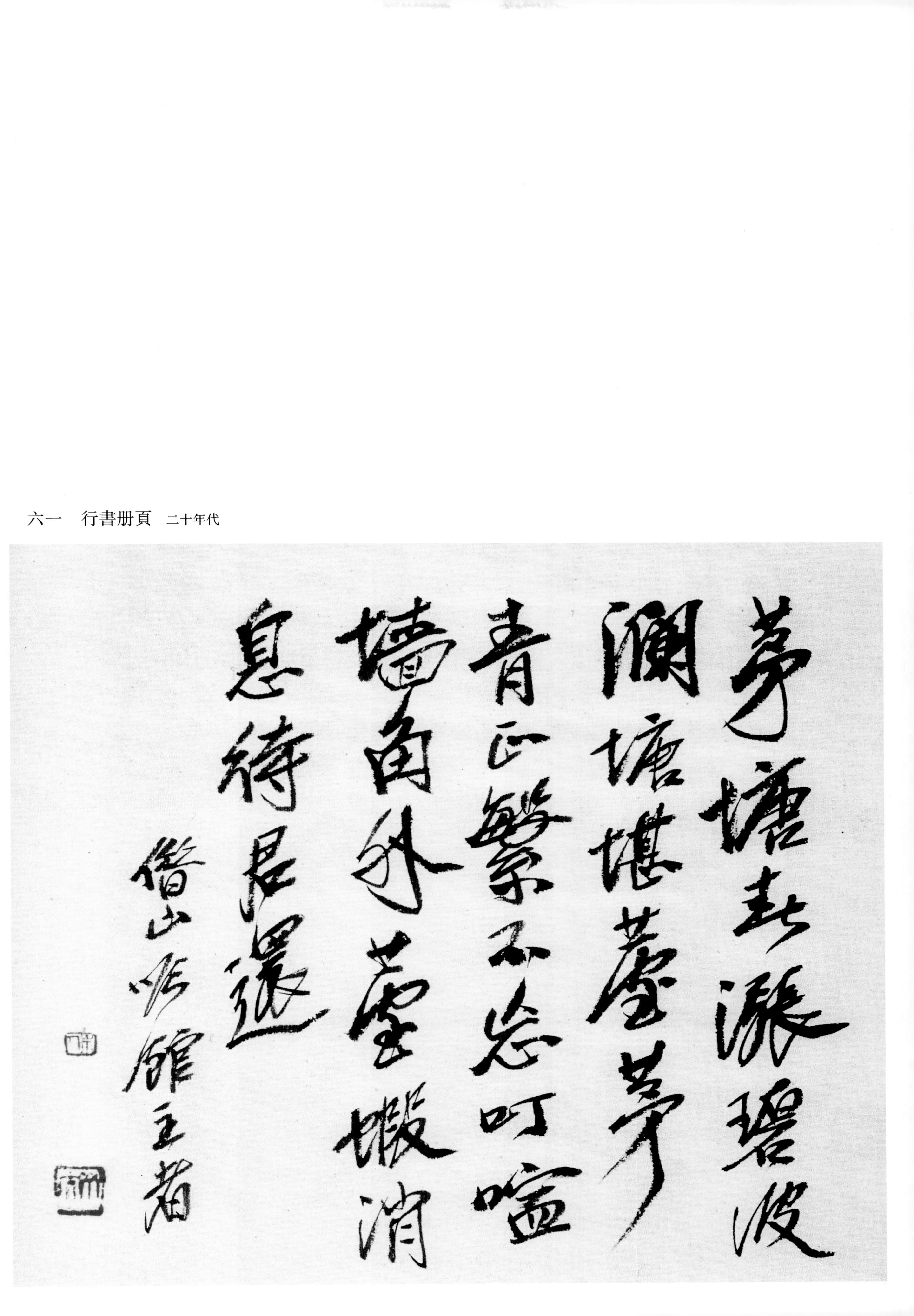

六一　行書册頁　二十年代

六二　行書册頁　二十年代

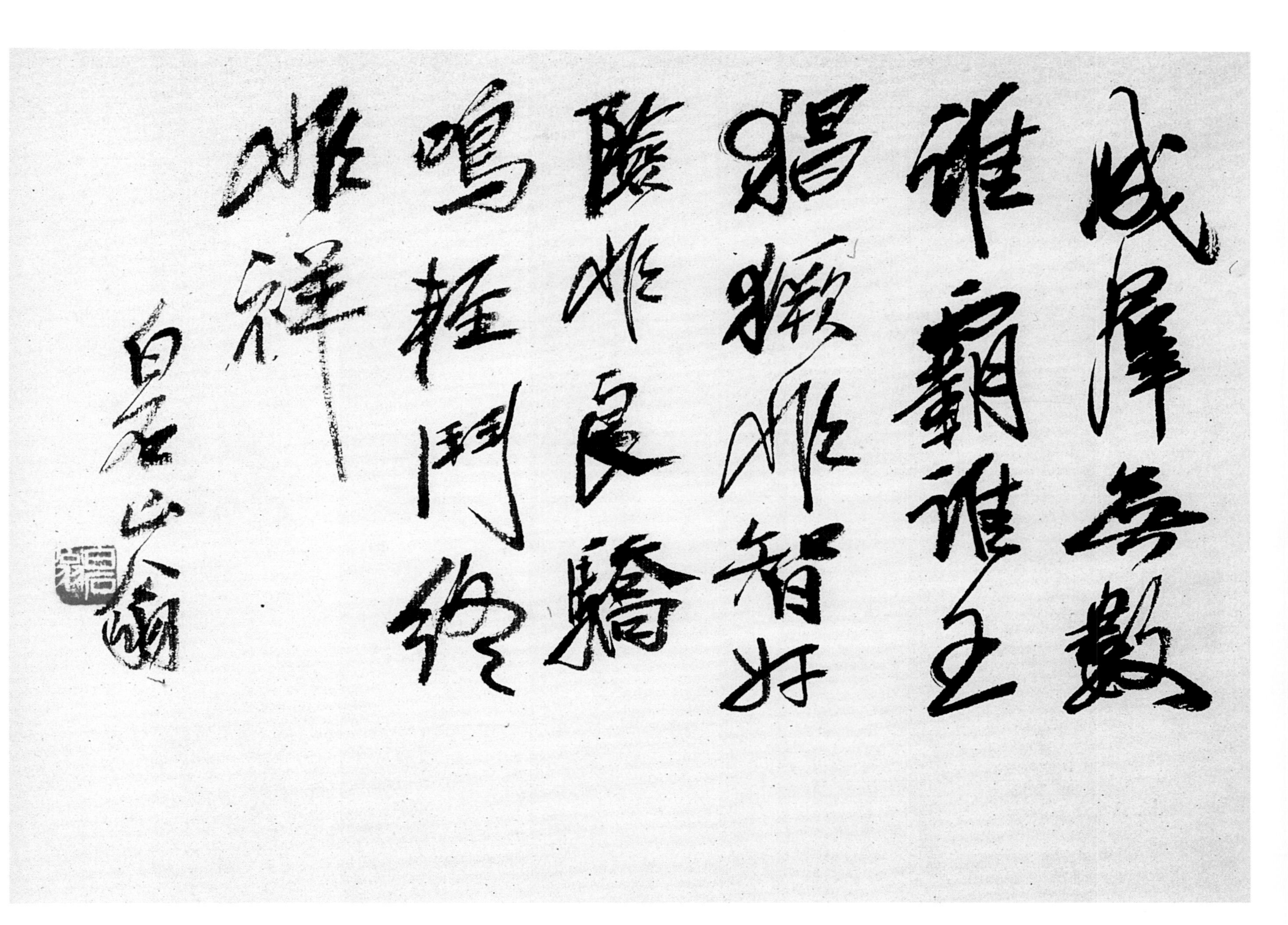

六三　行書册頁　二十年代

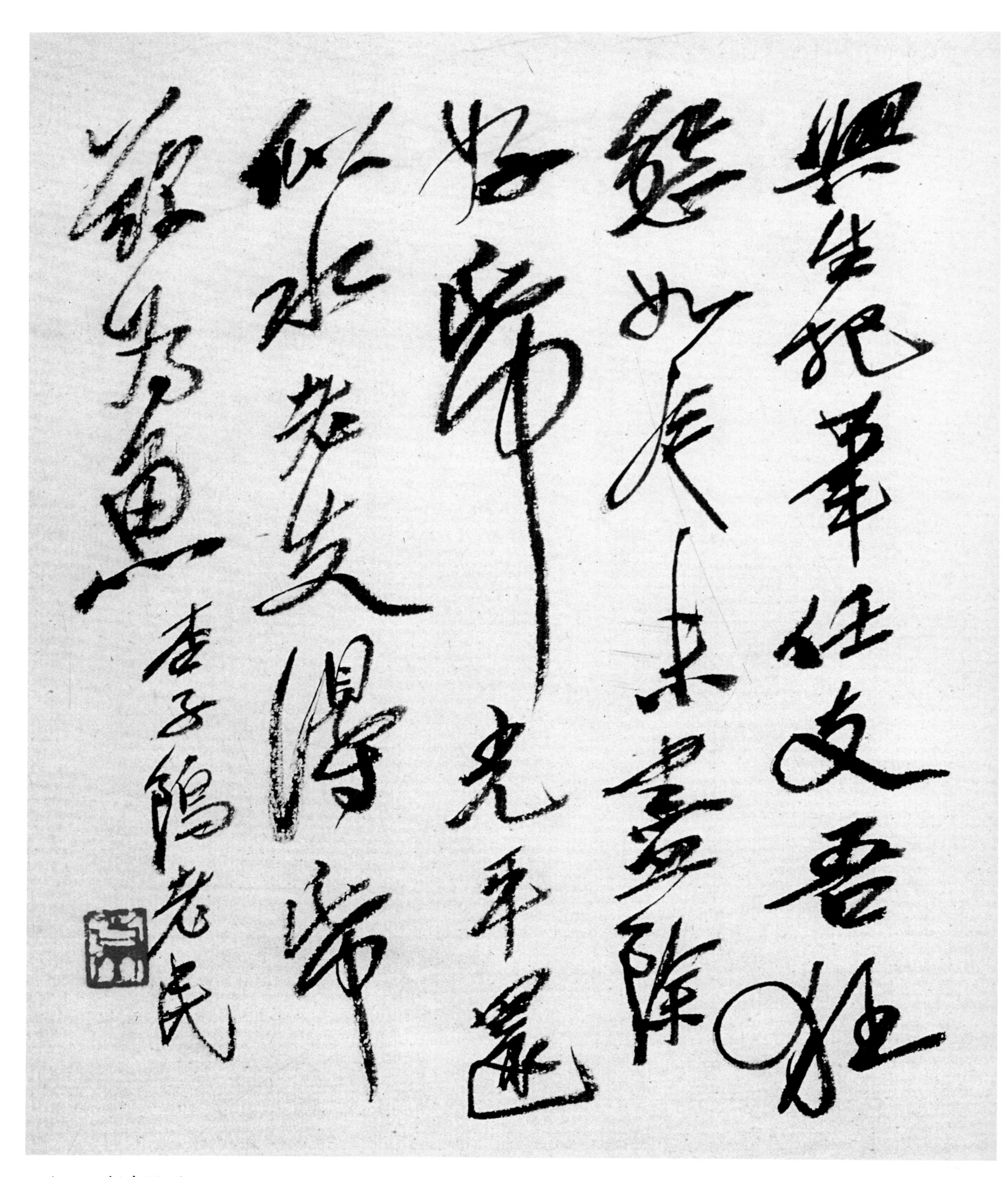

六四　行書册頁　二十年代

六五　行書册頁　二十年代

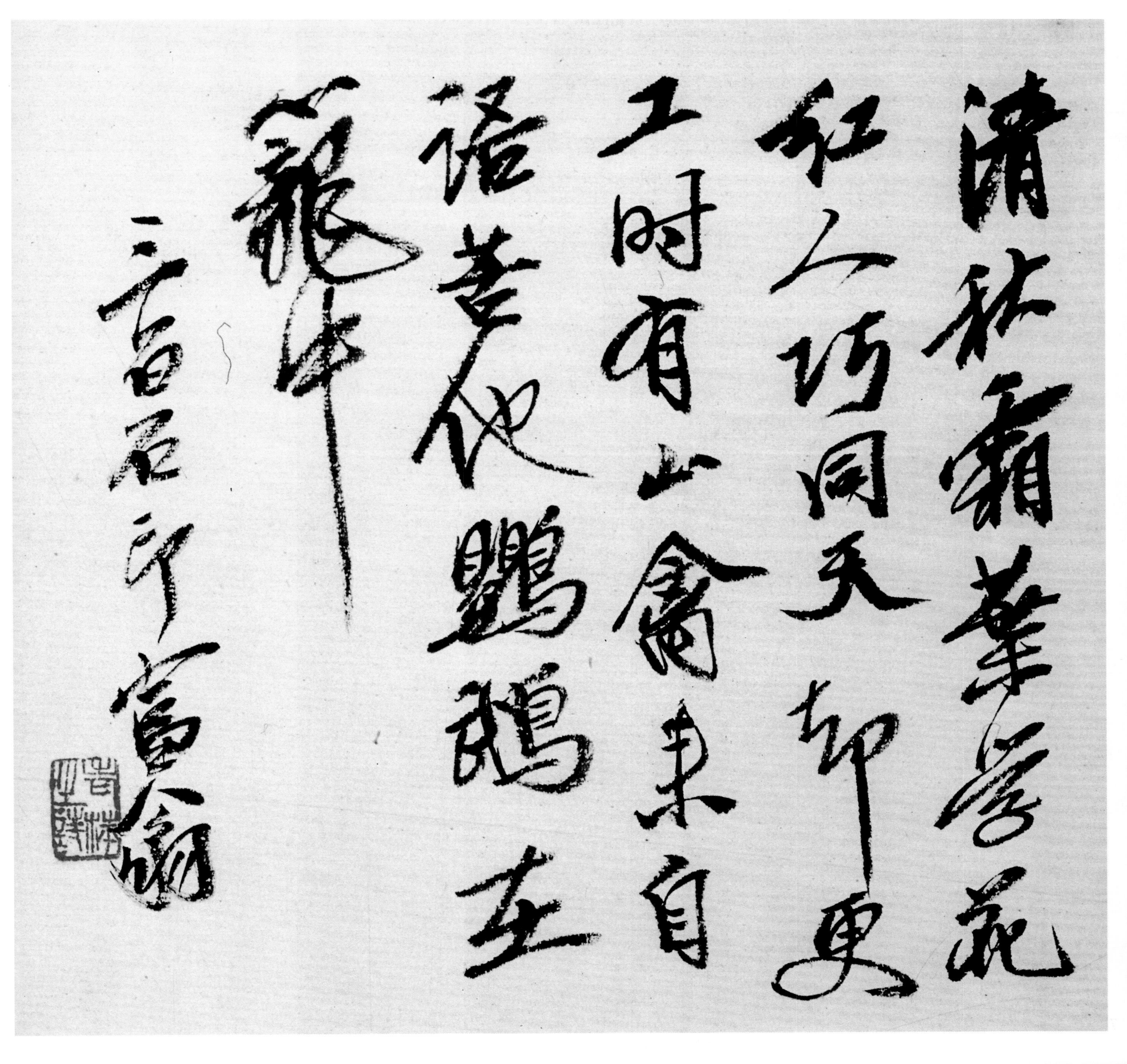

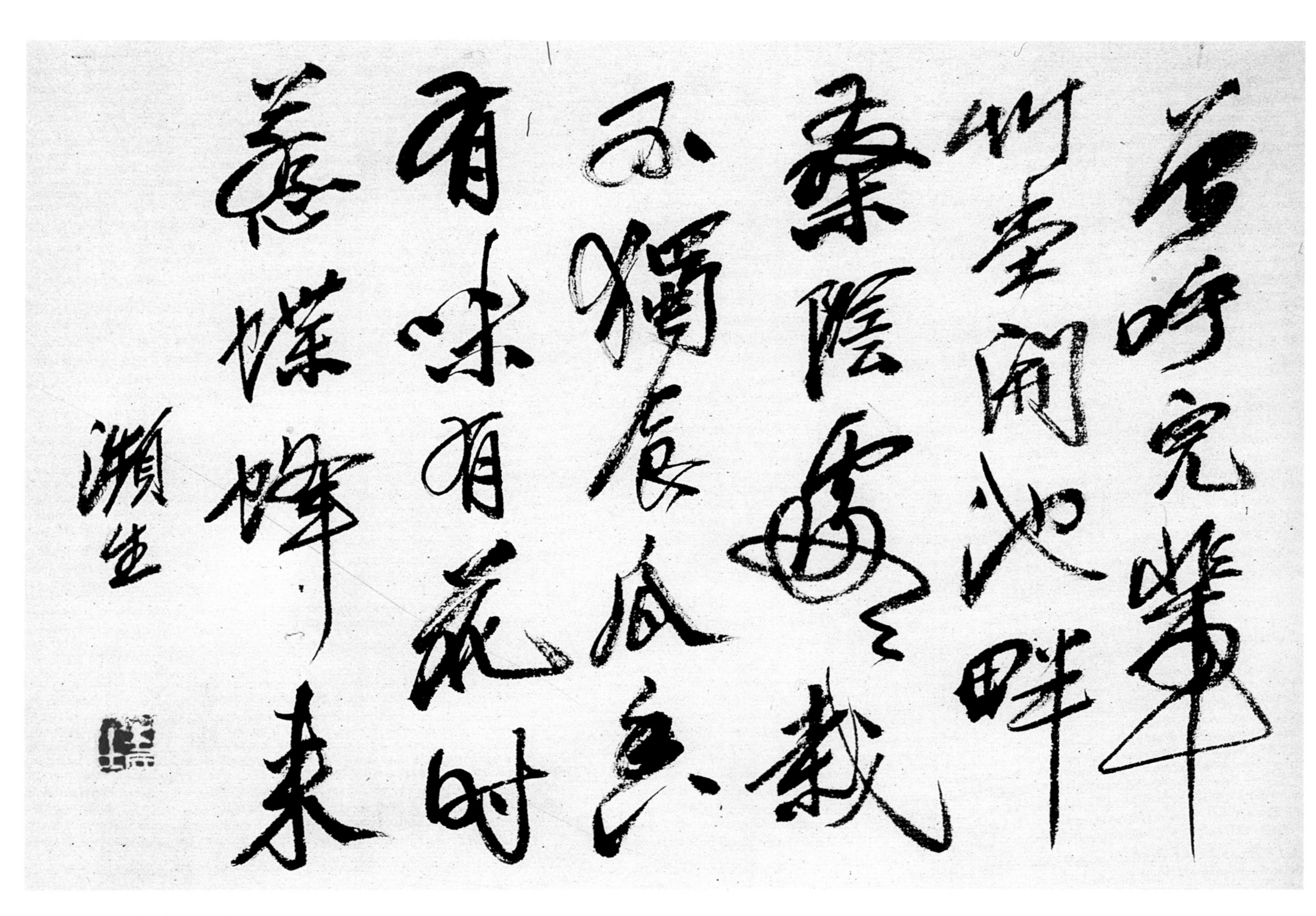

六六　行書册頁　二十年代

六七　行書册頁　約三十年代初

六八　篆書聯　一九三〇年

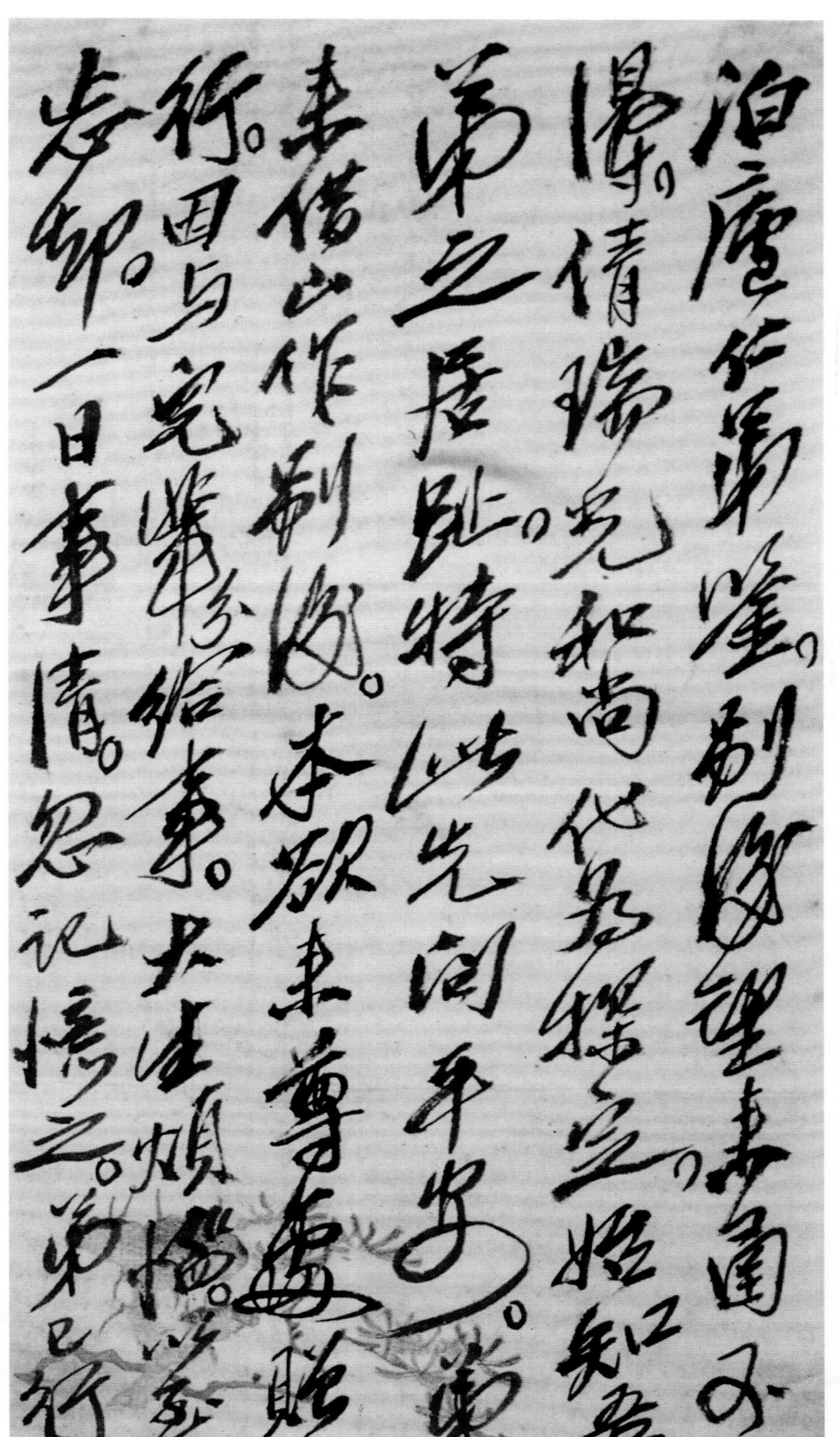

六九　行書信札　約三十年代初　縱二二·五厘米　横一二·五厘米

七〇　篆書横幅　一九三〇年

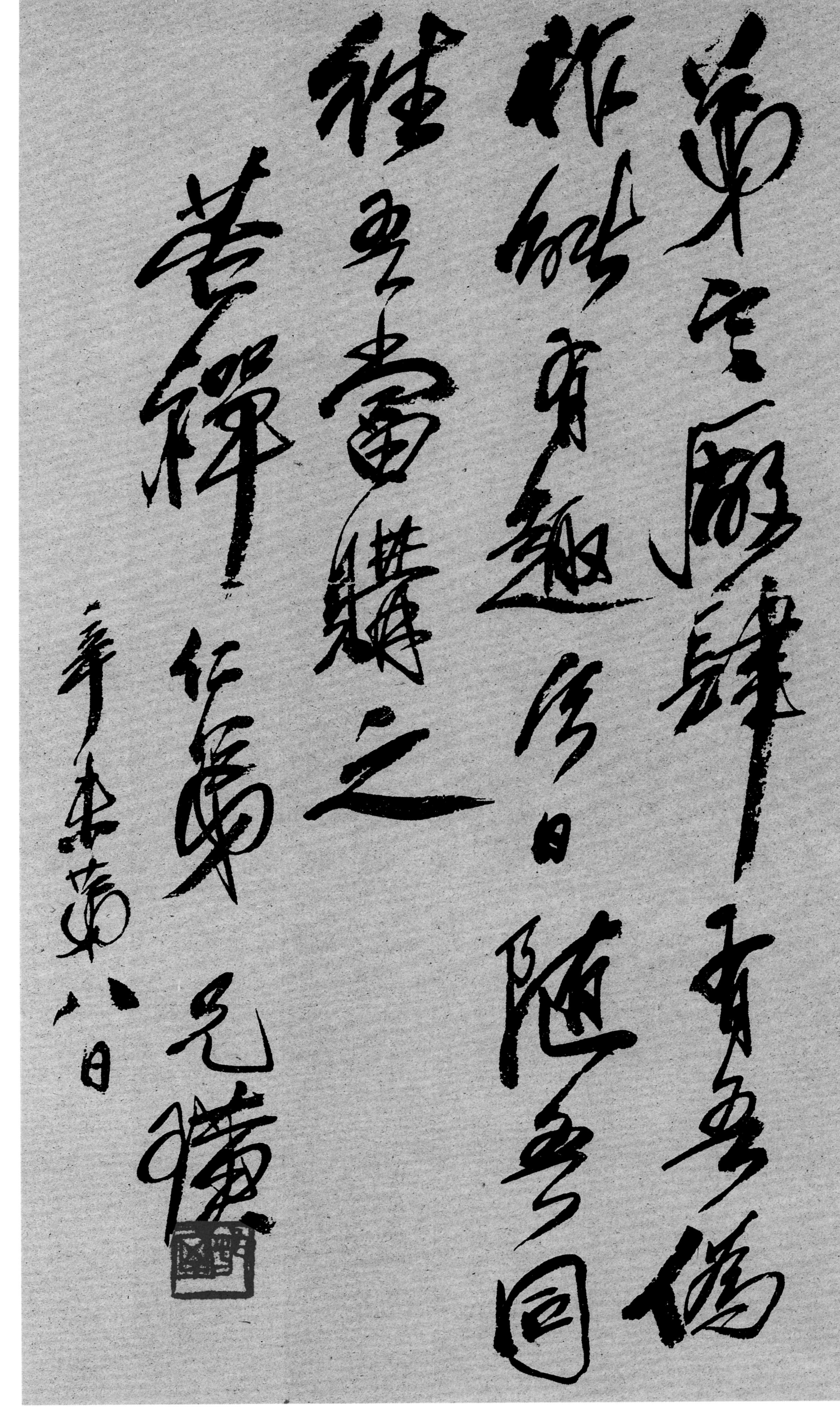

七一　行書信札　一九三一年　縱五二厘米　橫二八厘米

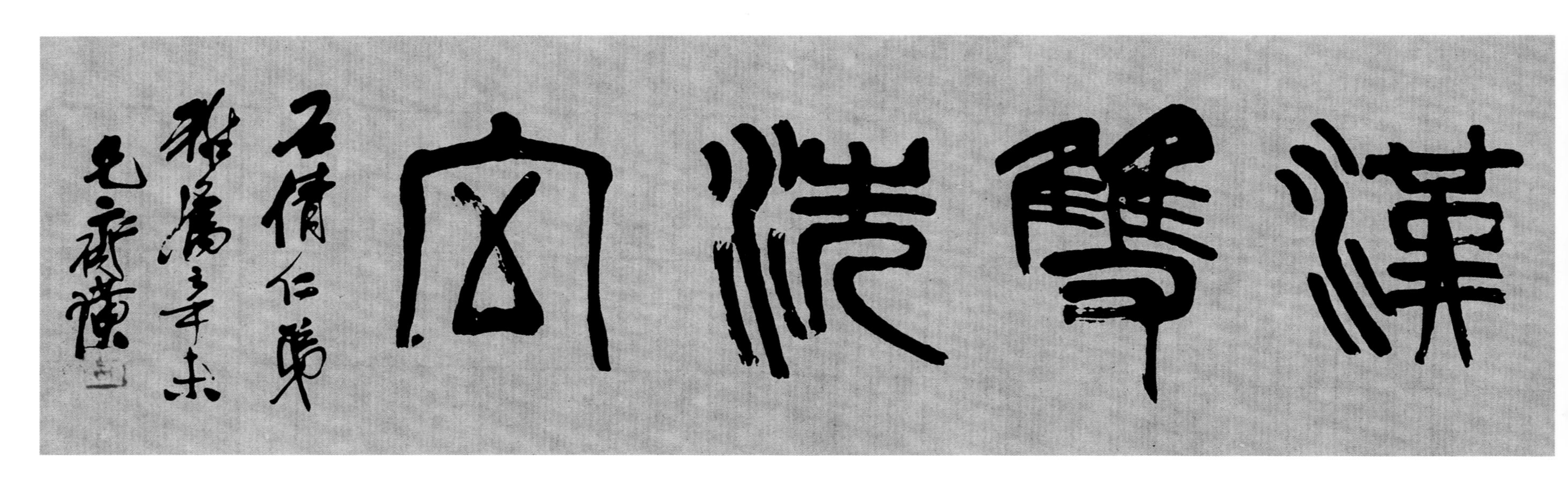

七二　篆書横幅　一九三一年

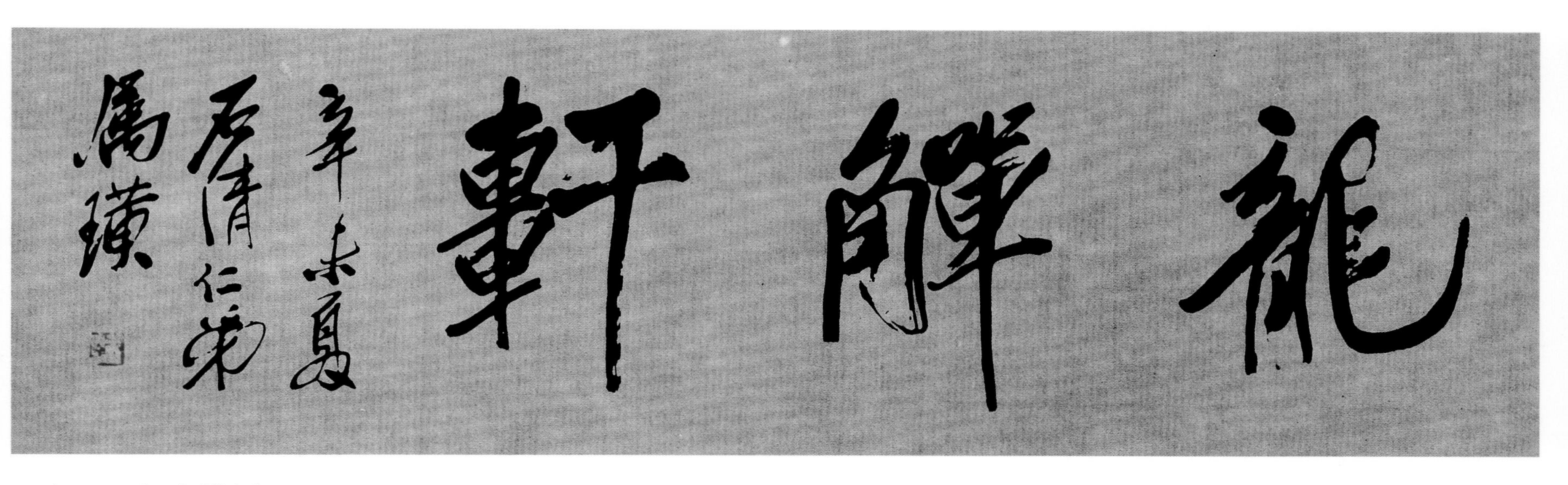

七三　行書橫幅　一九三一年

七四　行書立軸　一九三一年

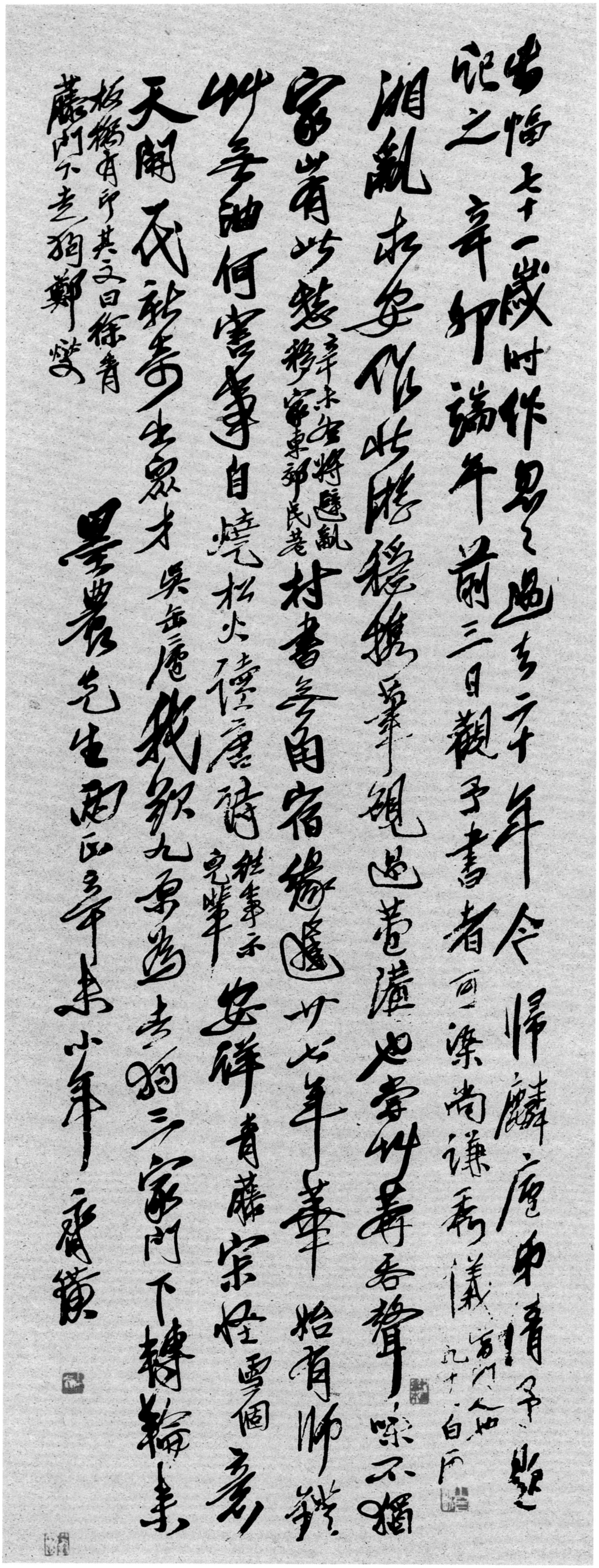

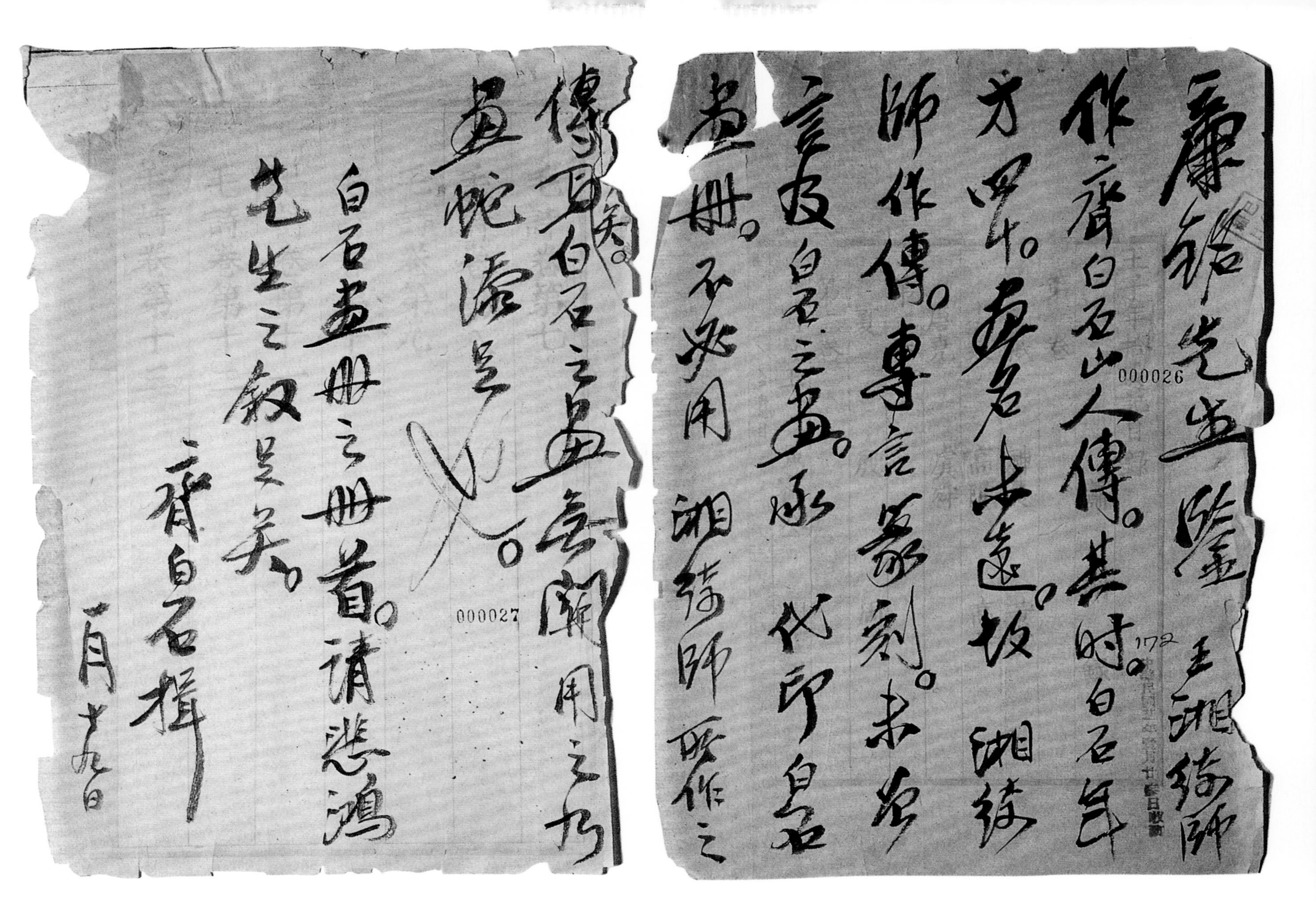
康銘先生鑒：王湘綺師作齊白石山人傳。其時白石年方四十。畫名未遠。故湘綺師作傳。專言篆刻。未為言及白石之畫。承代印白石畫冊。不必用湘綺師所作之傳。與白石之畫無關。用之乃畫蛇添足矣。白石畫冊之冊首。請悲鴻先生之叙足矣。

齊白石揖

一月十九日

七五　行書信札　一九三二年　縱二八厘米　橫一九厘米

吾既為從溪世兄先生畫雙藤
樓圖又索題自補寫七絕二首
讀書要曉偷閒暇雨後風前小楣
天難得傳家無人識字咲君應
不羨神仙多事在藏為寫真
元龍自天著雙星目明不足羅千
里韋有西山生白雲
壬申春夏　璜　艸

七七　行書題簽　一九三二年　縱三六·五厘米　橫二六厘米

七八　行書立軸　一九三三年

刻印一事，隱僻者自能工，所以自娛，不求稱譽。吾邑王湘綺師之妻母舅李雲根先生畫入逸品，遠勝前清諸老，刻印能駕天[illegible]而上之，足不出柴門，未肯供諸世，一代精神，殊可惜也。門人姚石倩前丁巳年始從予游，庚午重來京華，見其所刻印，古秀[illegible]化治為一種，刪除和寗四年常將所刻拓寄予，題數語於前頭。吾賢勿效隱僻之一流，姓名不出邑城也。若成印集，以此為序可矣。癸酉五日。

白石山翁齊璜

[illegible]

七九　行書手札　一九三三年

八〇 行書題跋 一九三四年

八一　行書題款　一九三四年　縱二五厘米　橫二〇厘米

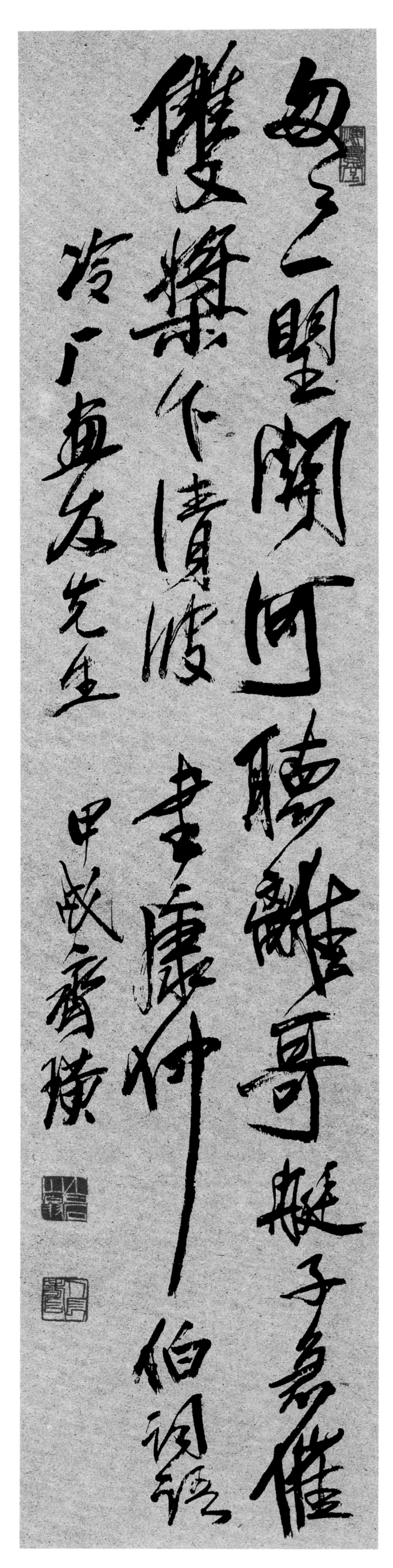

八二　行書立軸　一九三四年

八三　篆書聯　一九三四年　縱一三八厘米　橫三四厘米

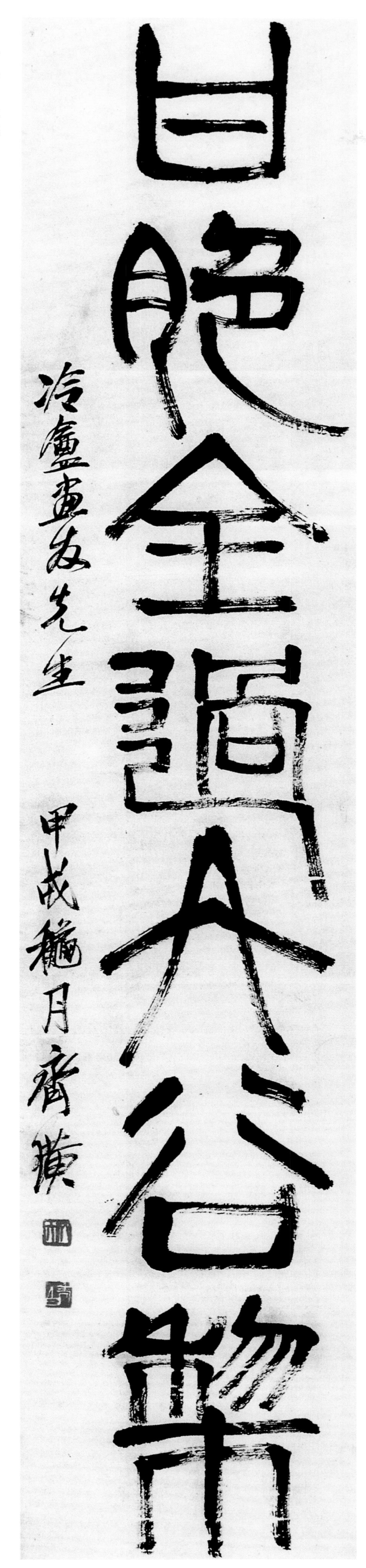

八四　篆書橫幅　一九三四年　縱二九·九厘米　橫一二五·七厘米

八五　行書題簽　一九三五年　縱二七厘米　橫一七・五厘米

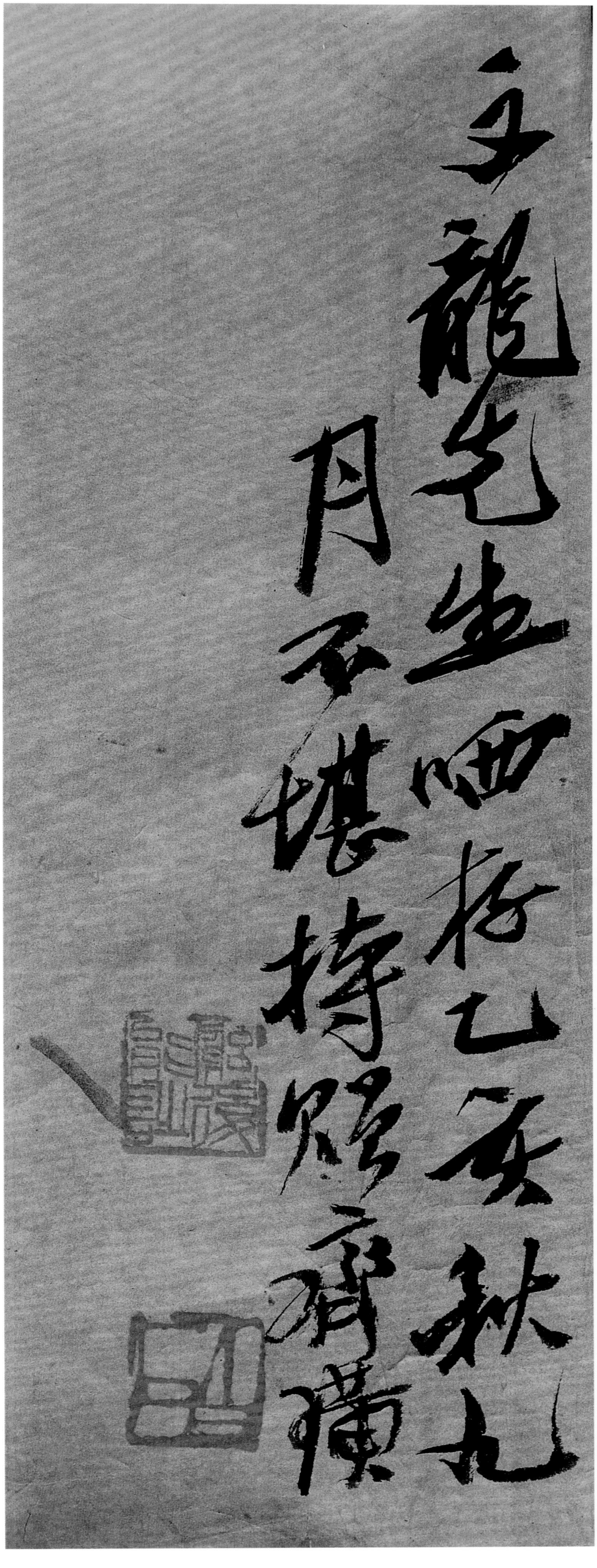

子龍先生哂存乙亥秋九
月不堪持贈齊璜

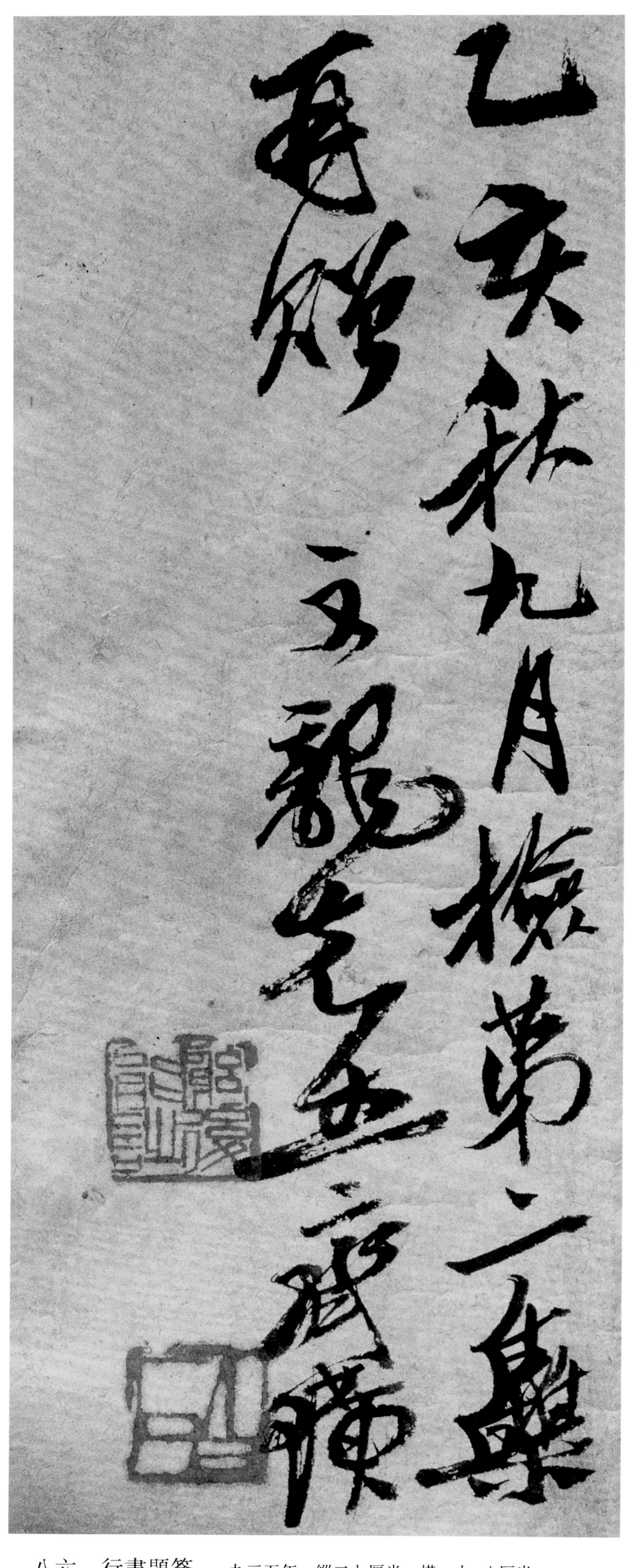

八六　行書題簽　一九三五年　縱二七厘米　橫一七·八厘米

八七　篆書立軸　一九三六年　縱一三七厘米　橫四七厘米

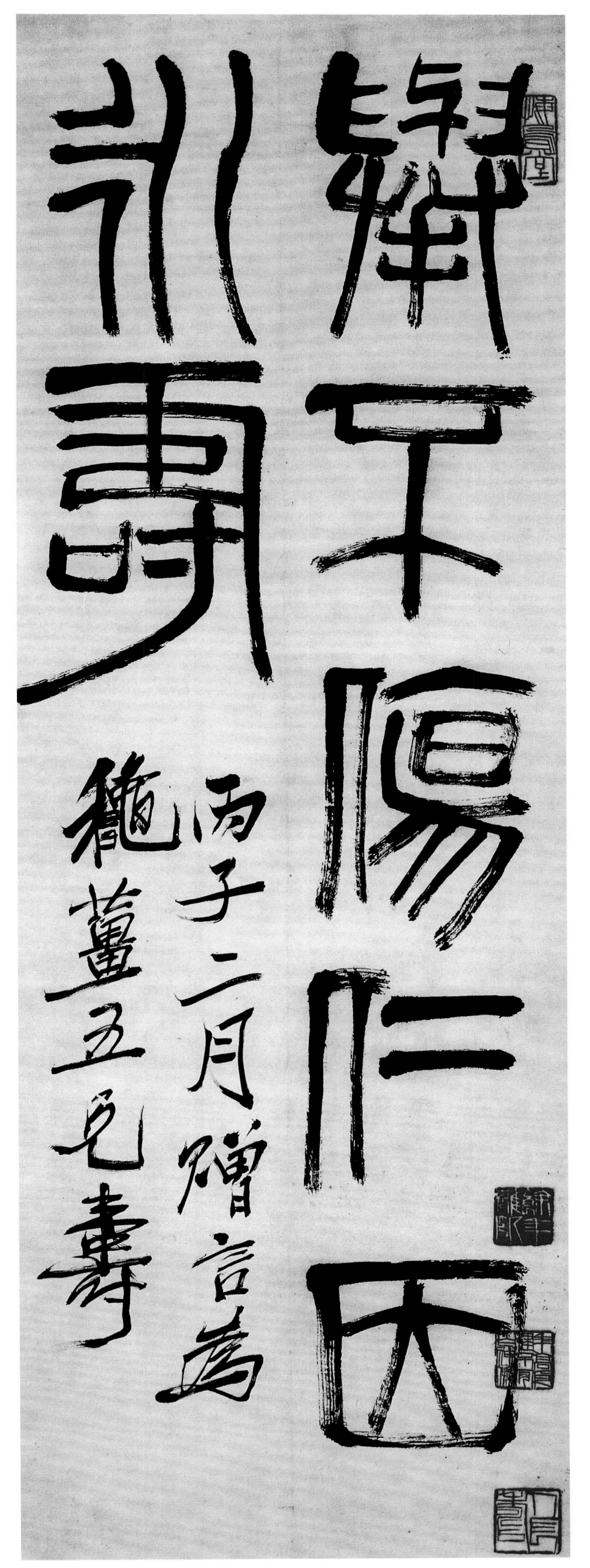

八八　篆書聯　一九三六年

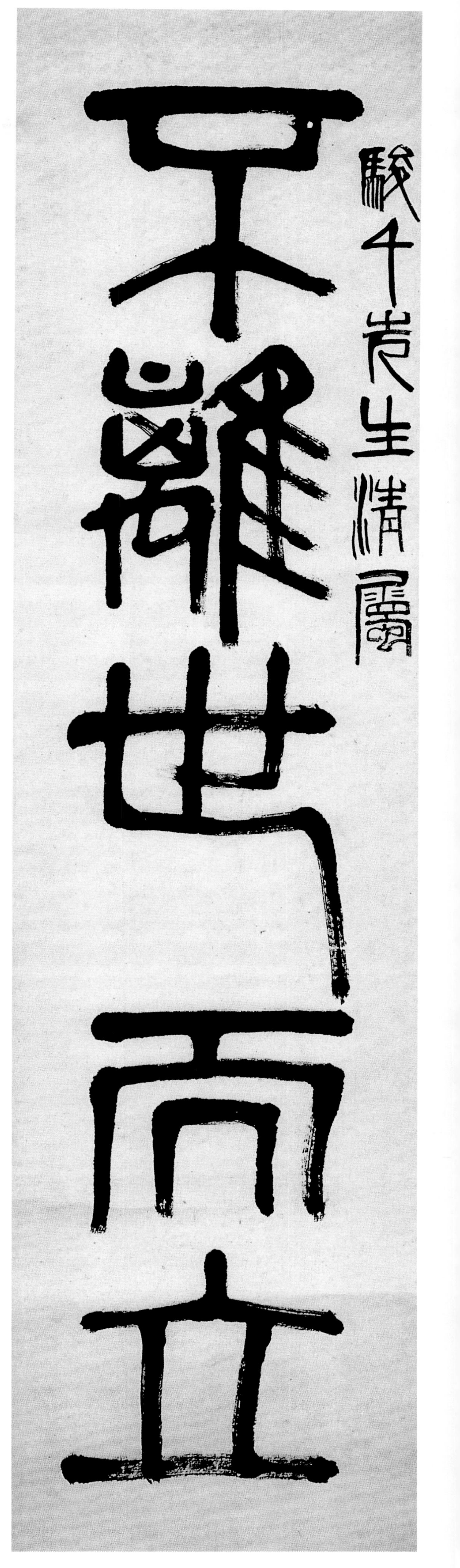

八九　篆書聯　一九三七年

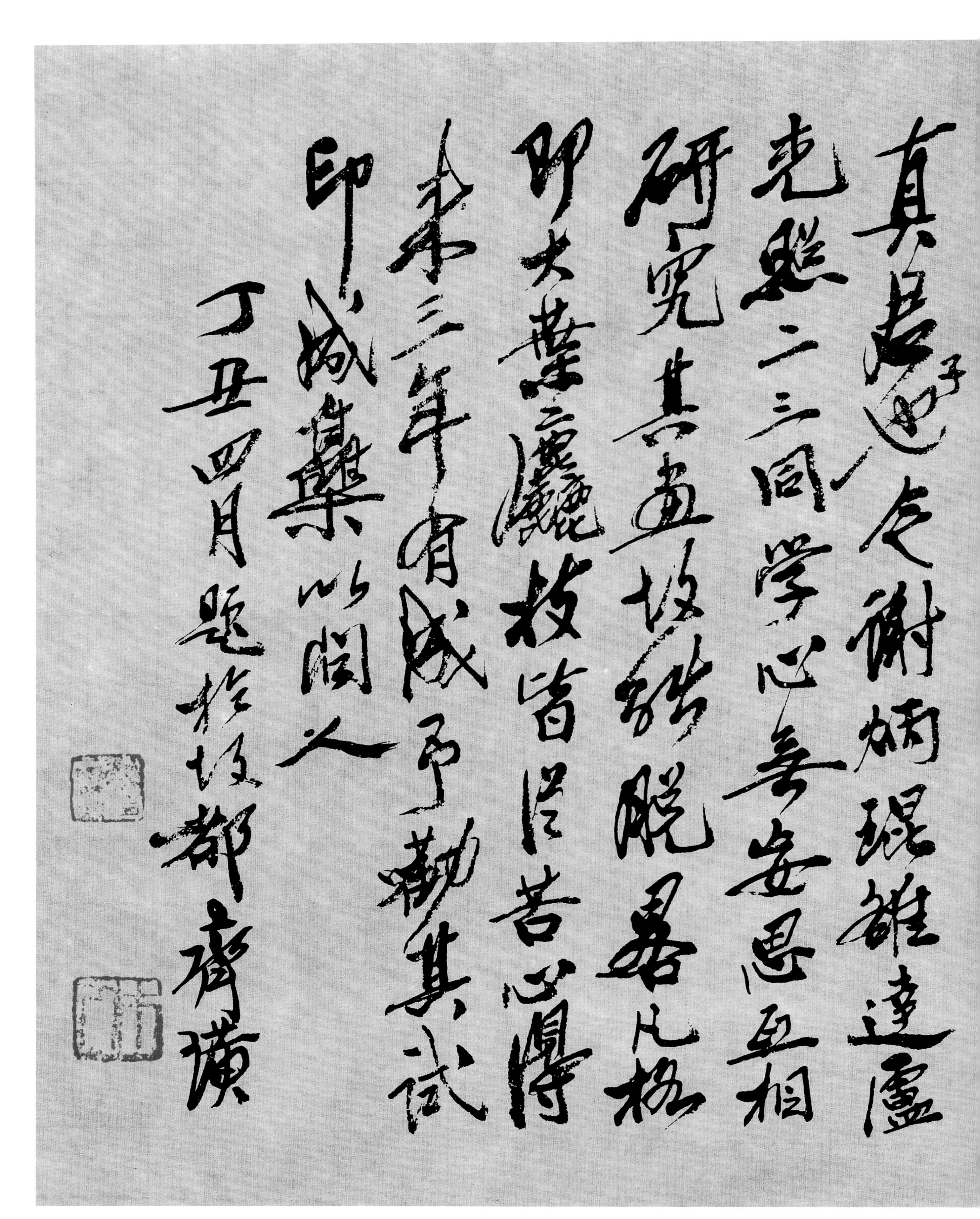

九〇　行書橫幅　一九三七年

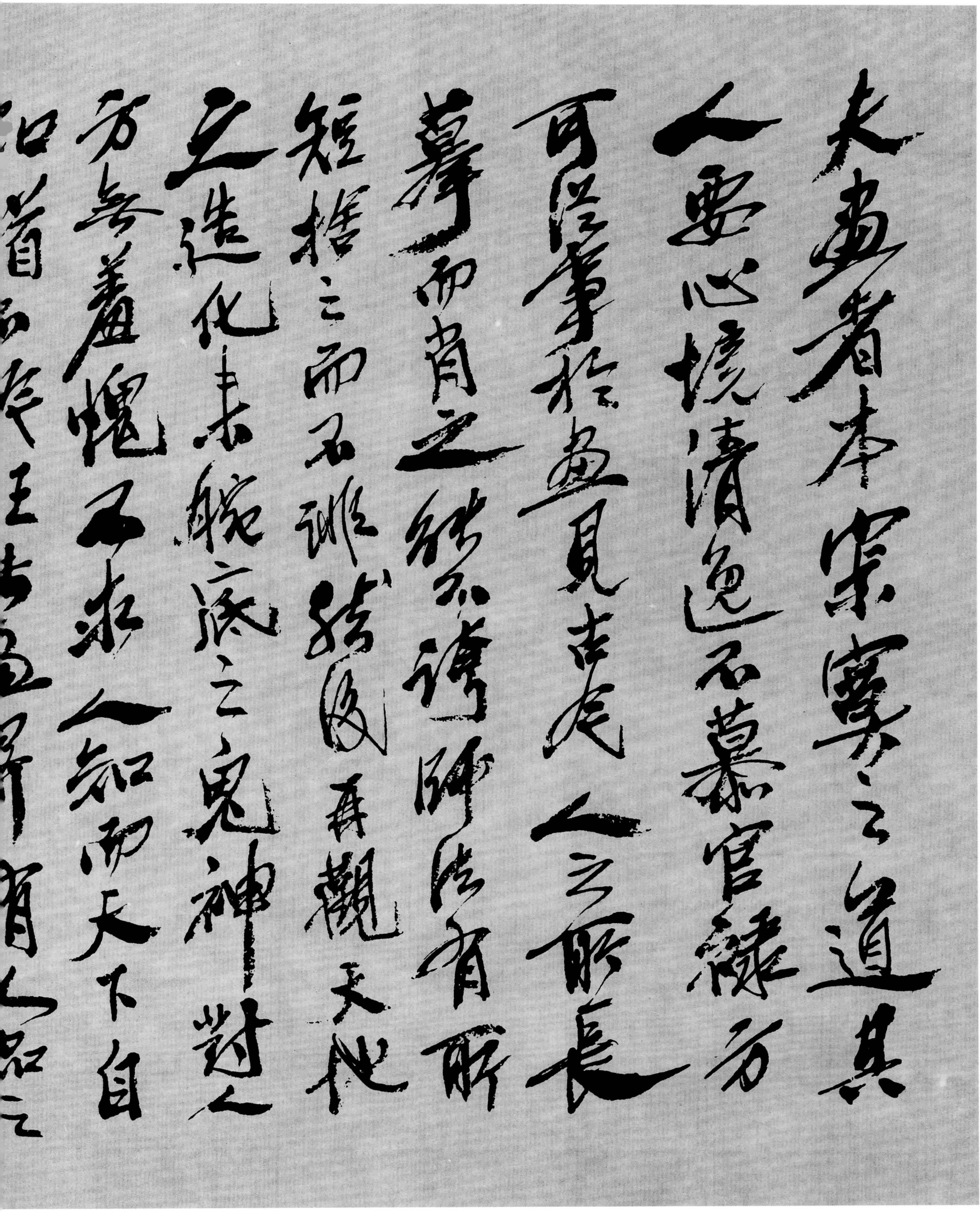

夫畫者本宗寓之道其
人要心境清逸不慕官祿方
可從事於畫見古人之所長
摹而肖之然後師法有所
短捨之而不議然後再觀天地
之造化未能底之鬼神對人
方無羞愧不求人知而天下自
知首而後王者畫所有人知之

九一　行書冊頁　一九三七年　縱二七・五厘米　横一六・五厘米

九二　行書題記　一九三七年　縱三二厘米　横一一厘米

九三　篆書聯　一九三七年　縱一七九厘米　横四七厘米

九四　篆書聯　一九三七年　縱九一・五厘米　横二七・八厘米

篆書聯　一九三七年（一九五〇年補題）

九六　篆書立軸　一九三七年　縱六七厘米　橫三四厘米

九七　篆書立軸　一九三七年　縱一三七厘米　橫四七厘米

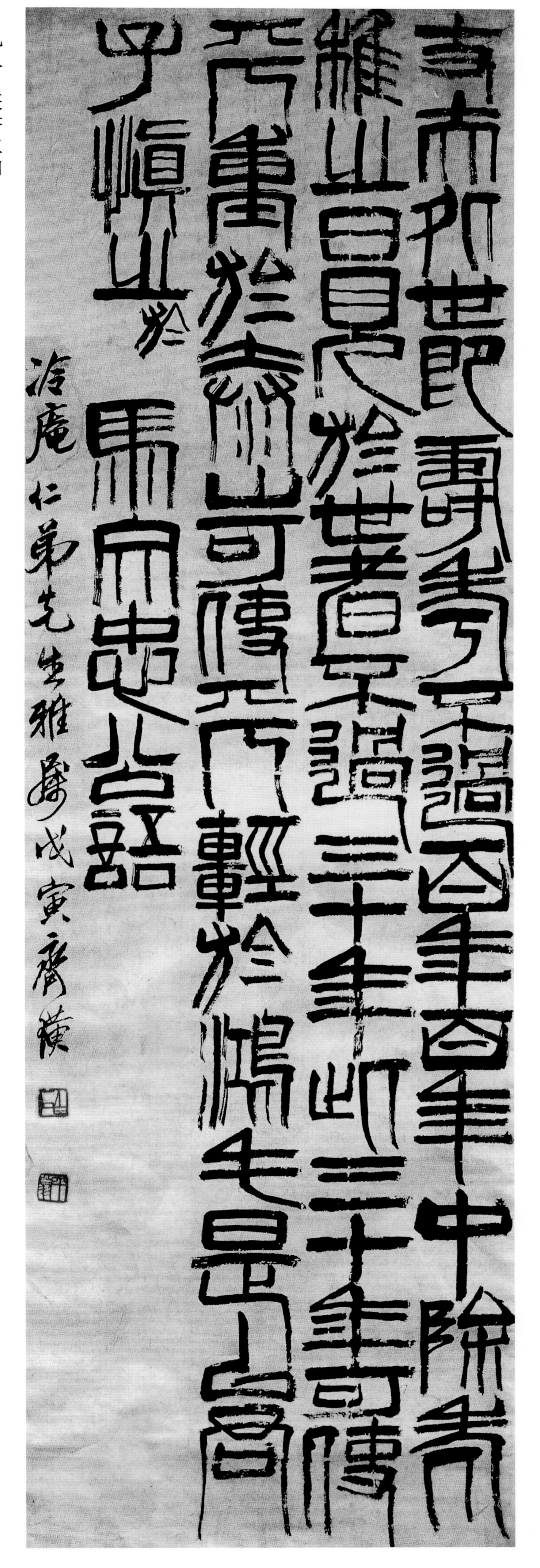

九八　篆書立軸　一九三八年

九九　篆書聯　一九三八年

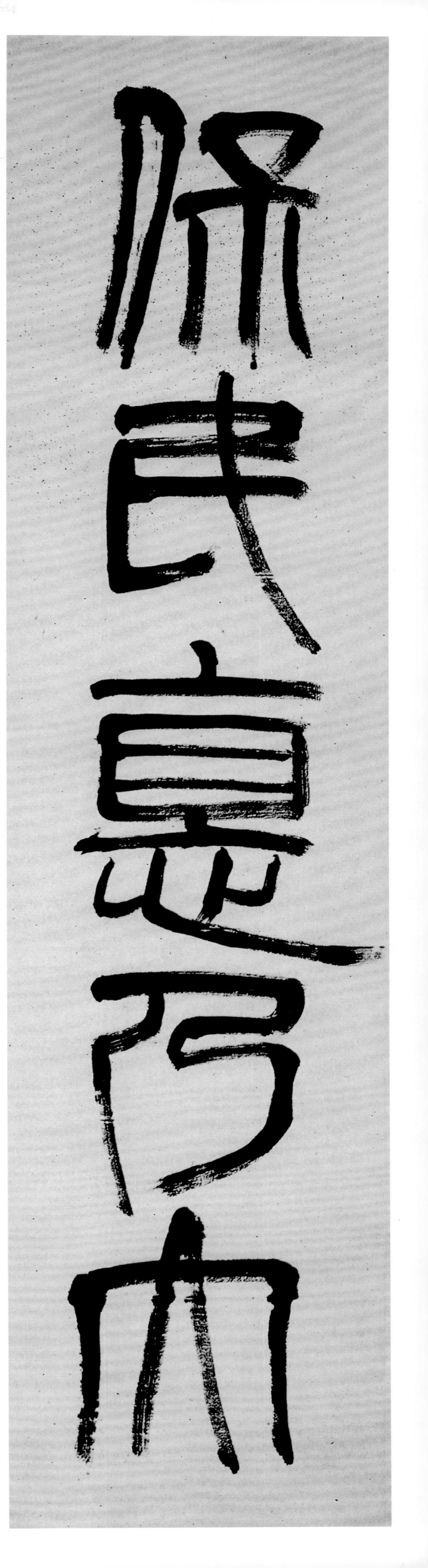

一〇〇 篆書聯 一九三八年 縱八五厘米 橫二二厘米

列行者皆能變化而成大
家得天趣之渾成則開
蹊徑而不失古碑之別法
從來惟有趙撝叔一人予
年已五四十五时尚師二屋

一〇一　行書手札（之二）　一九三八年

蝶載印譜趙之朱文與媚秀
與白文之篆法異殊予稍〻
變為剛健超縱入刀不削
不作絕摹仿惡聲理尋觀
古君碑刻法皆大是昔工十

年自以為刻印絕矣鐵衡弟由犀來寓星手刻拓本二求批其短長予見之大異何其進之猛也其麤拙蒼趣刀獨有思過雅予已能

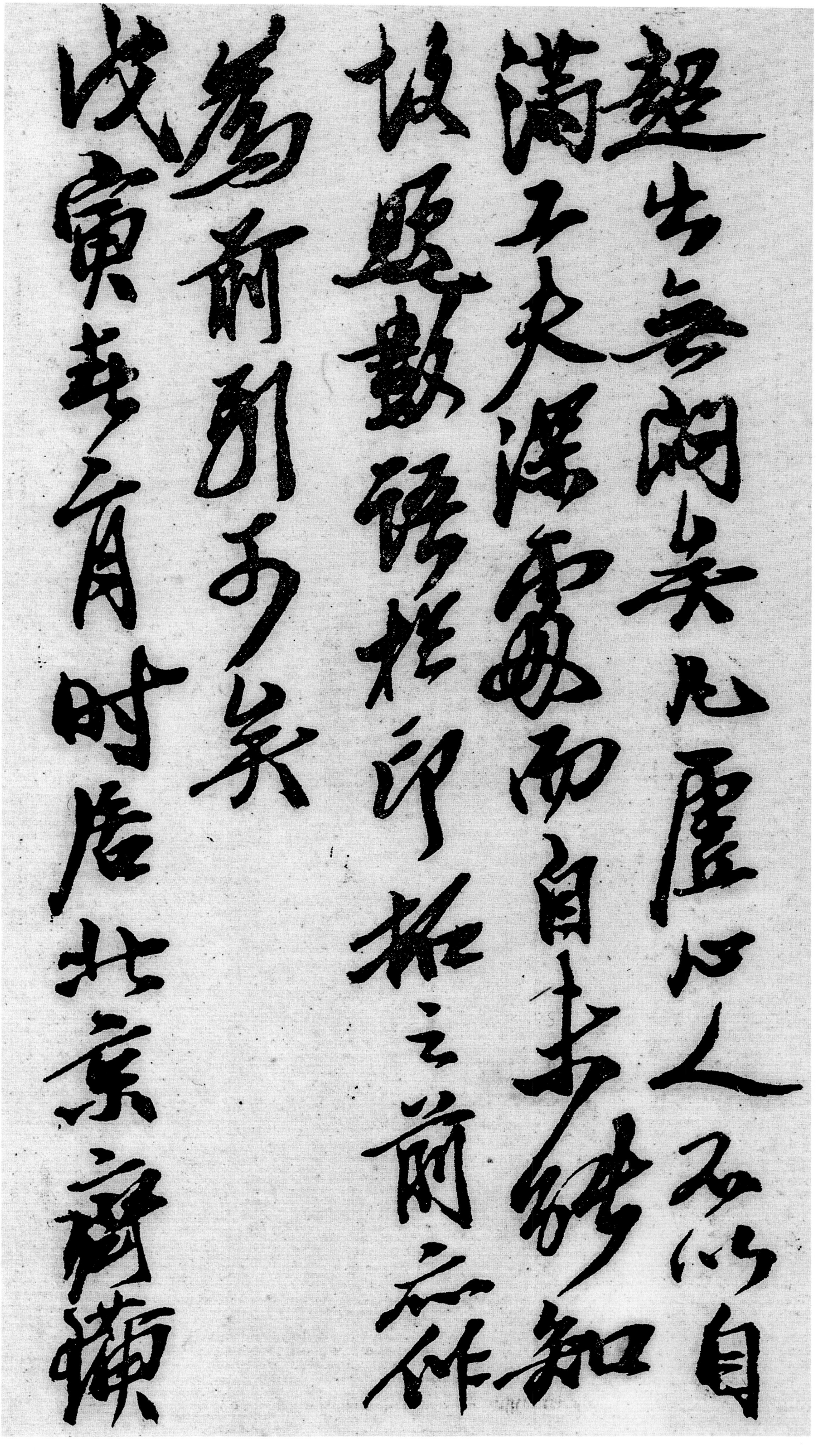

超出無聞矣凡人所以自
滿于天淵雲而自生紛知
故略舉數語於此補之前所作
為前則子矣
戊寅五月時居北京府藕

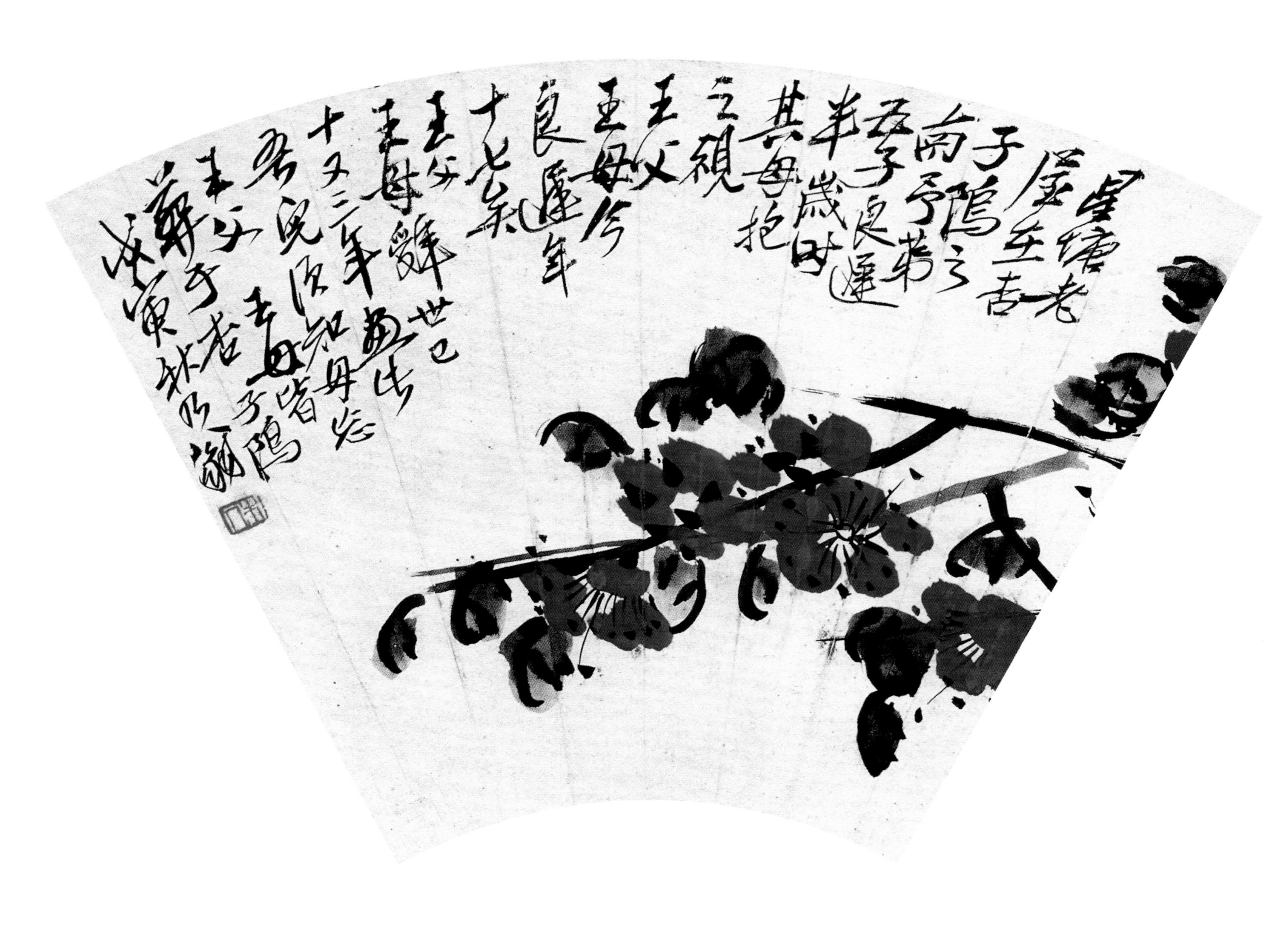

一〇五　行書題跋　一九三八年

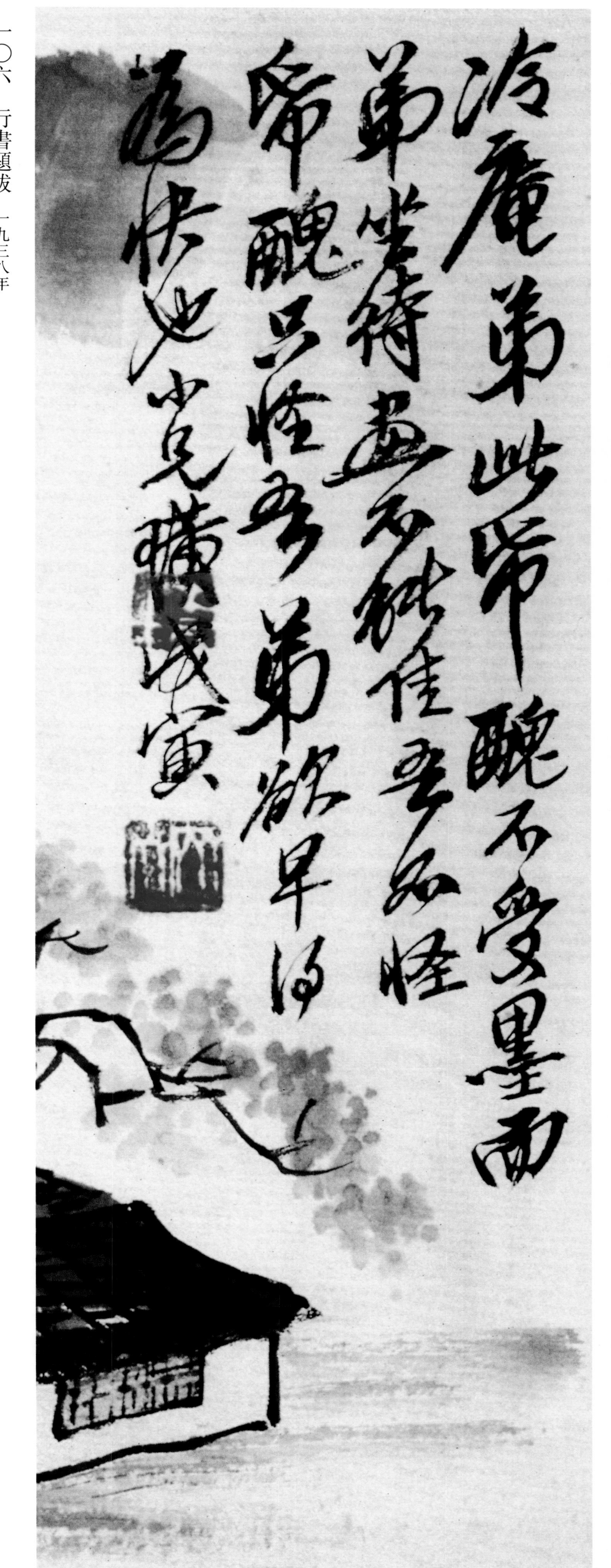

一〇六　行書題跋　一九三八年

一〇七 行書題跋 一九三九年

漫游東粤行踪寂古寺重經僧不知心似閒雲
無下筆細看貝葉三多財紅葉照詩圖出塵
學書柿葉僅留名世情看透皆多事不若
禪堂貝葉經年將八十老眼齊璜畫
并題新句

一〇八　行書扇面　一九三九年　縱一八厘米　橫五〇厘米

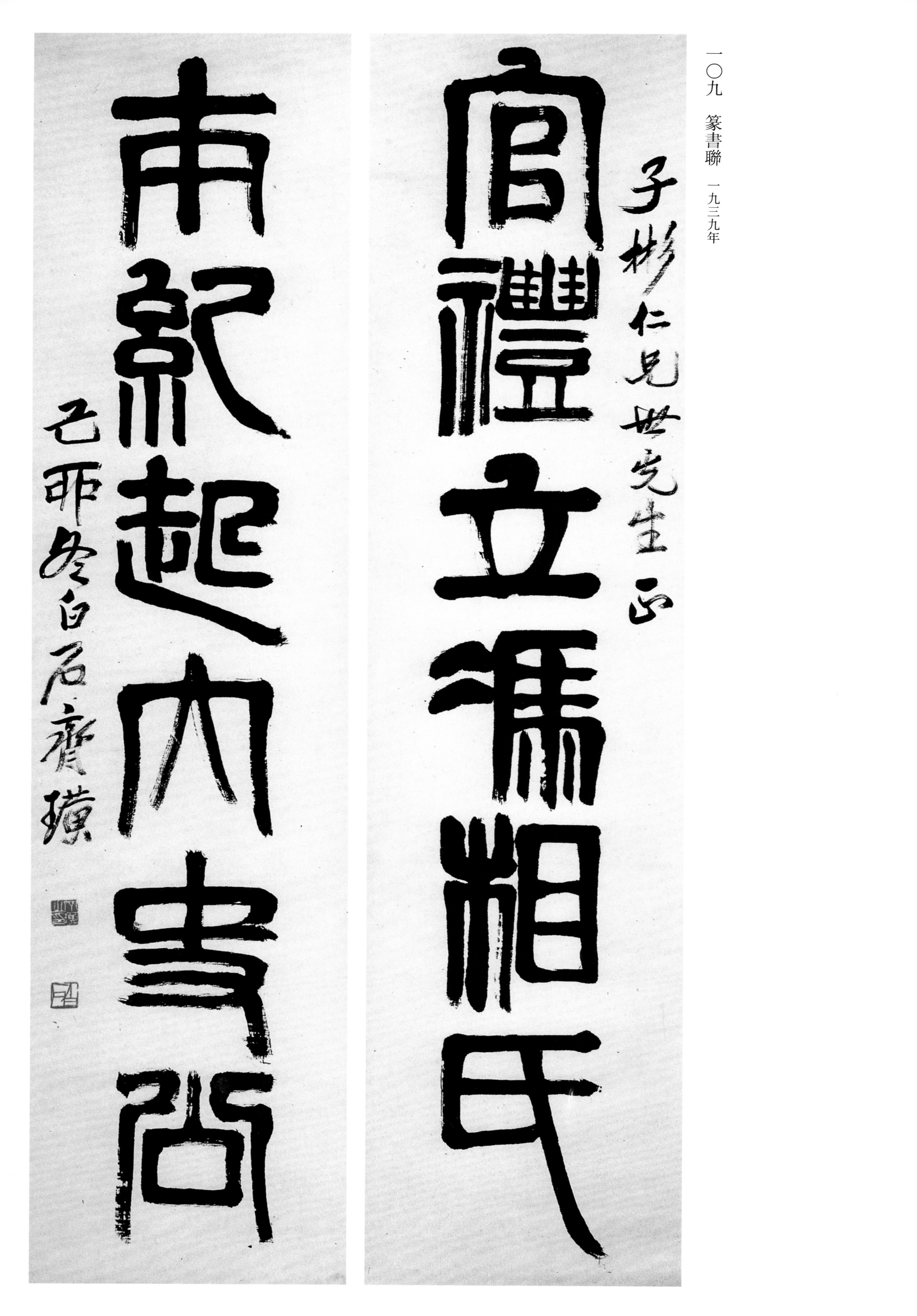

一〇九　篆書聯　一九三九年

子彬仁兄世先生正

己卯冬白石齊璜

一一〇　篆書横幅　一九三九年　縱三二厘米　横一三三厘米

一一一　行書扇面　一九三九年　縱一五厘米　横四五厘米

一一二 行書立軸 一九三九年 縱一三六厘米 橫三四厘米

一一三　篆書橫幅　一九三九年　縱三一·五厘米　橫八二厘米

篆書聯　一九三九年

一一五　行書信札　約三十年代　縱二六厘米　横一八厘米

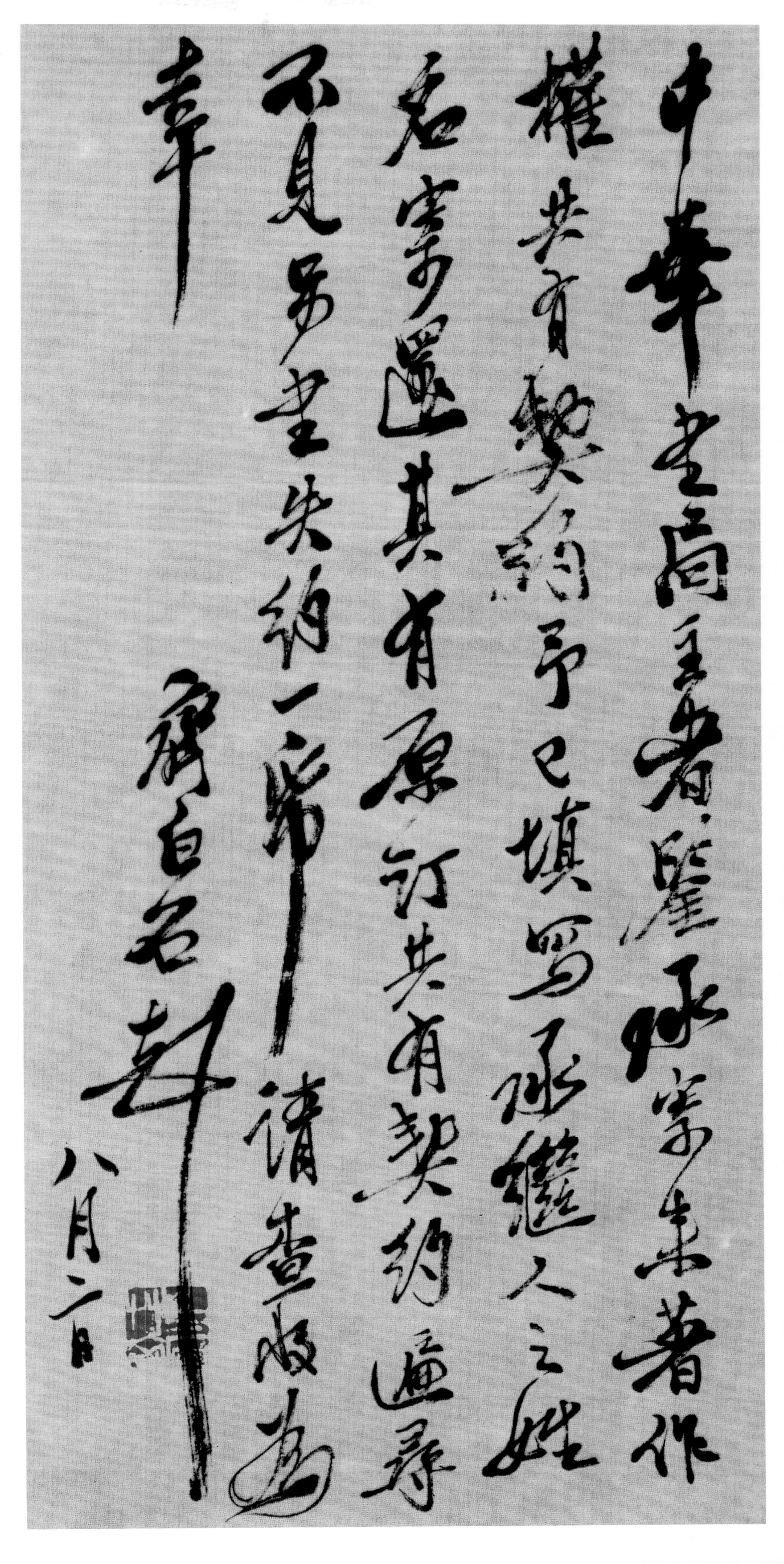

中華書局主者鑒承寄來著作權共有契約予已填寫承繼人之姓名寄還其有原訂共有契約遍尋不見另書失約一紙請查收為幸

齊白石拜

八月二日

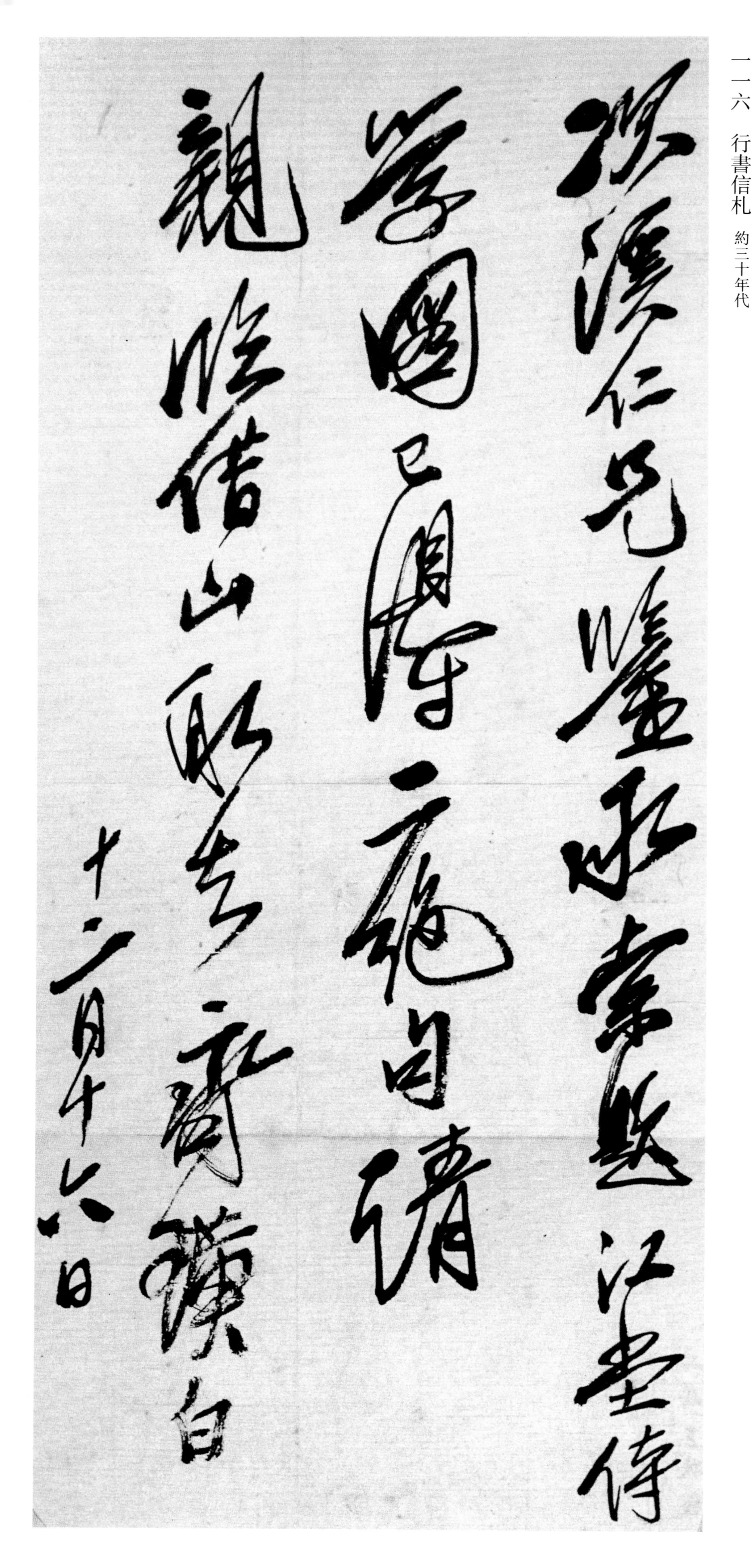

一一六　行書信札　約三十年代

一一七　行書題簽　約三十年代　縱三六・五厘米　横二六厘米

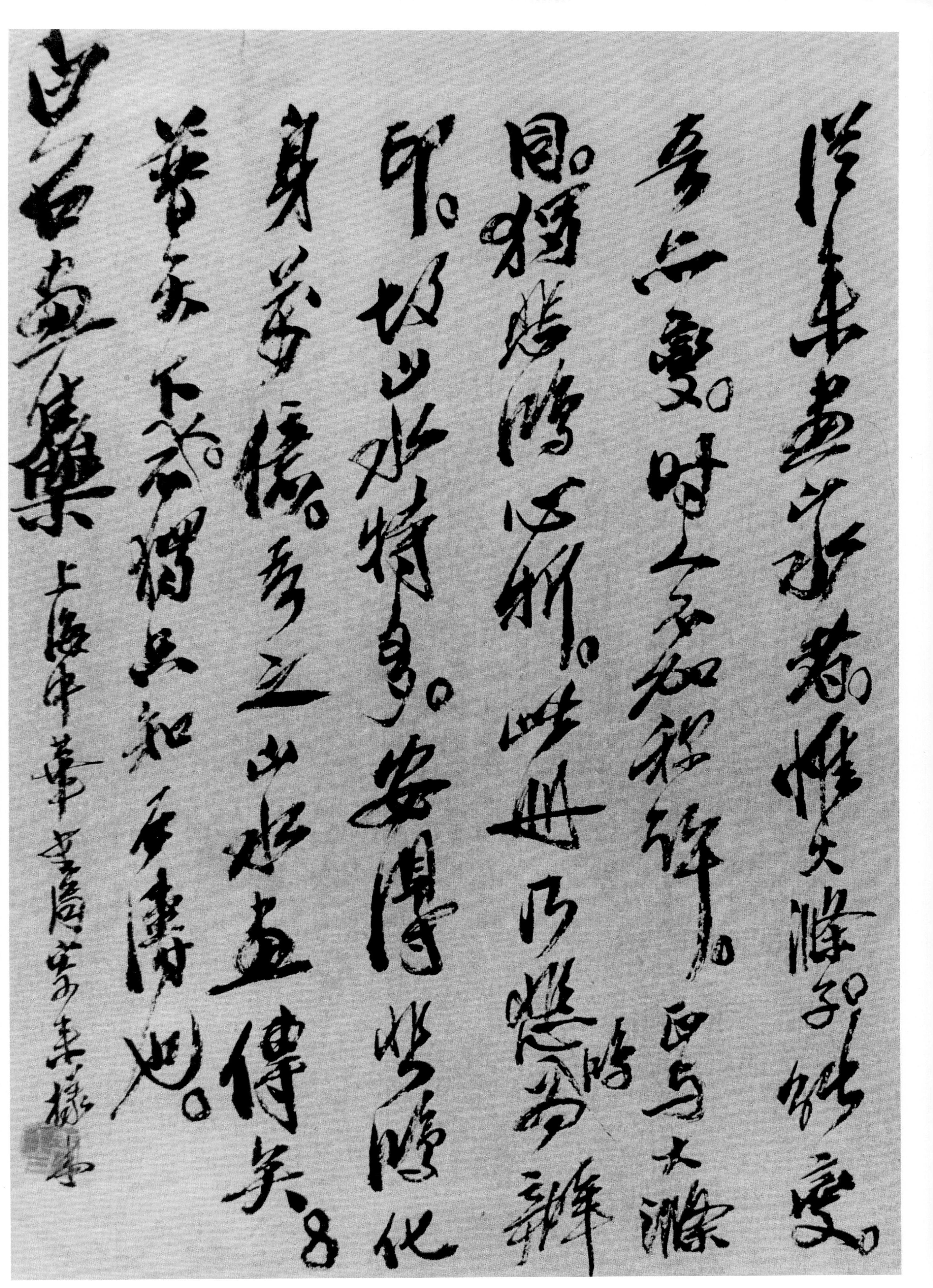

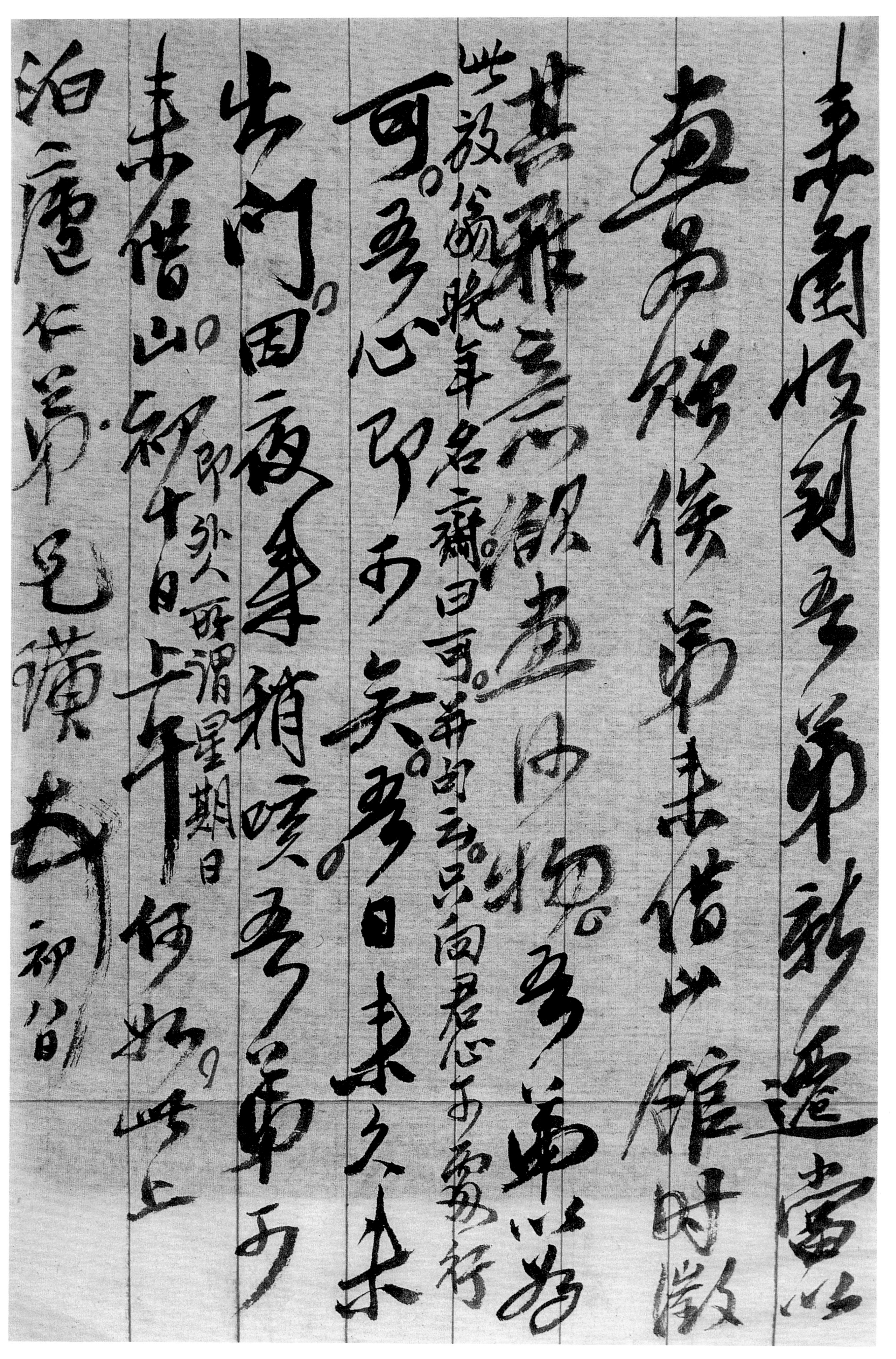

惠函收到，吾弟新遣當以
盡吾弟綿薄，借出館時數
其雅意。所欲畫何物，吾弟以為
可。（此放翁晚年名齋曰可，并句云：只向君心可處行。）吾心即可矣。吾弟日來久未
出門。因夜深稍暖，吾弟可
來借山。初十日（即外人所謂星期日）上午何如？此上
洎廬仁弟足下 璜[illegible] 初八日

一一八 行書信札 約三十年代 縱二八厘米 橫一八厘米

一一九　行書信札　約三十年代　縱二八厘米　橫一八厘米

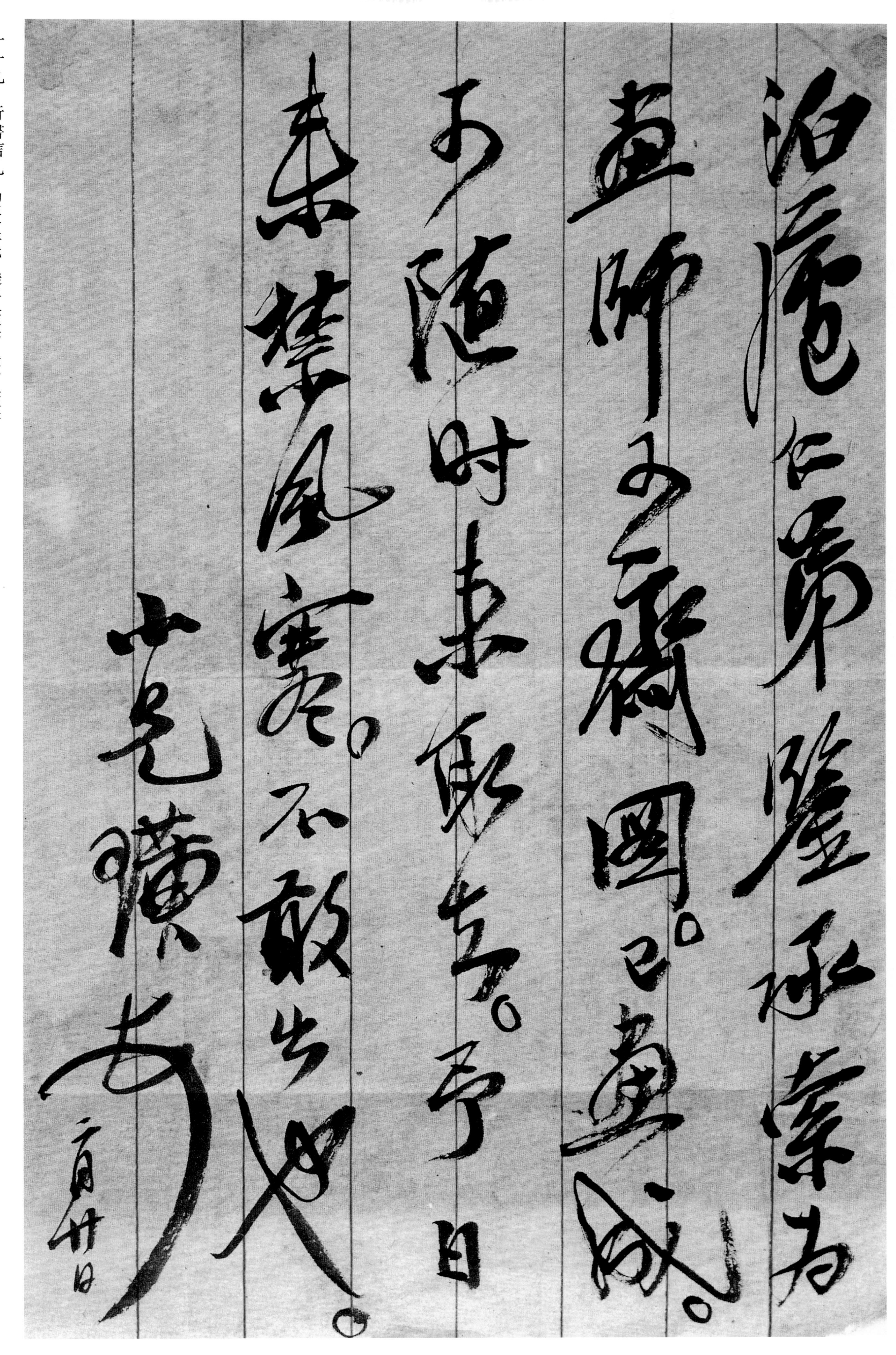

泊廬仁弟足下承索為畫師子藏圖。已畫成。可隨時來取去。弟自來禁風寒。不敢出也。

光頓首

二月廿日

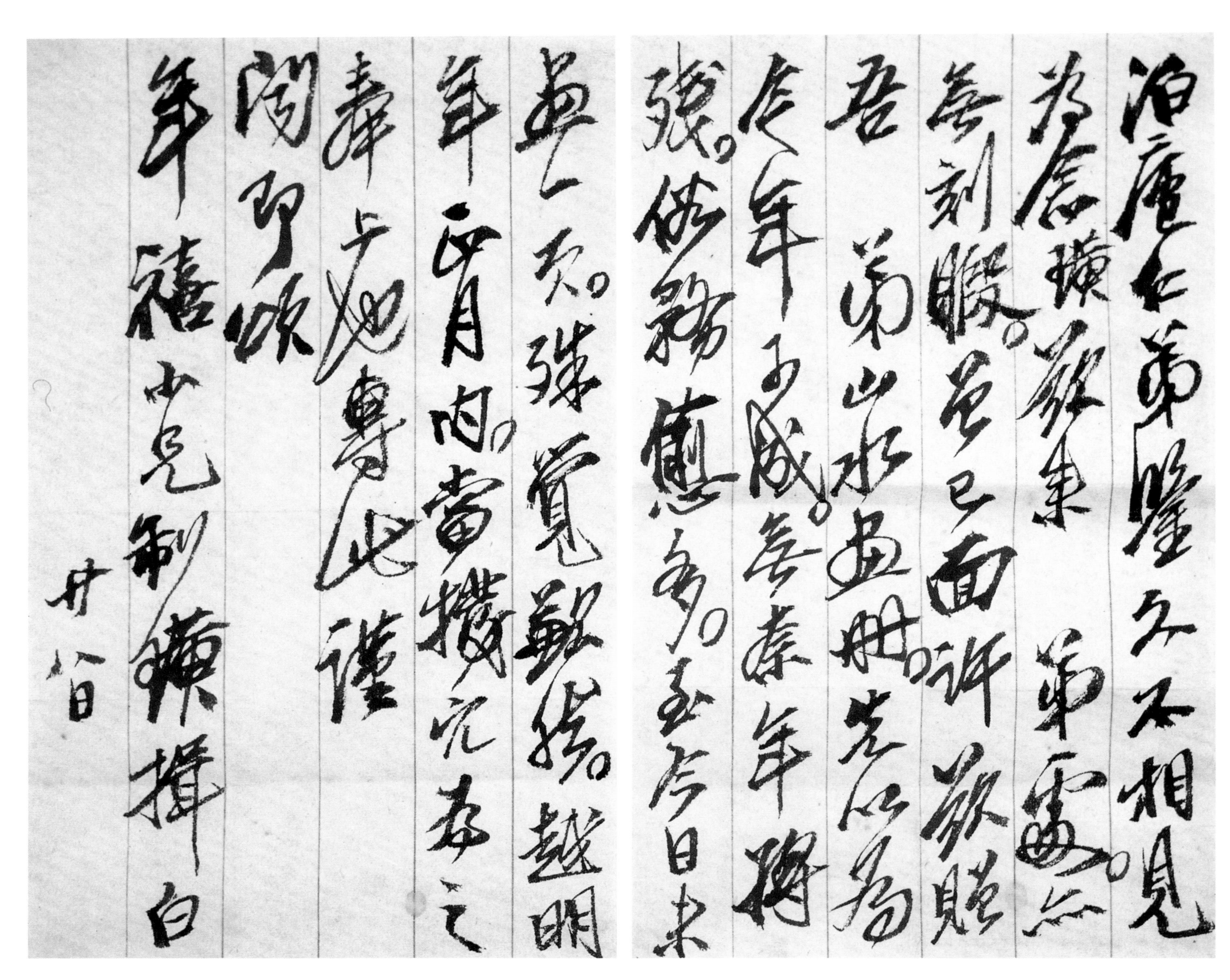

一二〇　行書信札　約三十年代　縱二六厘米　橫一五·五厘米

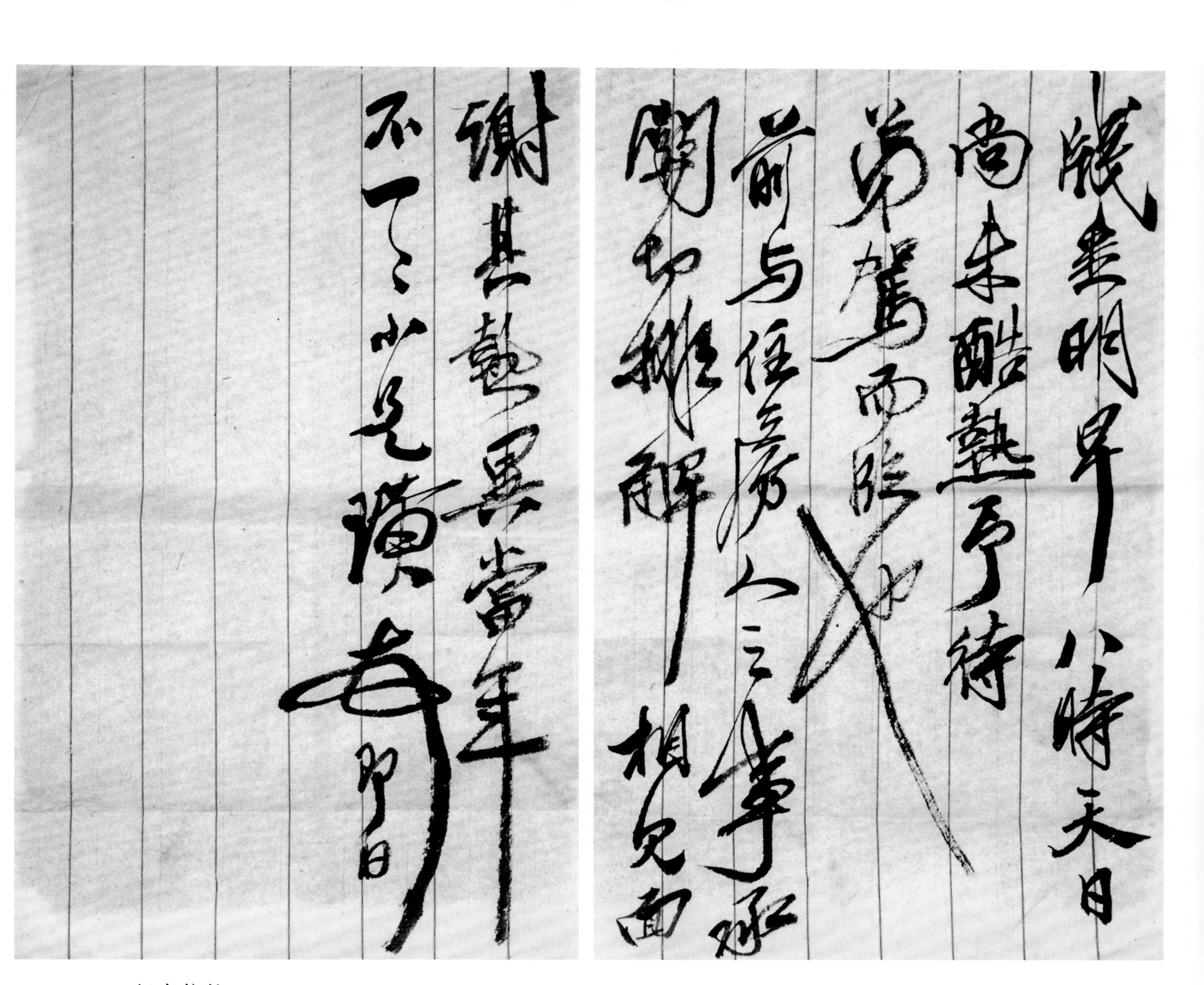

一二一　行書信札　約三十年代　縱二七厘米　横一六·五厘米

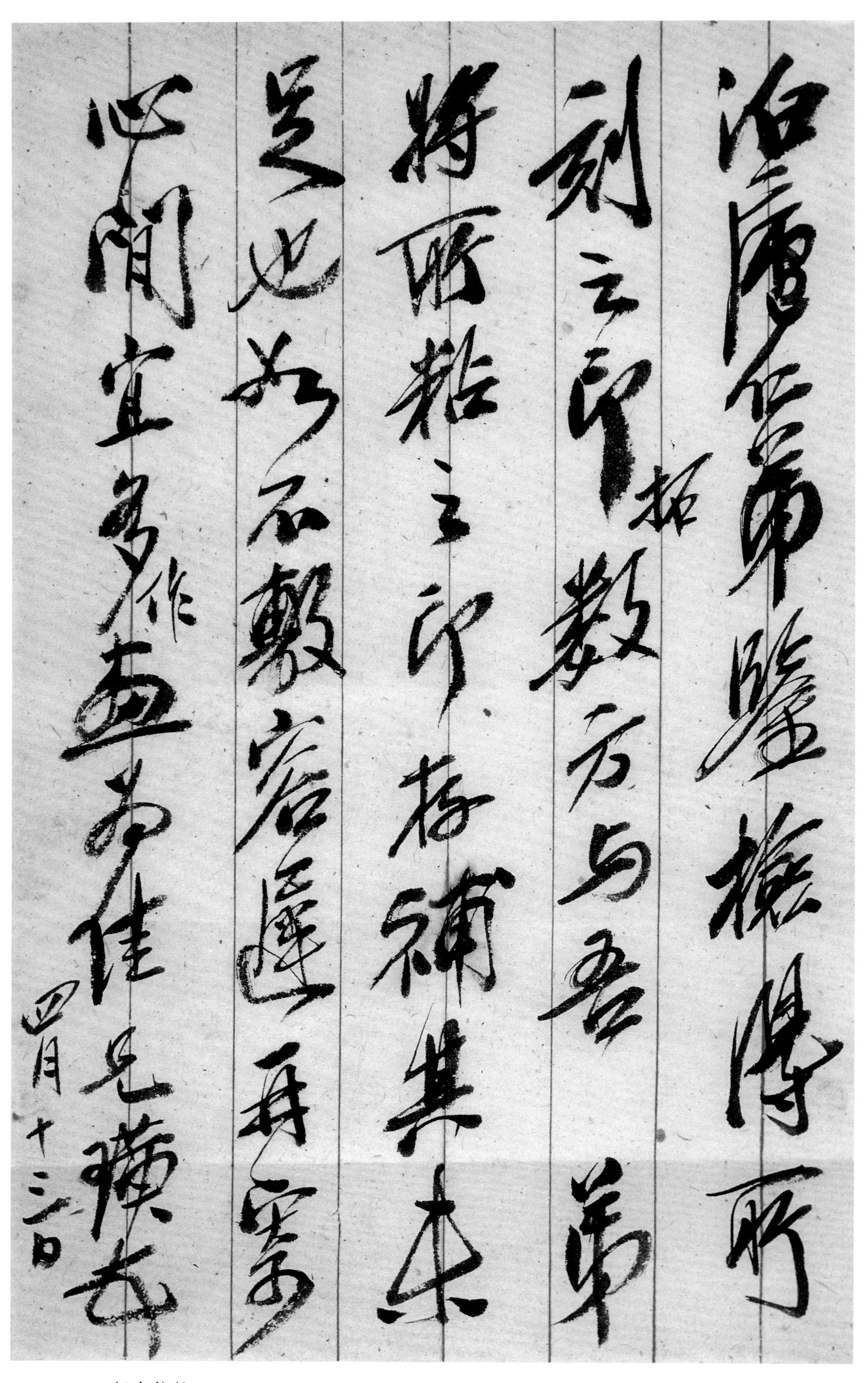

泊廬仁弟足下：擬得所
刻之印拓數方，與吾弟
將所拓之印存補其本
足也。如不敷，容遲再寫。
心閒宜多作畫爲佳。兄璜
四月十二日

一二二　行書信札　約三十年代　縱二七厘米　横一六·五厘米

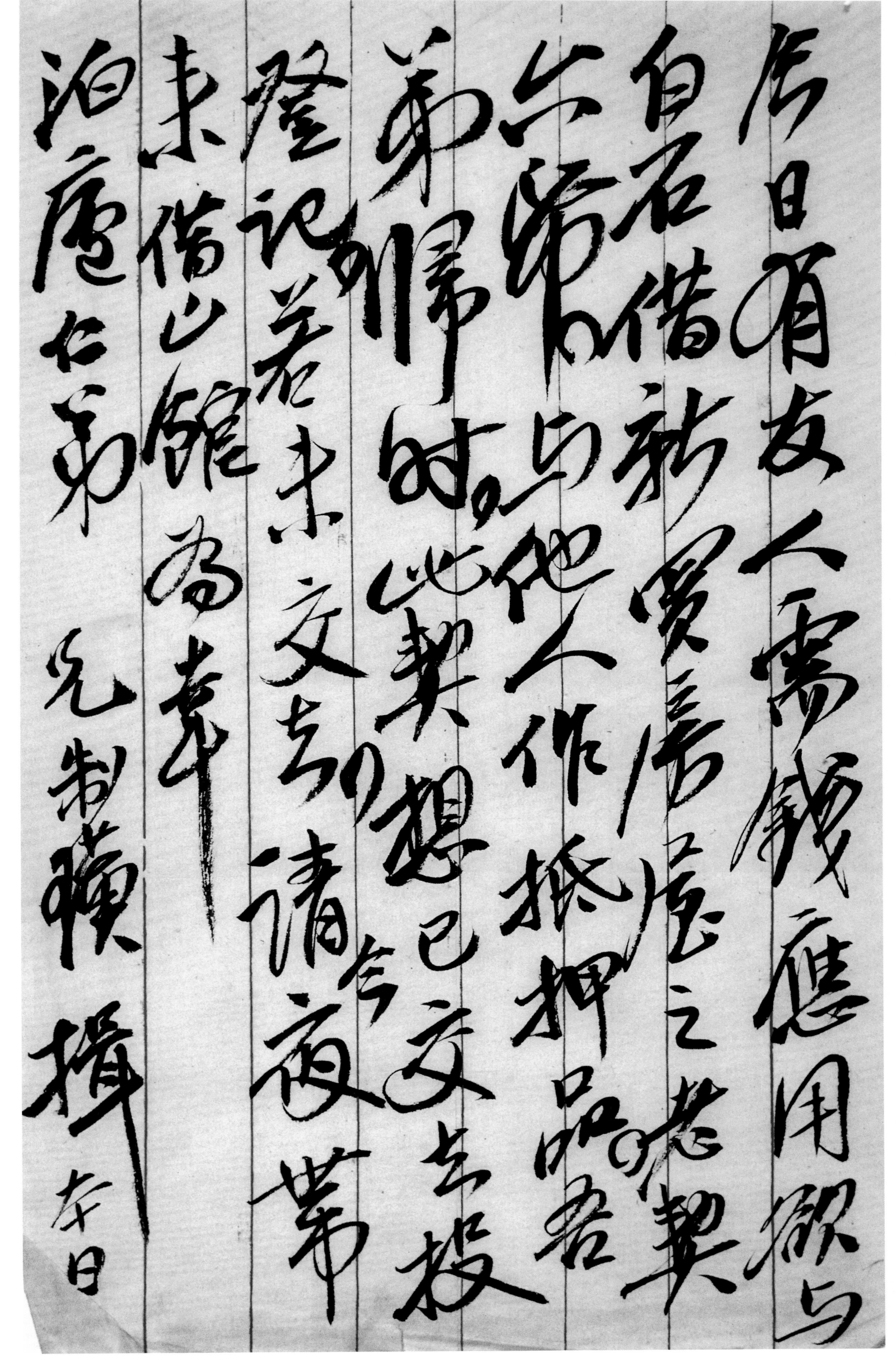
昨日有友人需錢應用，欲與
自君借新買房屋之地契
六張，與他人作抵押品，君
弟歸時，此契想已交去，投
登記，若未交去，請令
來借出館爲幸
洒廬仁弟 兄制積 拜 本日

一二三　行書信札　約三十年代　縱二五·五厘米　橫一六厘米

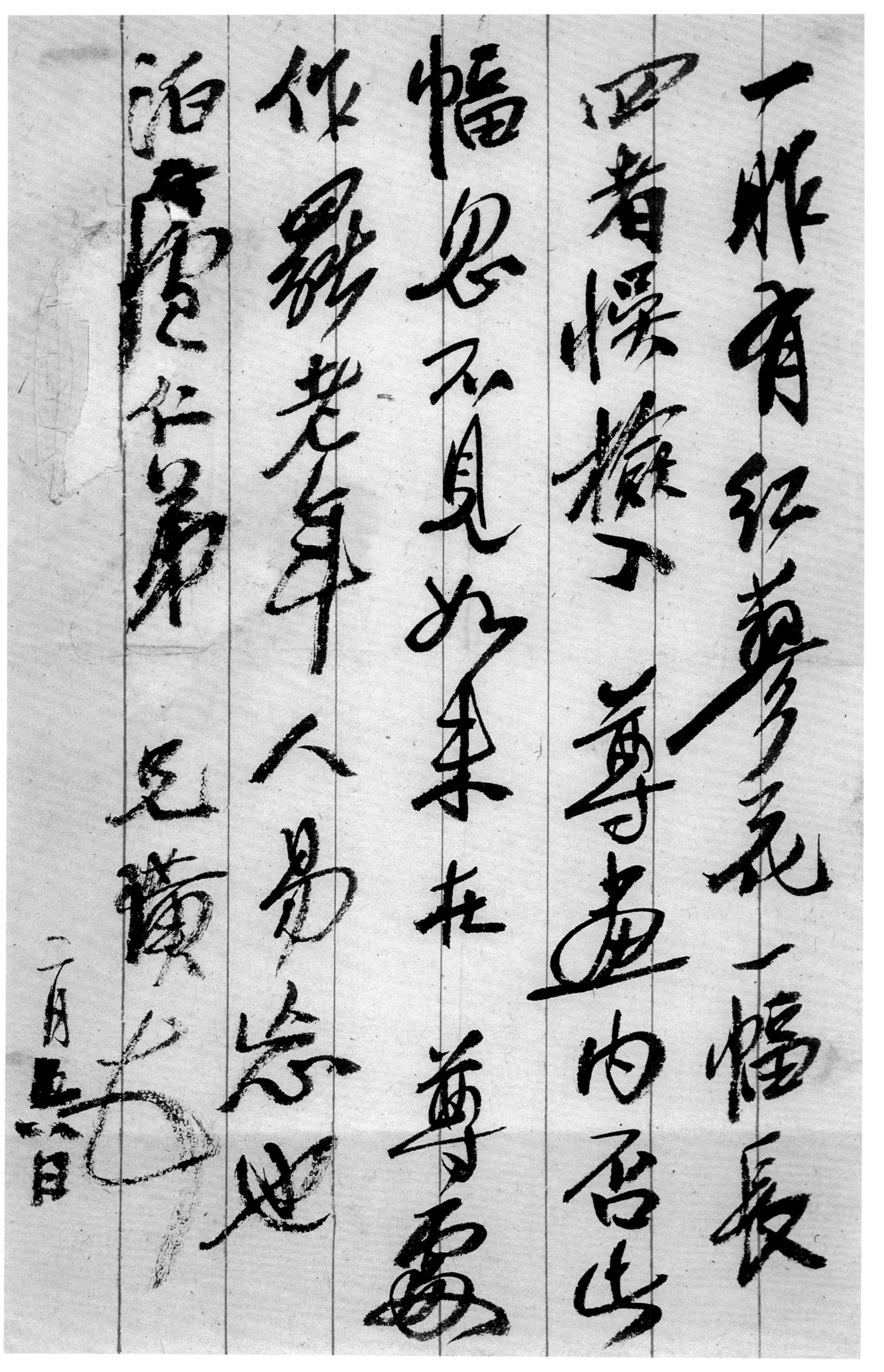

一二四　行書信札　約三十年代　縱二七厘米　橫一六·五厘米

一二五　篆書聯　約三十年代

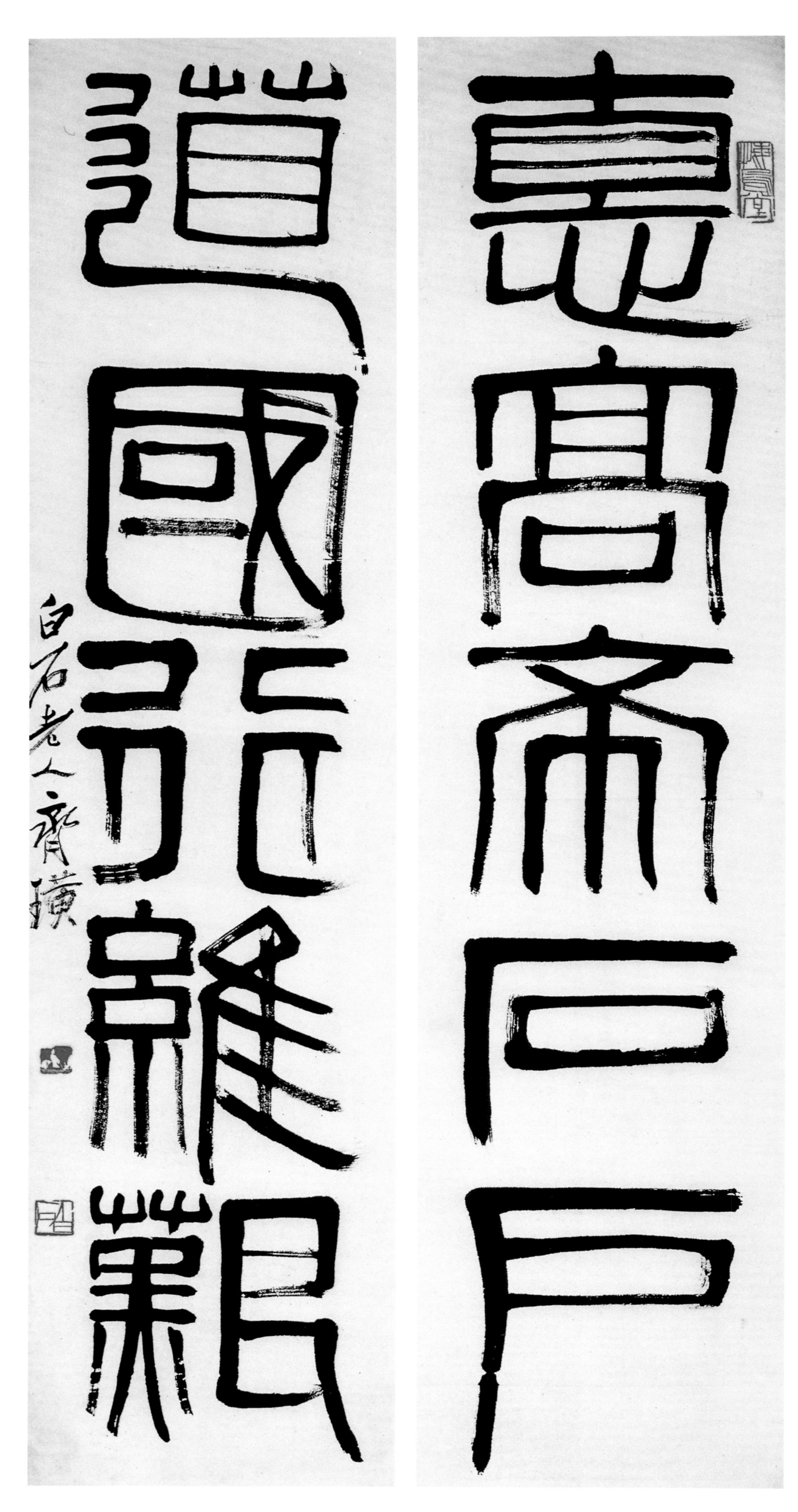

一二六　篆書聯　約三十年代　縱一三四厘米　橫三三·五厘米

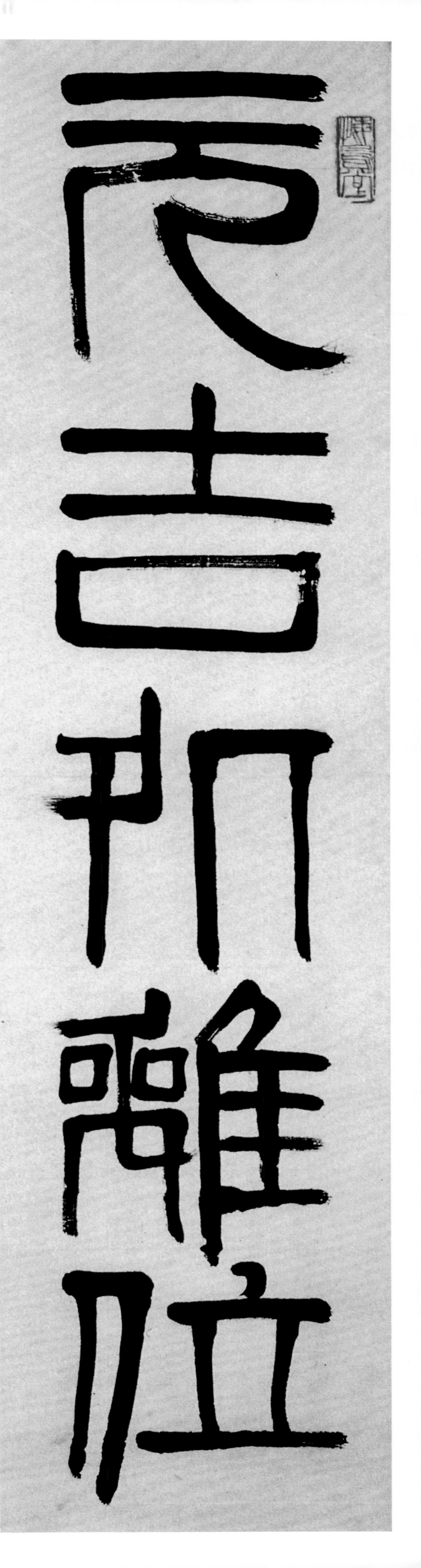

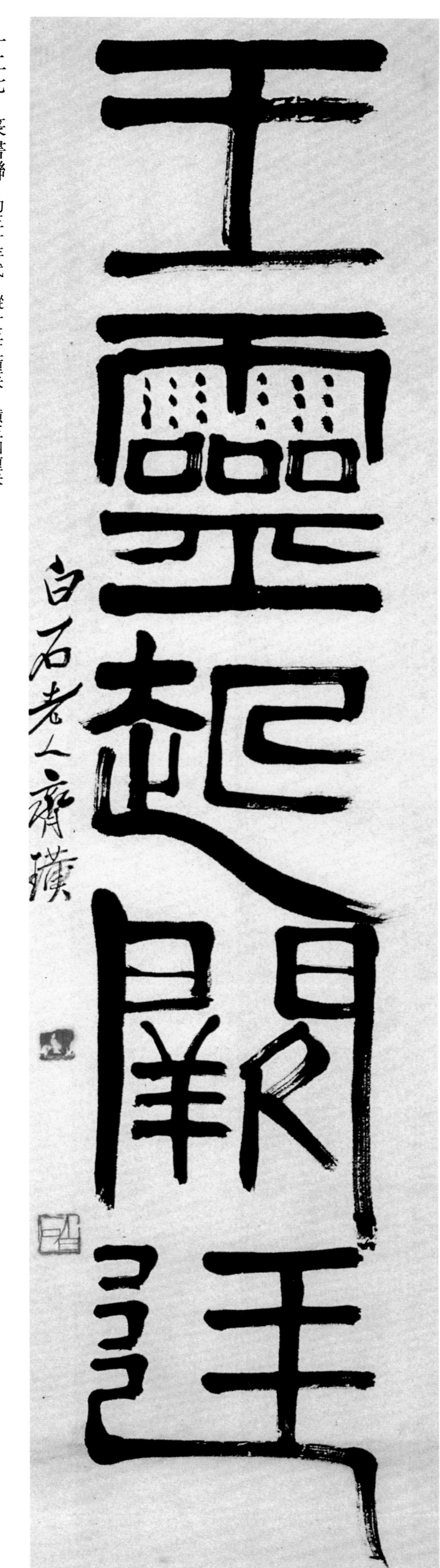

一二七　篆書聯　約三十年代　縱一三五厘米　橫三四厘米

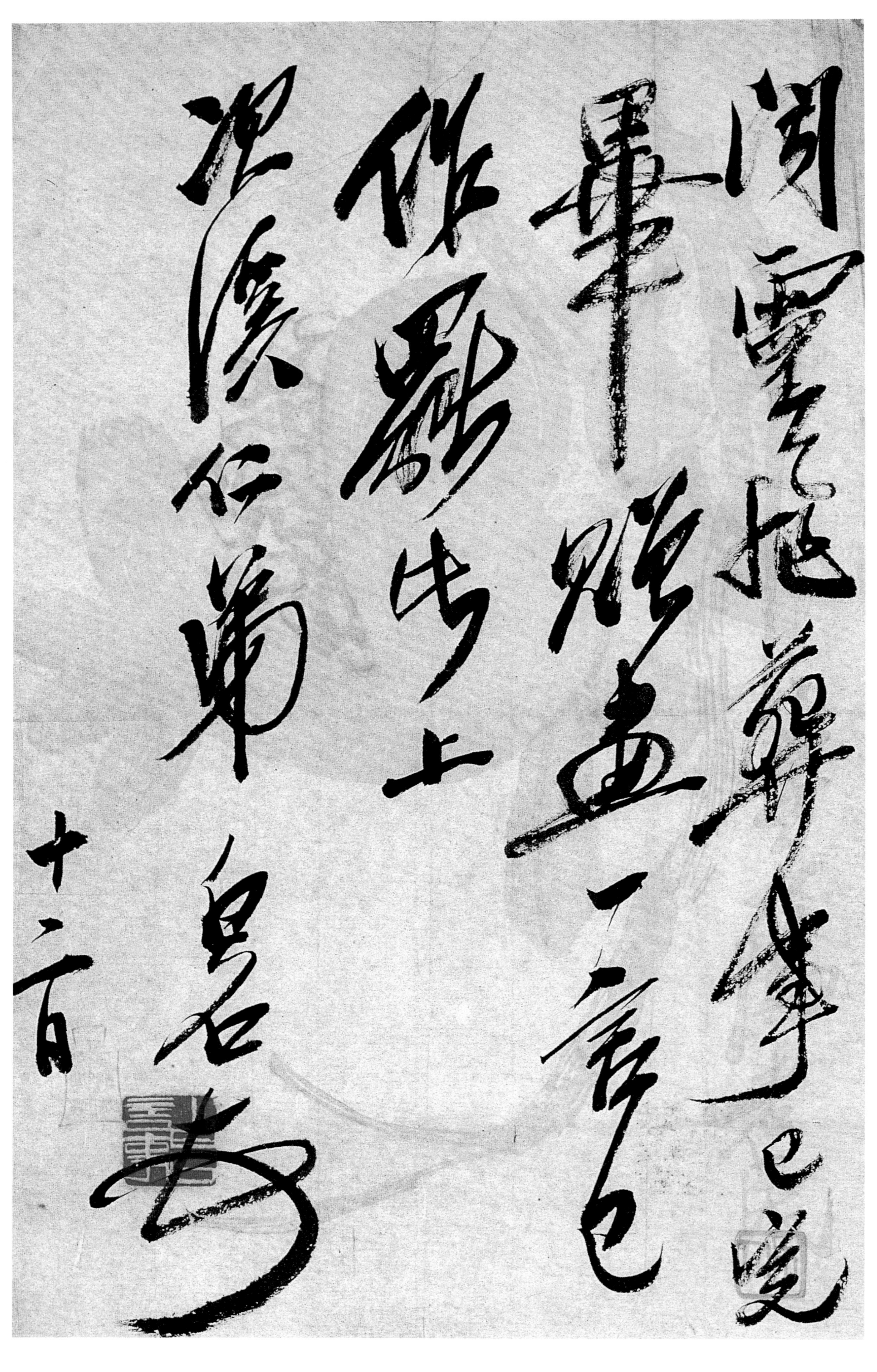

一二八　行書信札　約三十年代

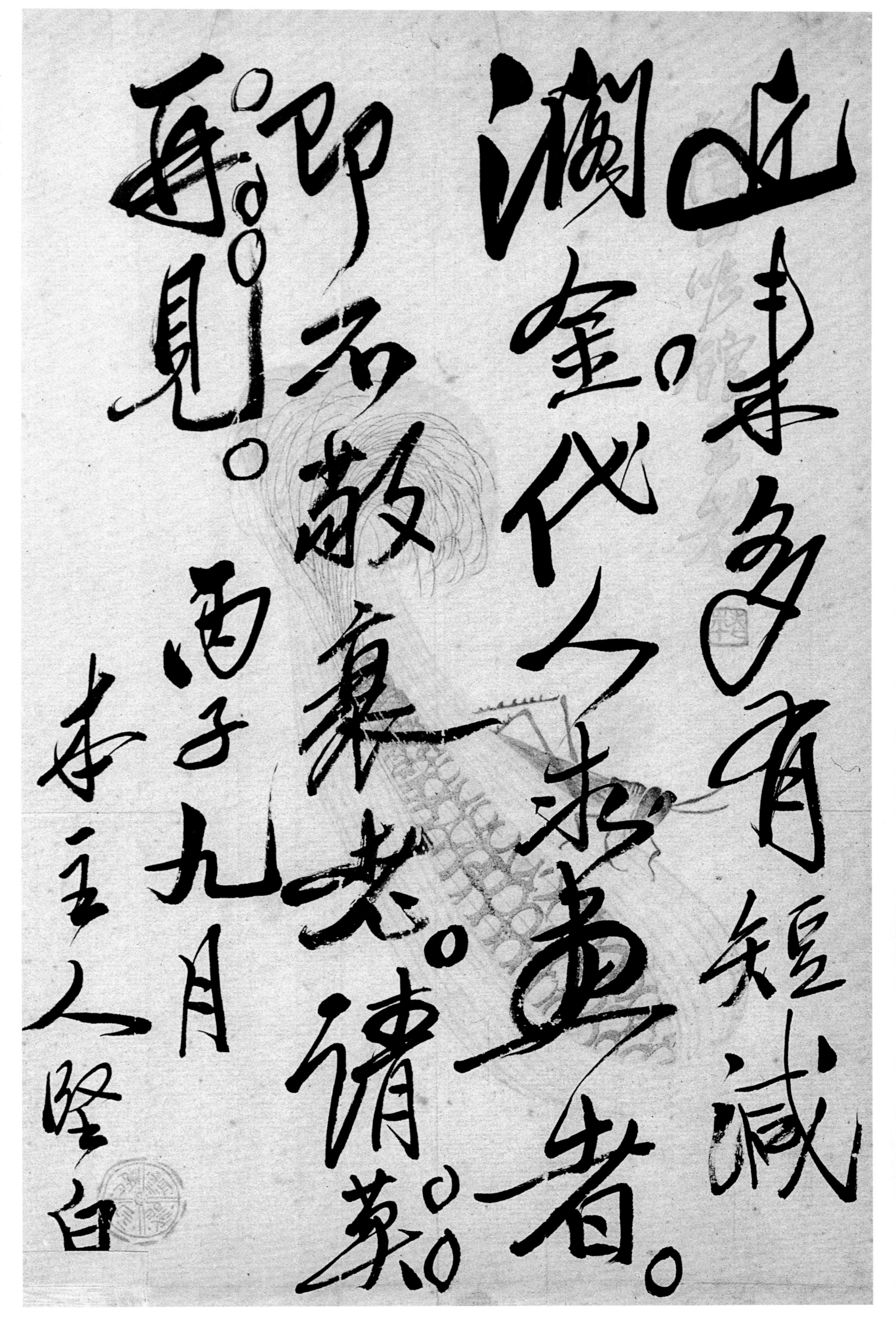

一二九　行書信札　約三十年代

一三〇　篆書聯　約三十年代　縱一三三・三厘米　橫三二厘米

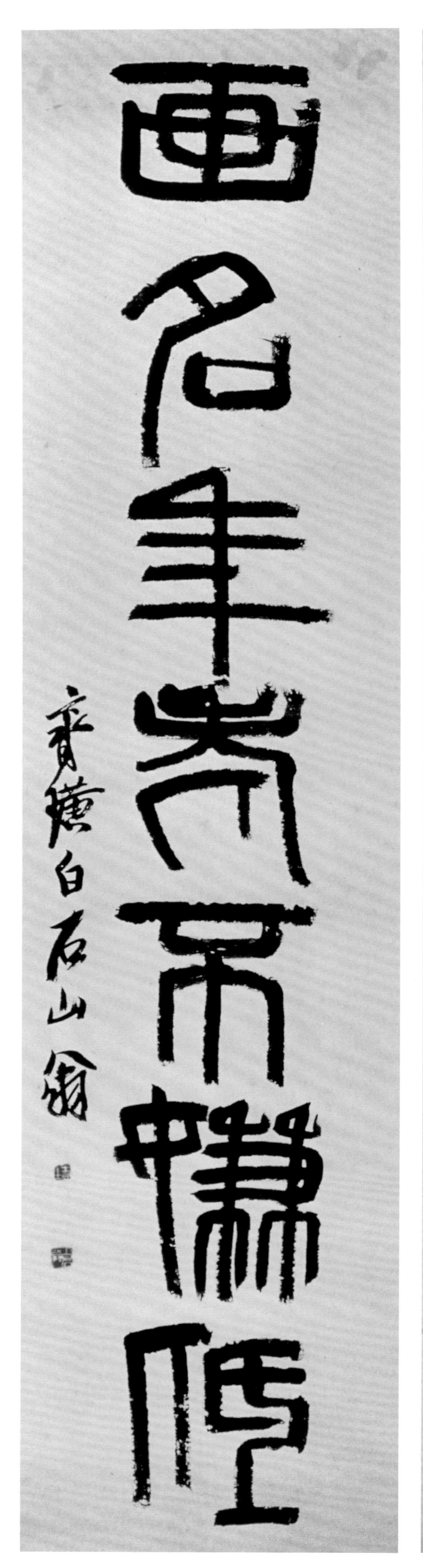

一三一　篆書題簽　約三十年代

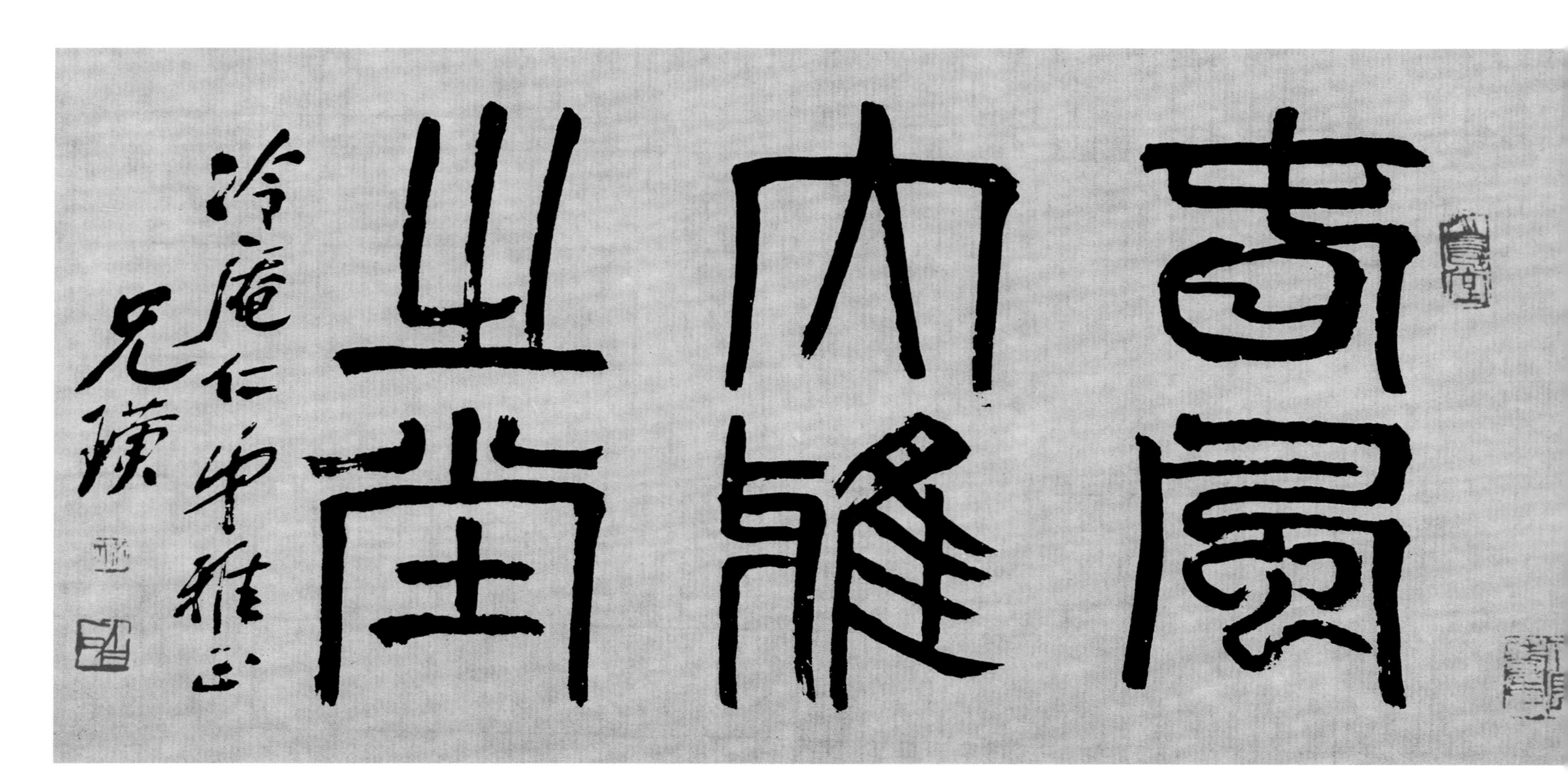

一三二　篆書横幅　約三十年代

行書手札　約三十年代

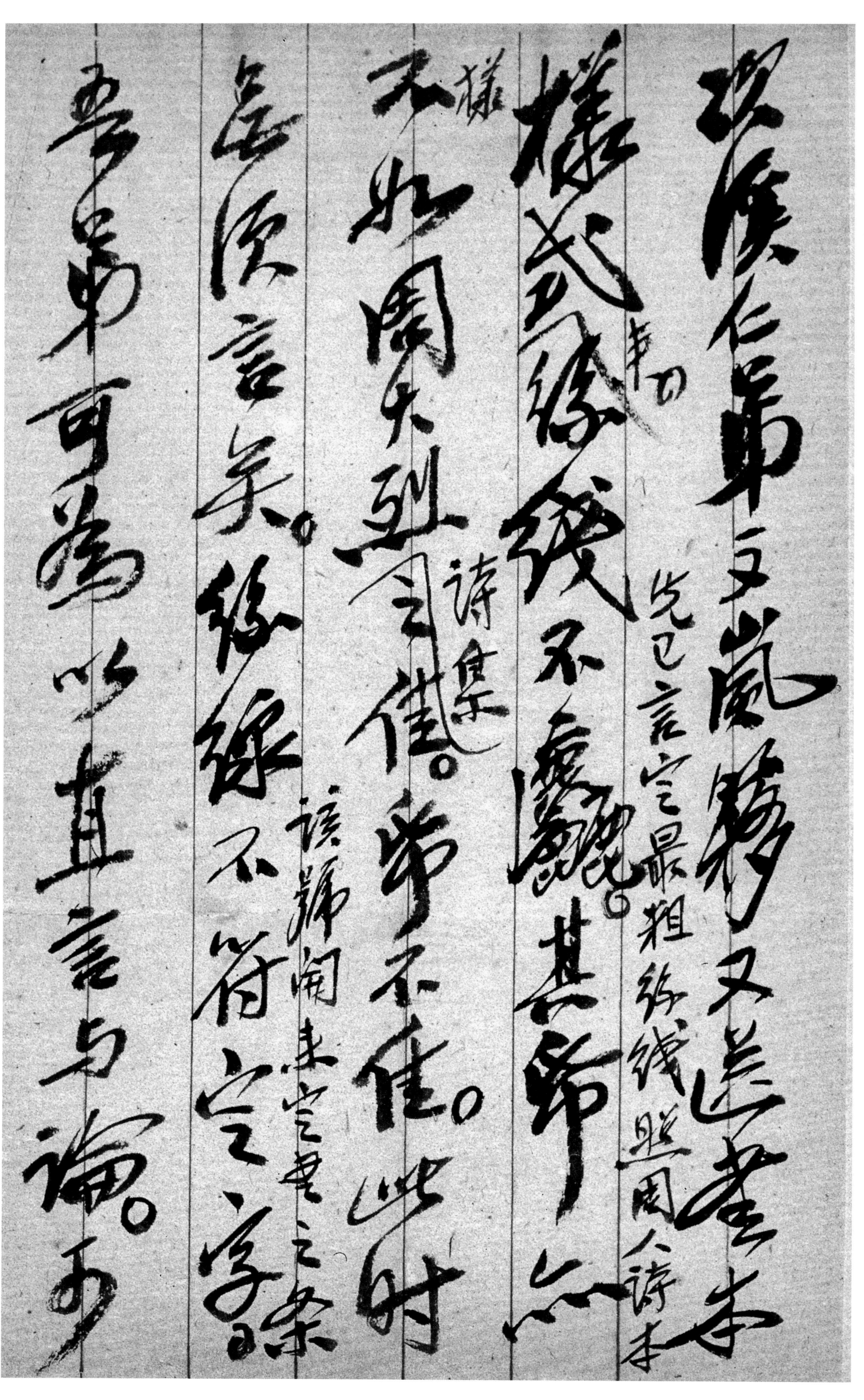

一三四　行書信札（之一）　約三十年代

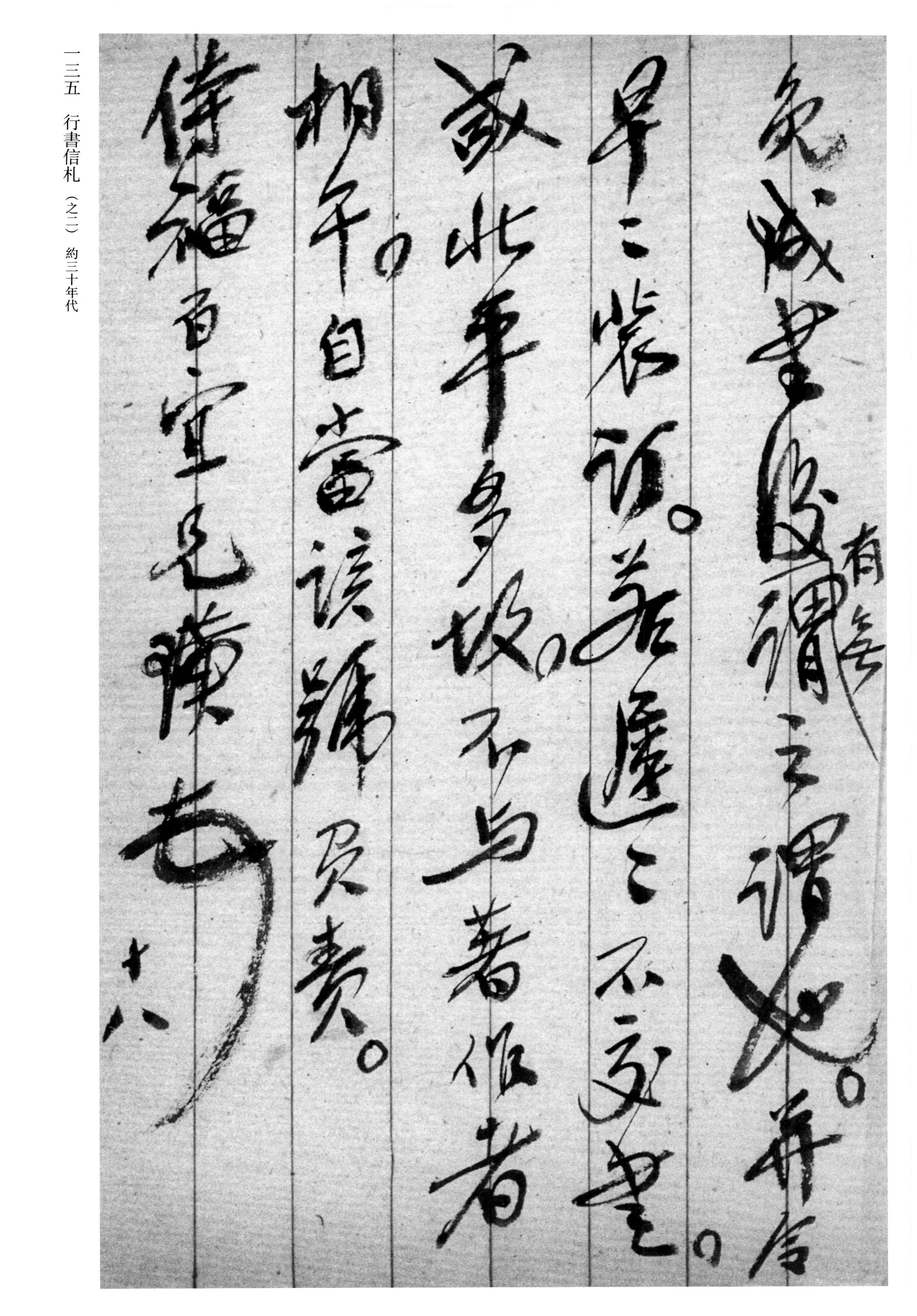

一三五　行書信札（之二）　約三十年代

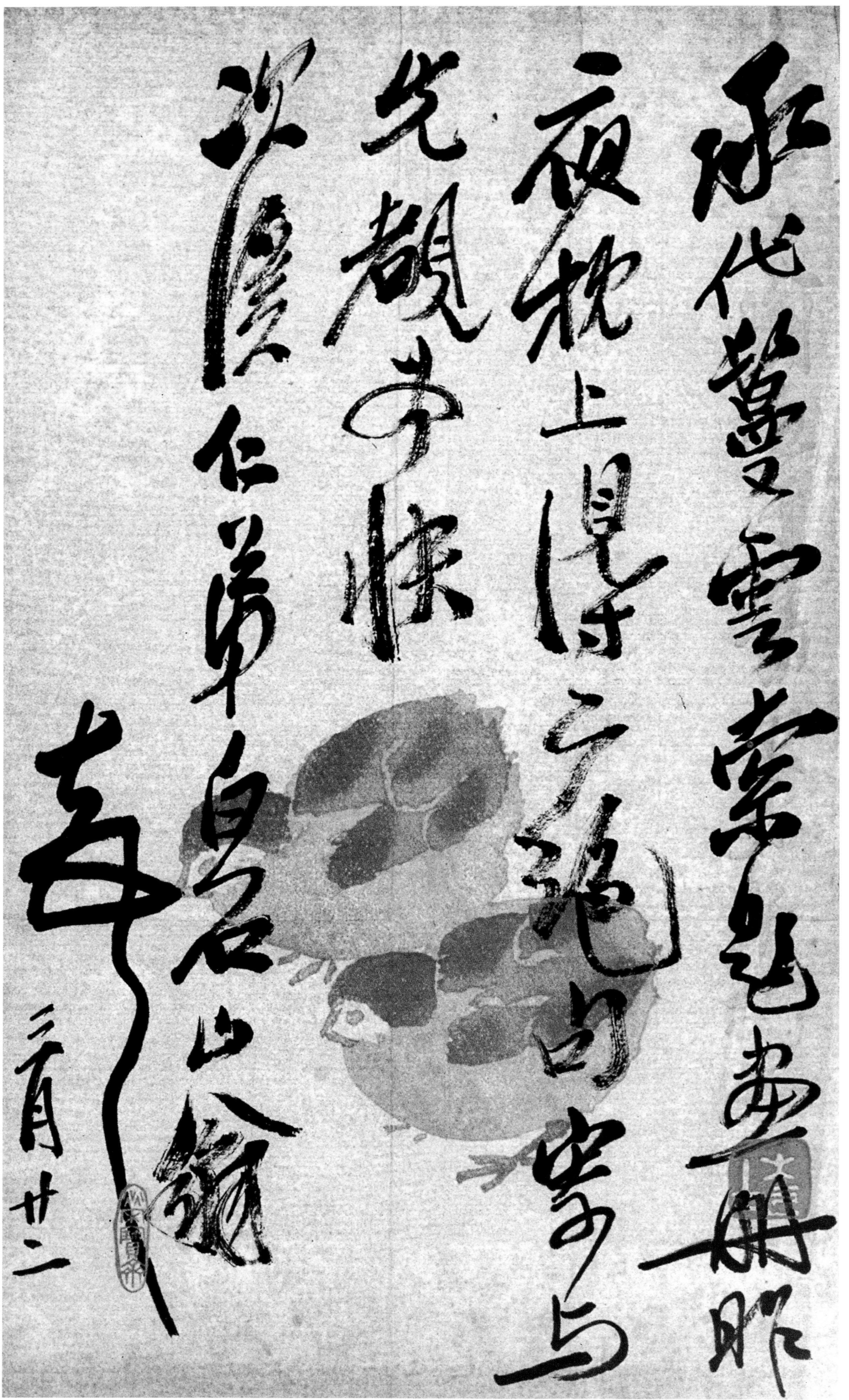

一三六　行書信札　約三十年代

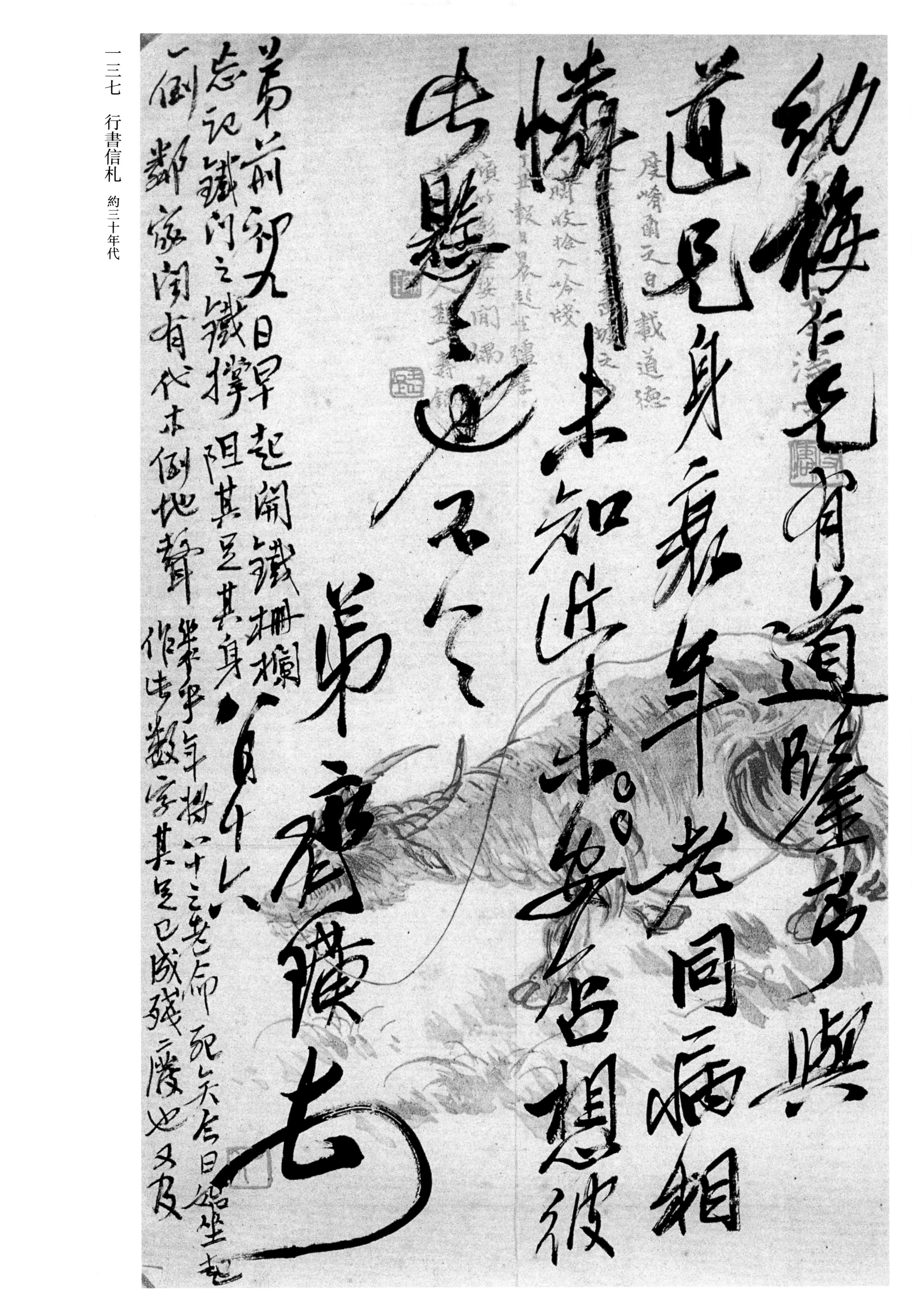

一三七　行書信札　約三十年代

　行書信札　約三十年代

王君逸塘由天津寄來國聞周刊。其間有名傳是樓詩話，收入白石拙詩。欲作圖為道，愧汗不識王君居天津之住址。請吾弟告我。

尊大人面安，均此請

安

小乞璜　七月百

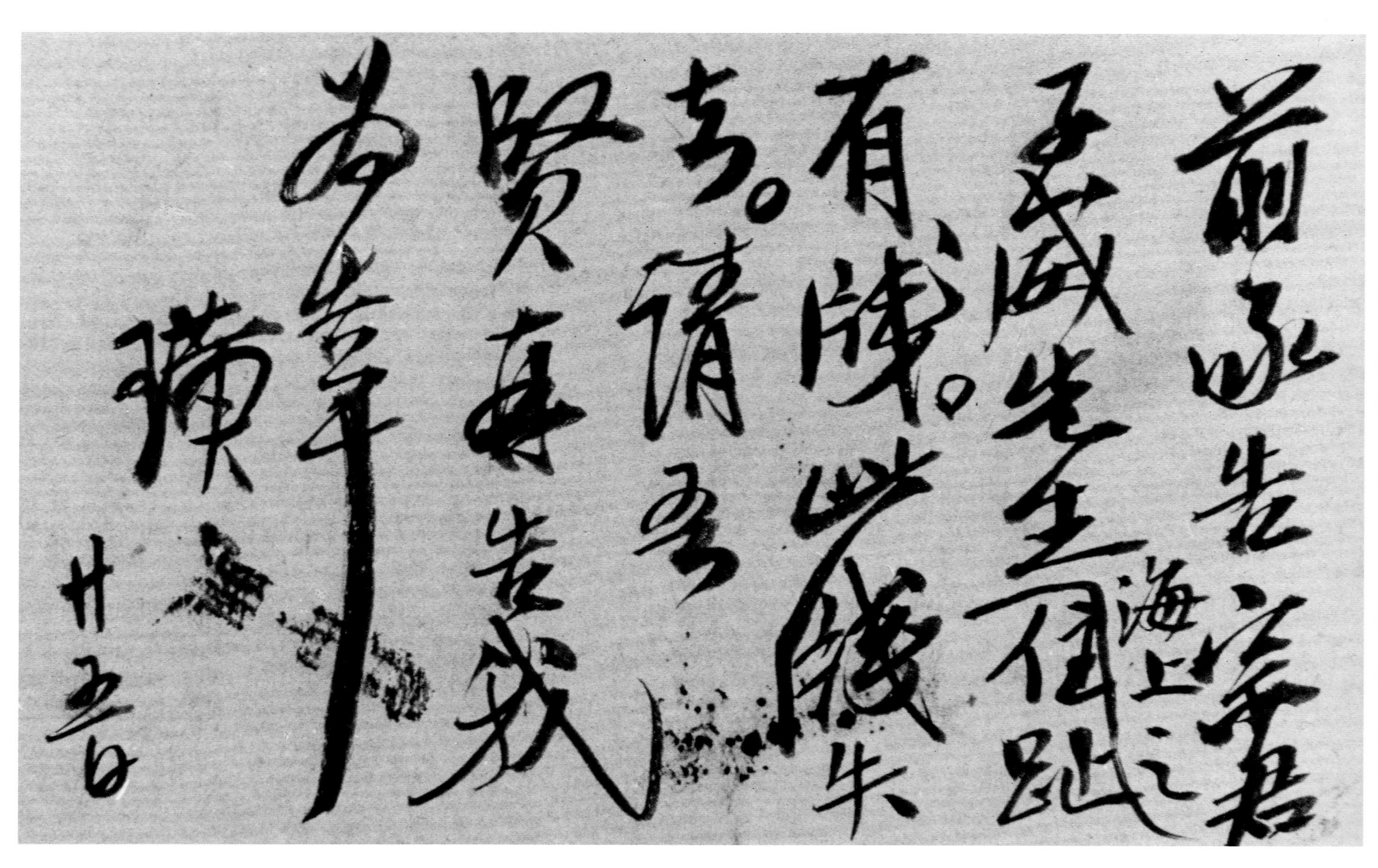

一四〇　行書信札　約三十年代

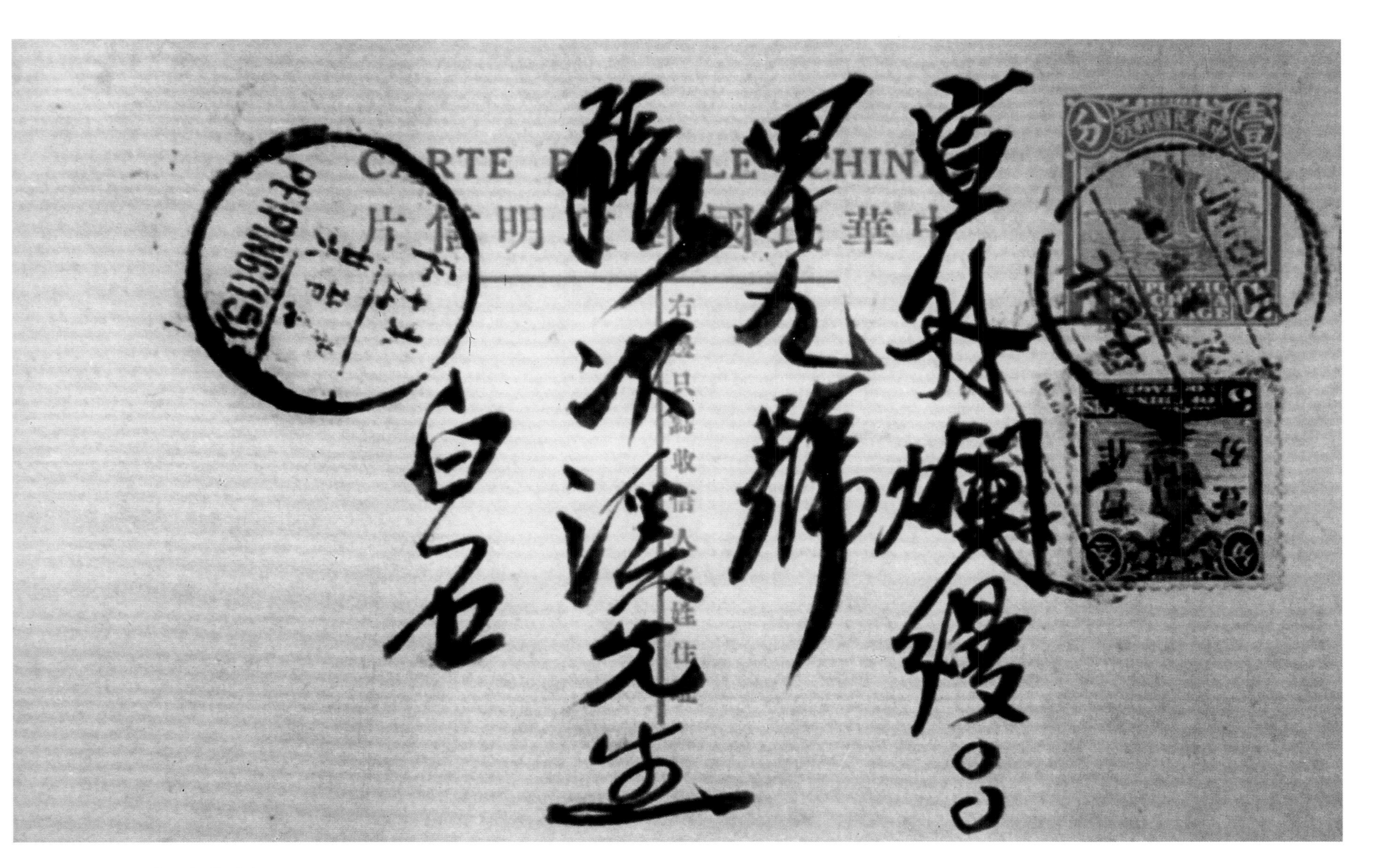

一四一　行書信封　約三十年代

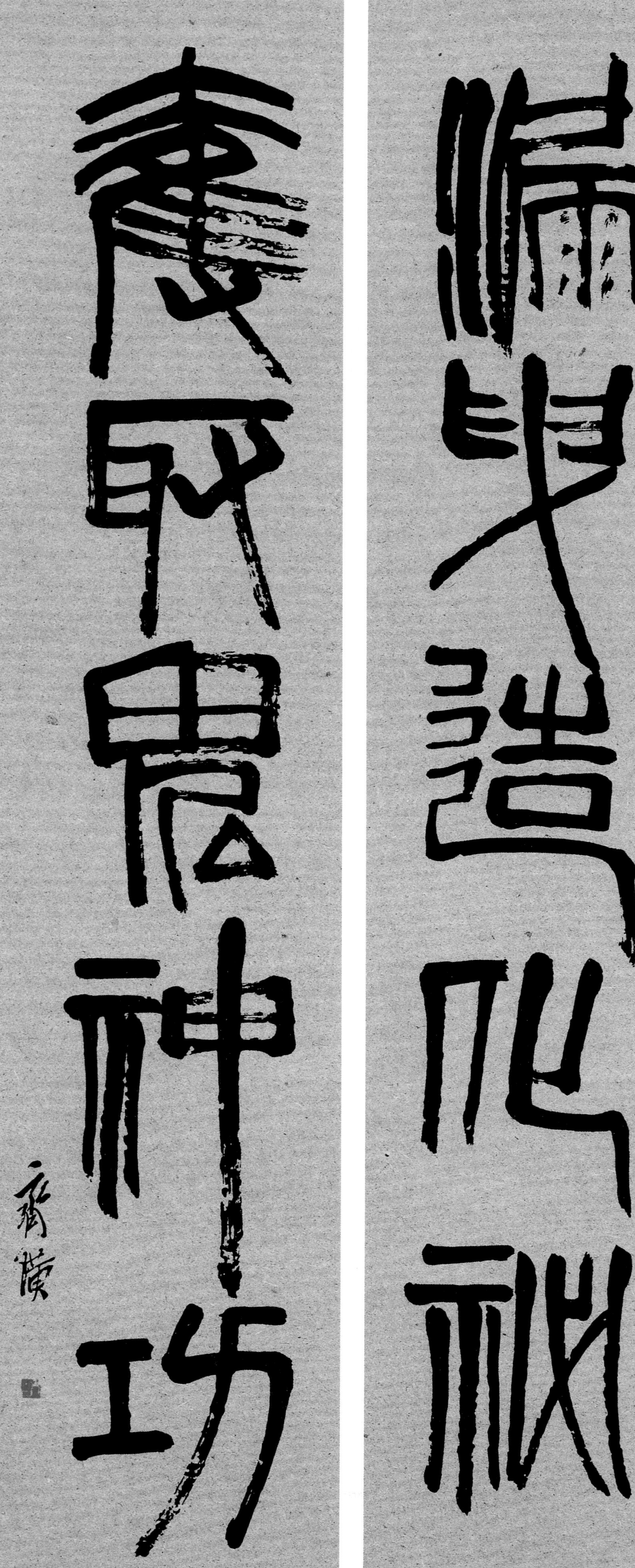

一四二　篆書聯　約三十年代

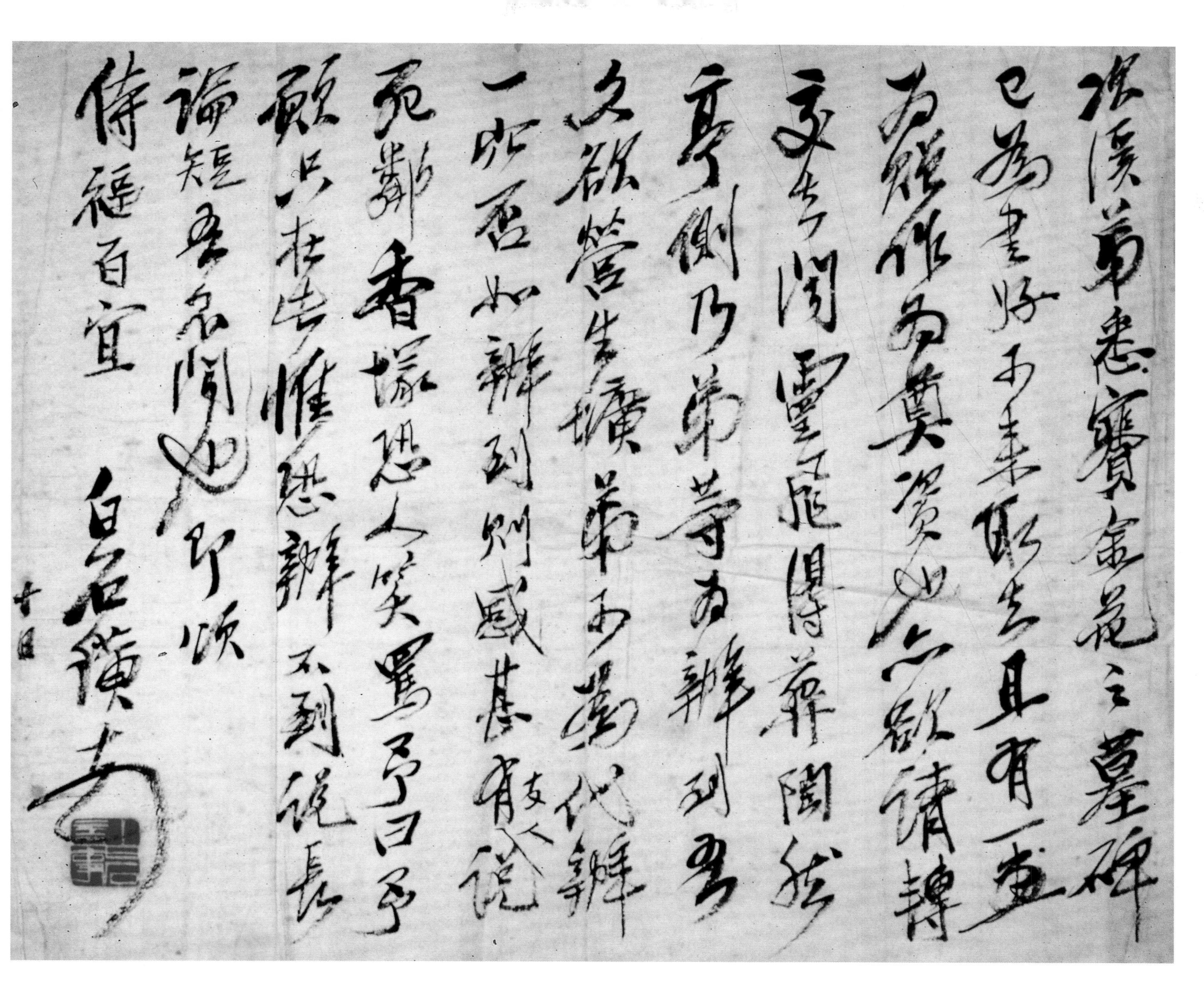

一四三　行書信札　約三十年代

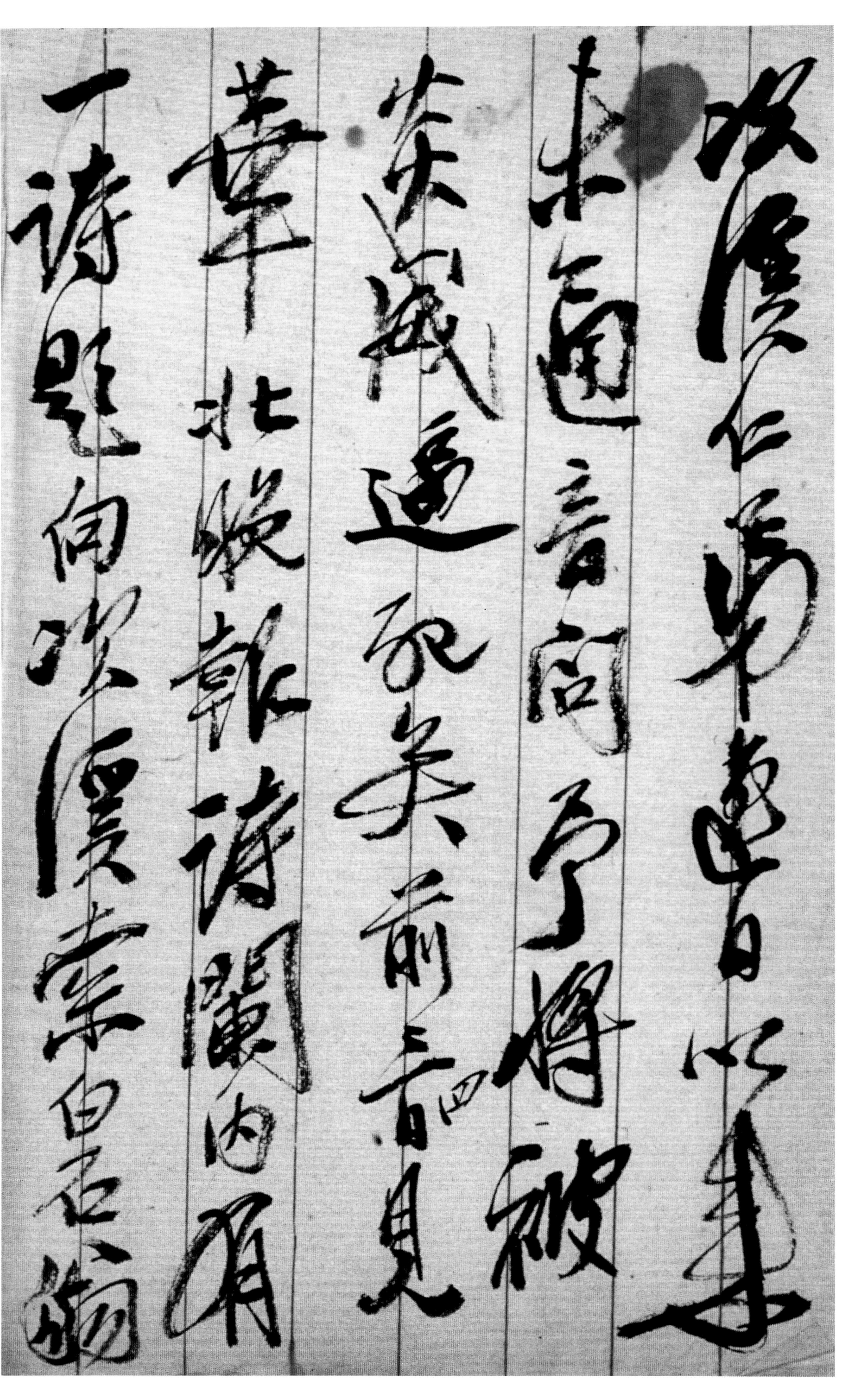

一四四　行書信札（之一）　約三十年代

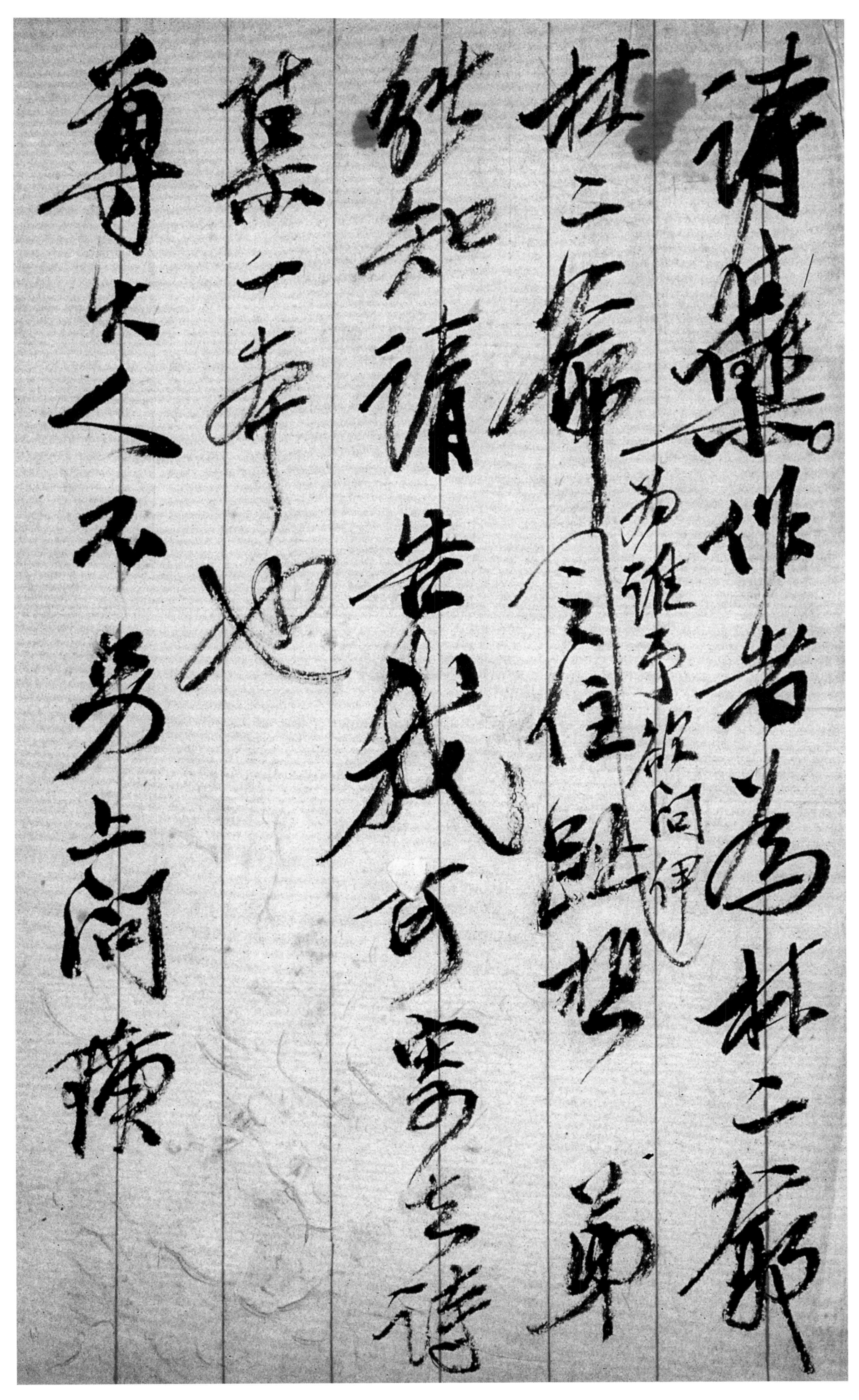

一四五　行書信札（之二）　約三十年代

一四六　行書信札（之一）約三十年代

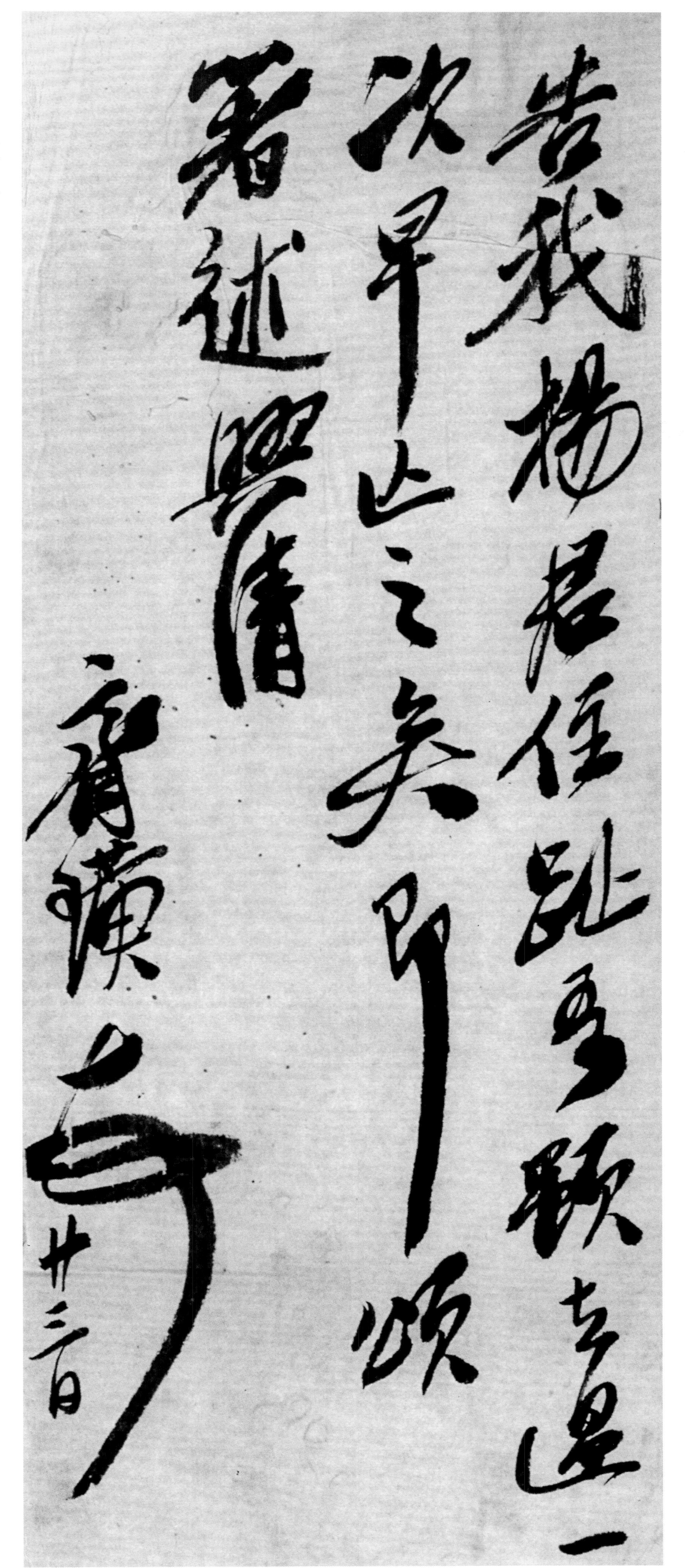

一四七　行書信札（之二）　約三十年代

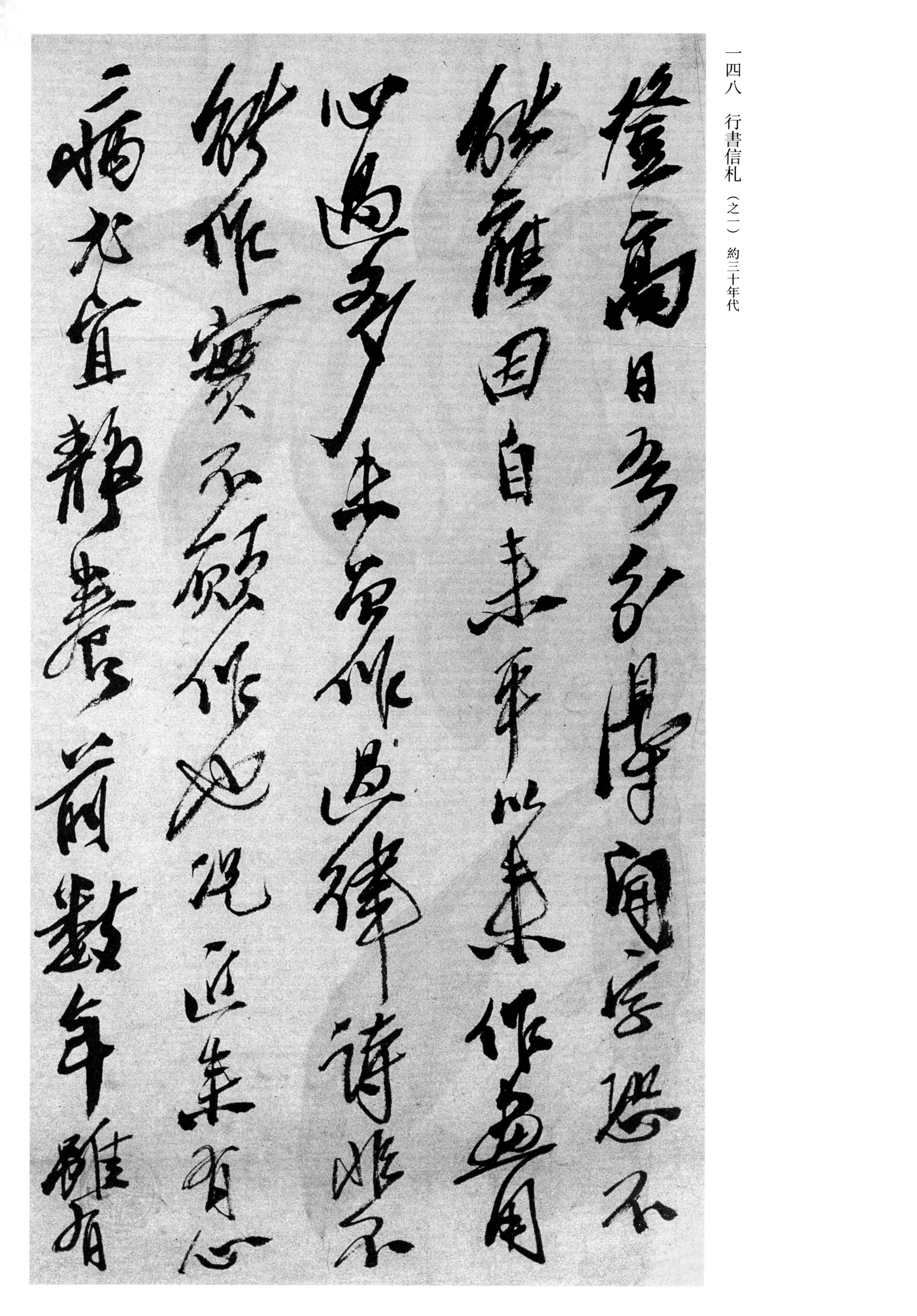

一四八　行書信札（之一）約三十年代

一四九　行書信札（之二）　約三十年代

一五〇 行書信札（之一） 約三十年代

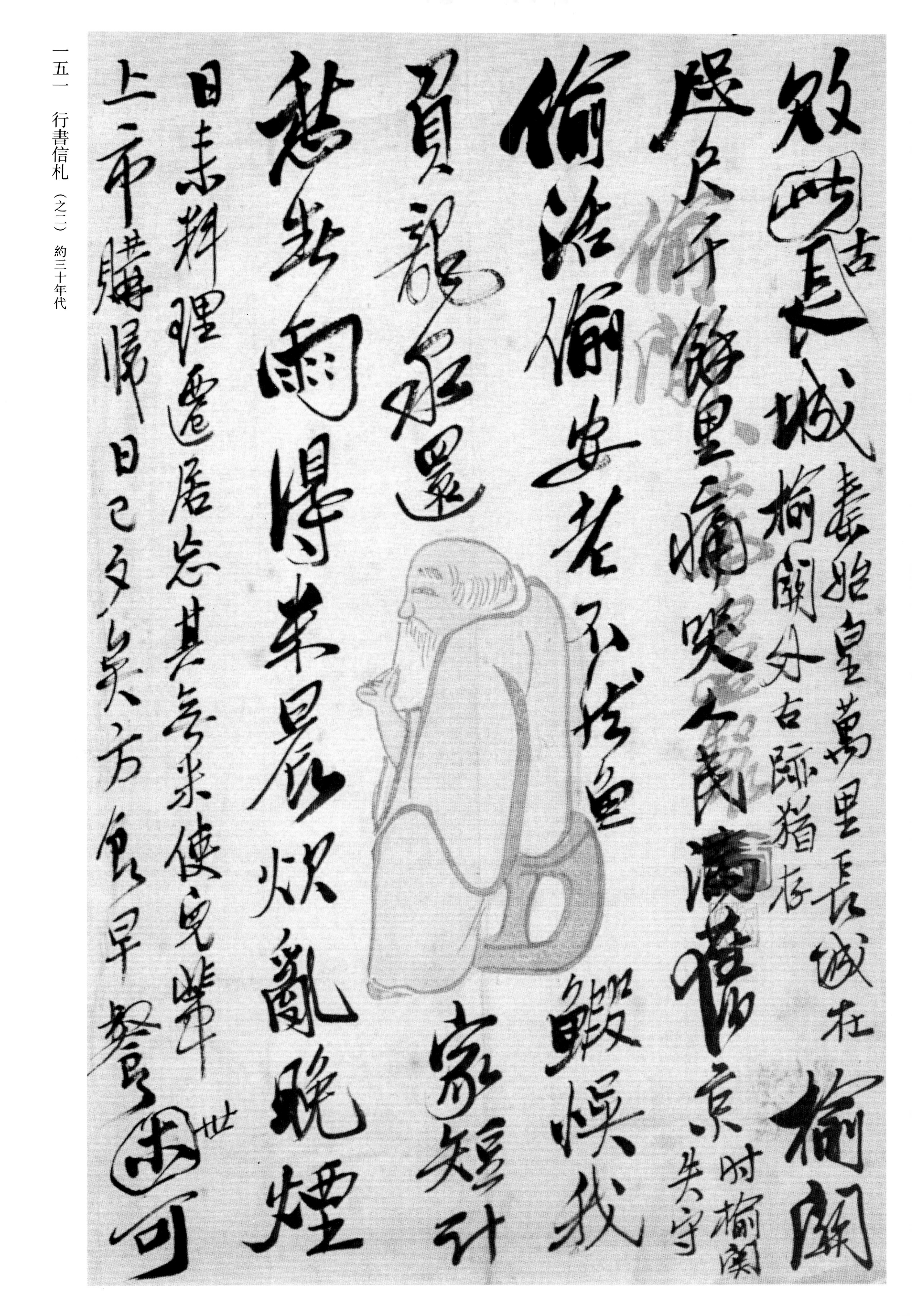

一五一　行書信札（之二）　約三十年代

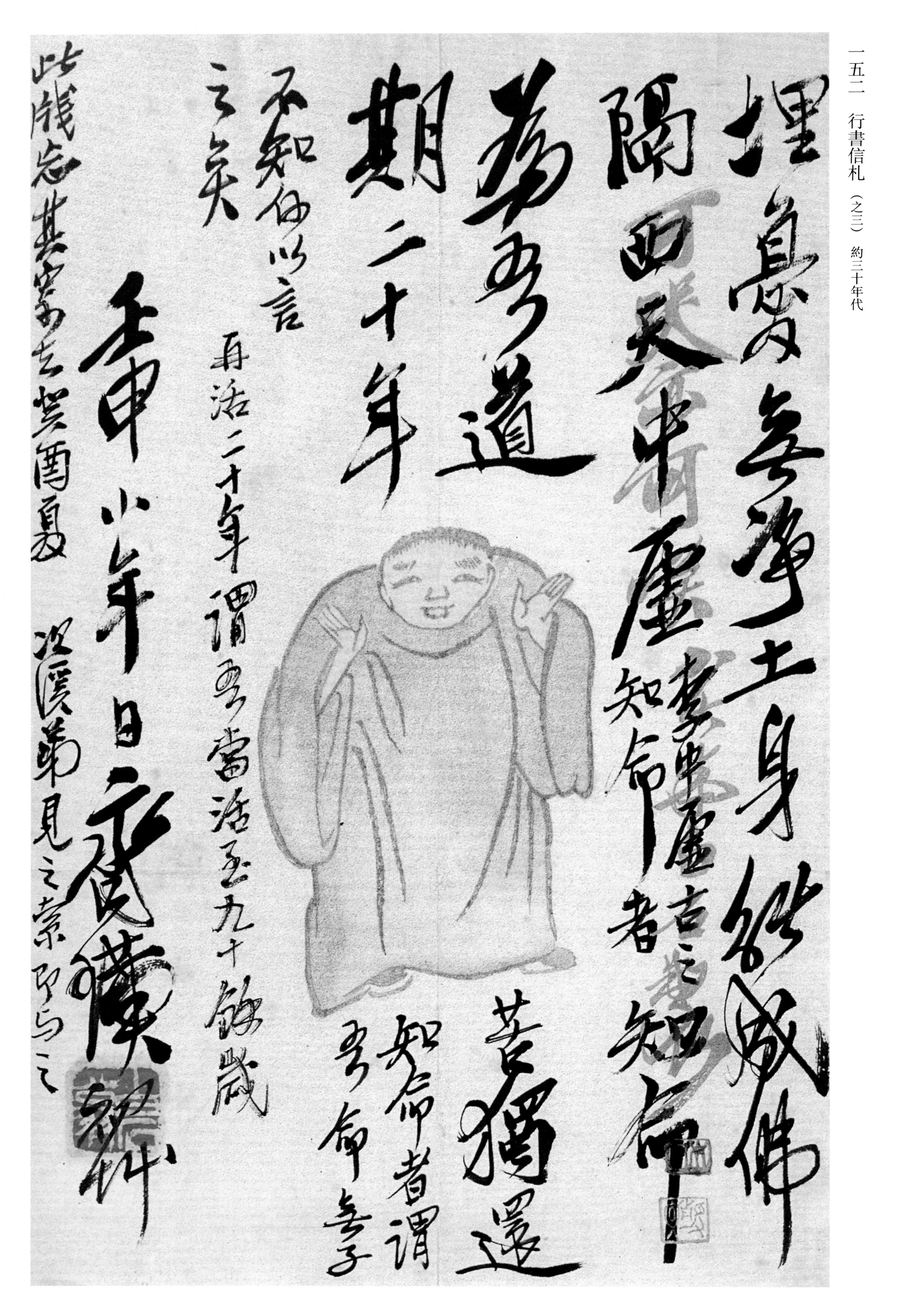

一五二　行書信札（之三）　約三十年代

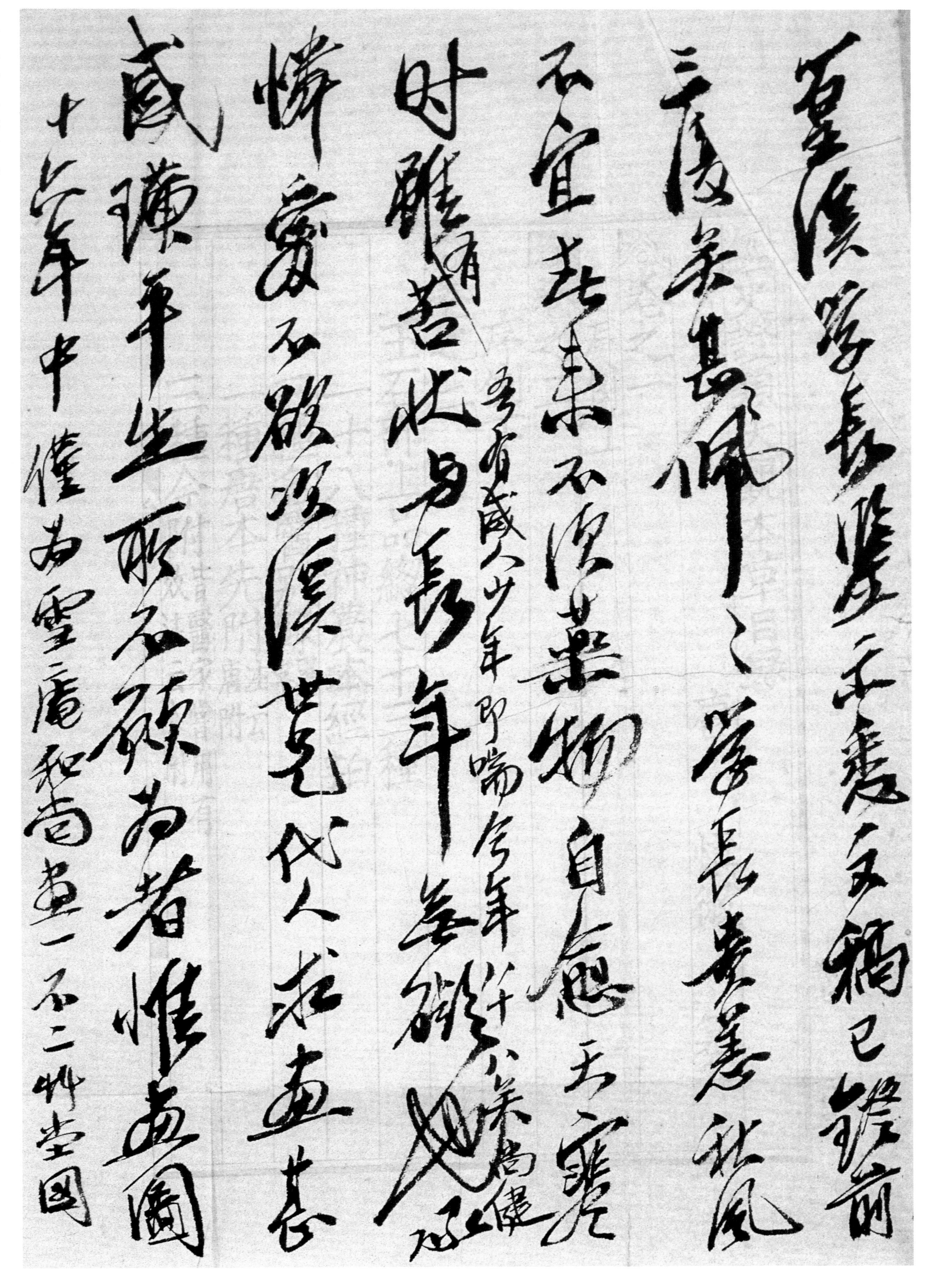

一五三　行書信札（之一）　約三十年代

一五四　行書信札（之二）　約三十年代

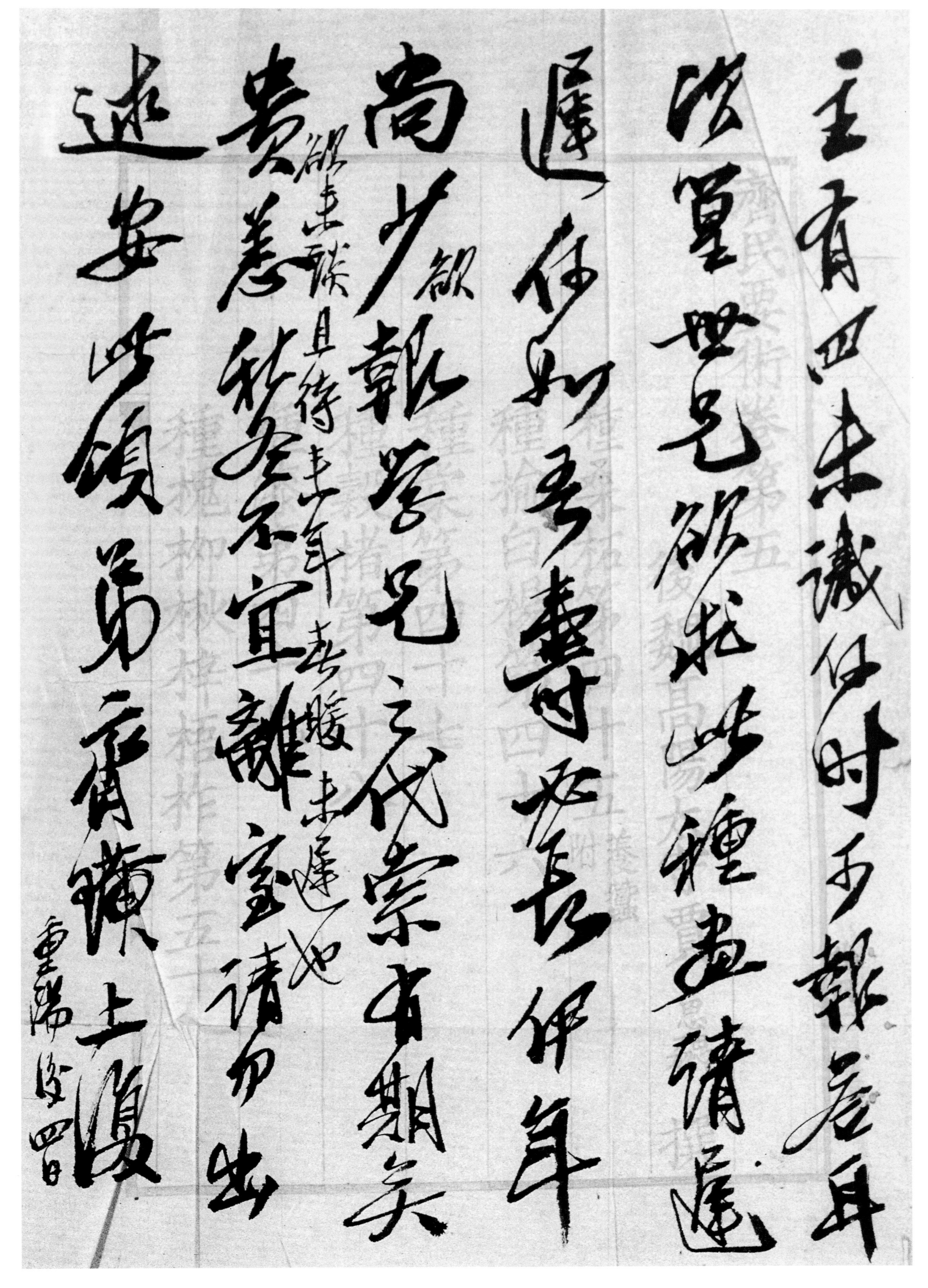

一五五　行書信札（之三）　約三十年代

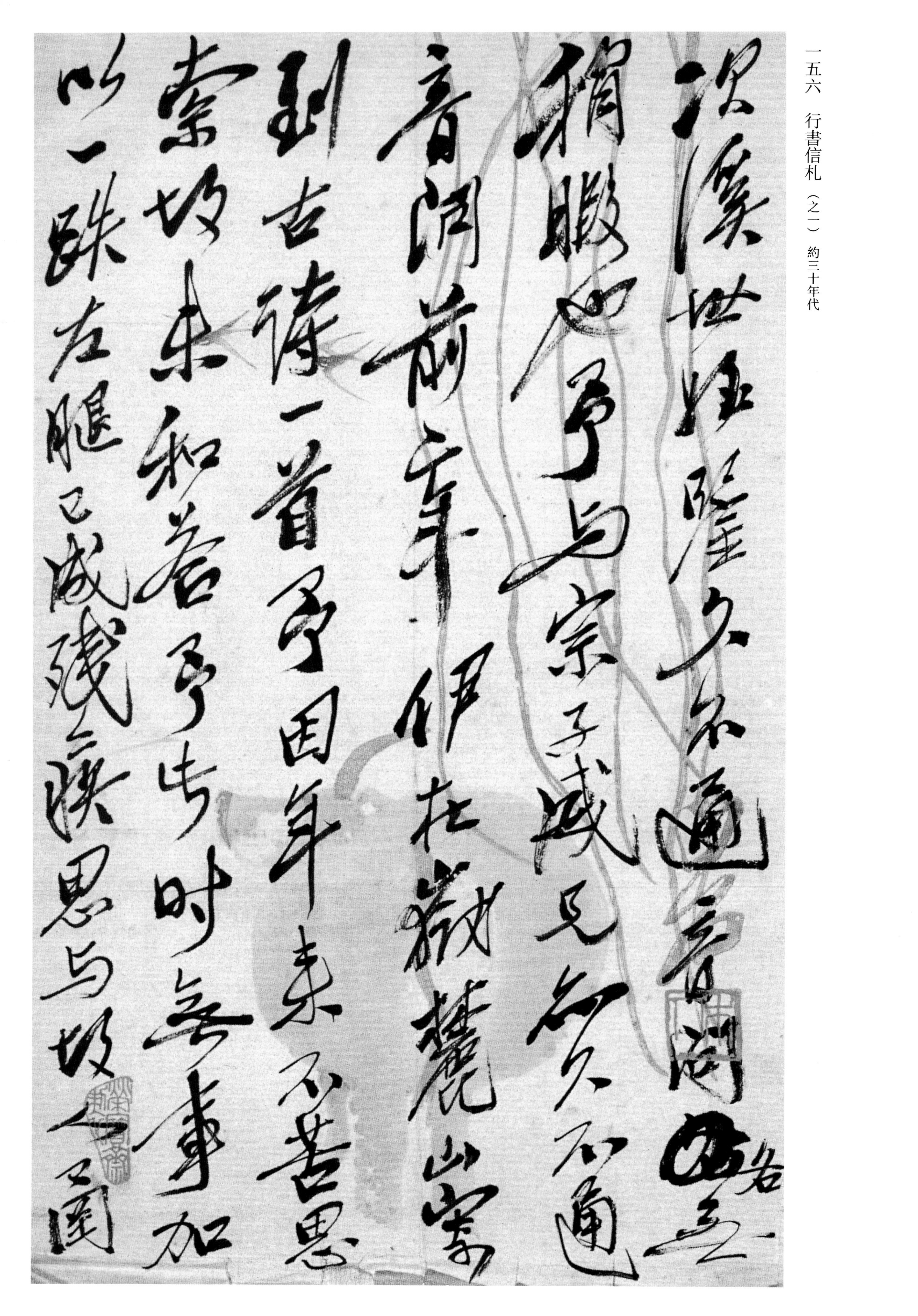

一五六　行書信札（之一）　約三十年代

一五七　行書信札（之二）　約三十年代

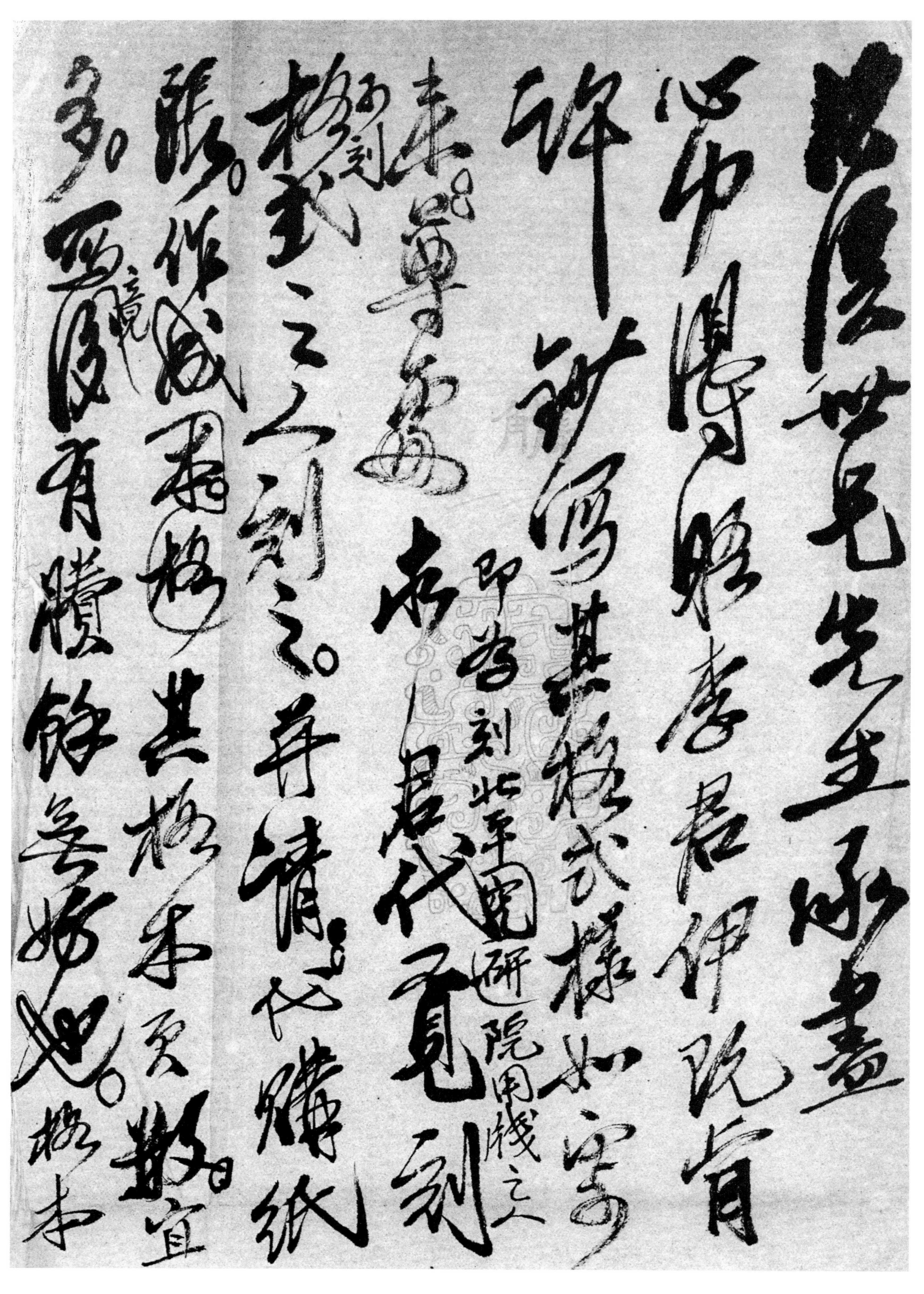

一五八　行書信札（之二）　約三十年代

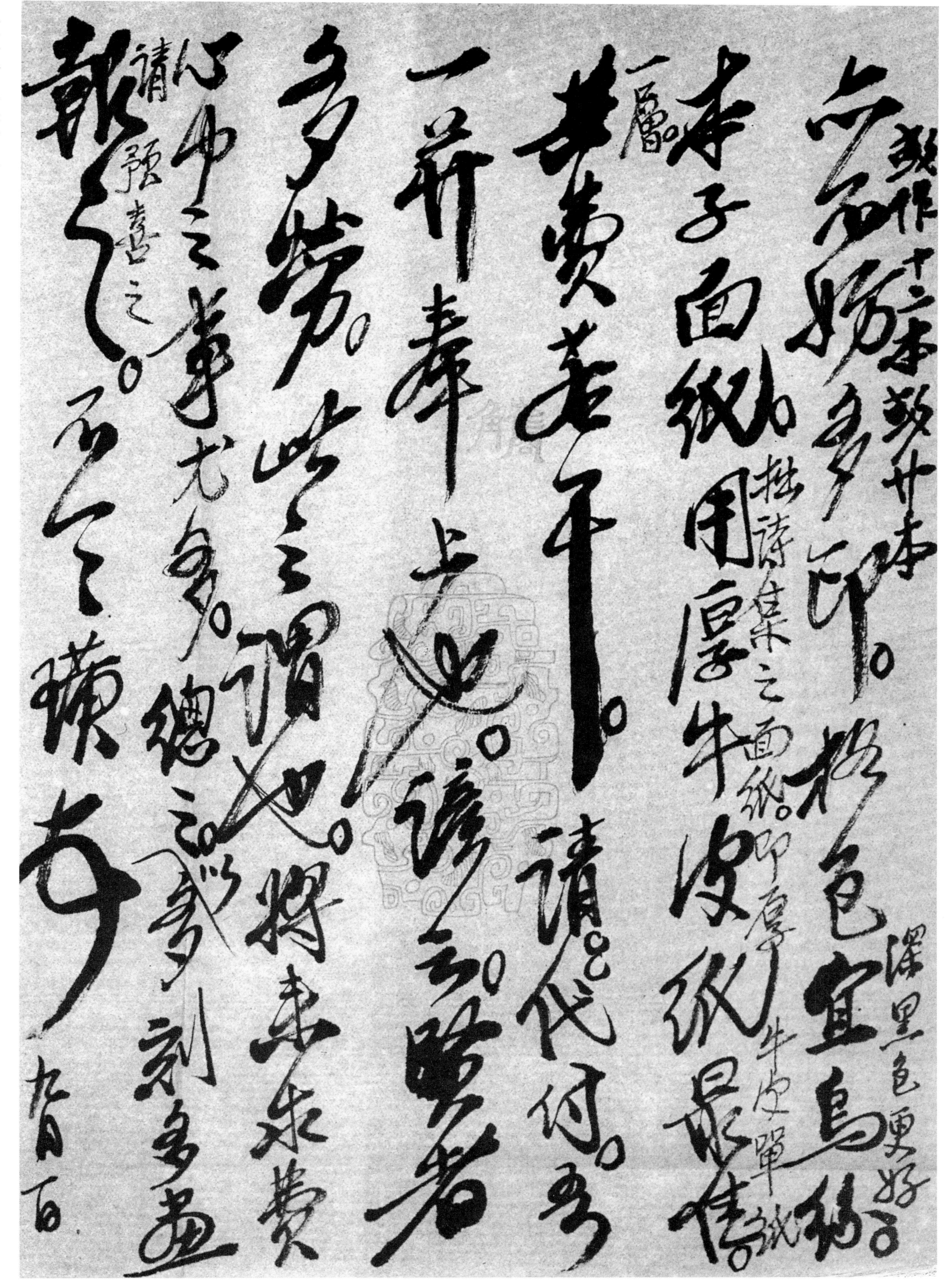

一五九　行書信札（之二）　約三十年代

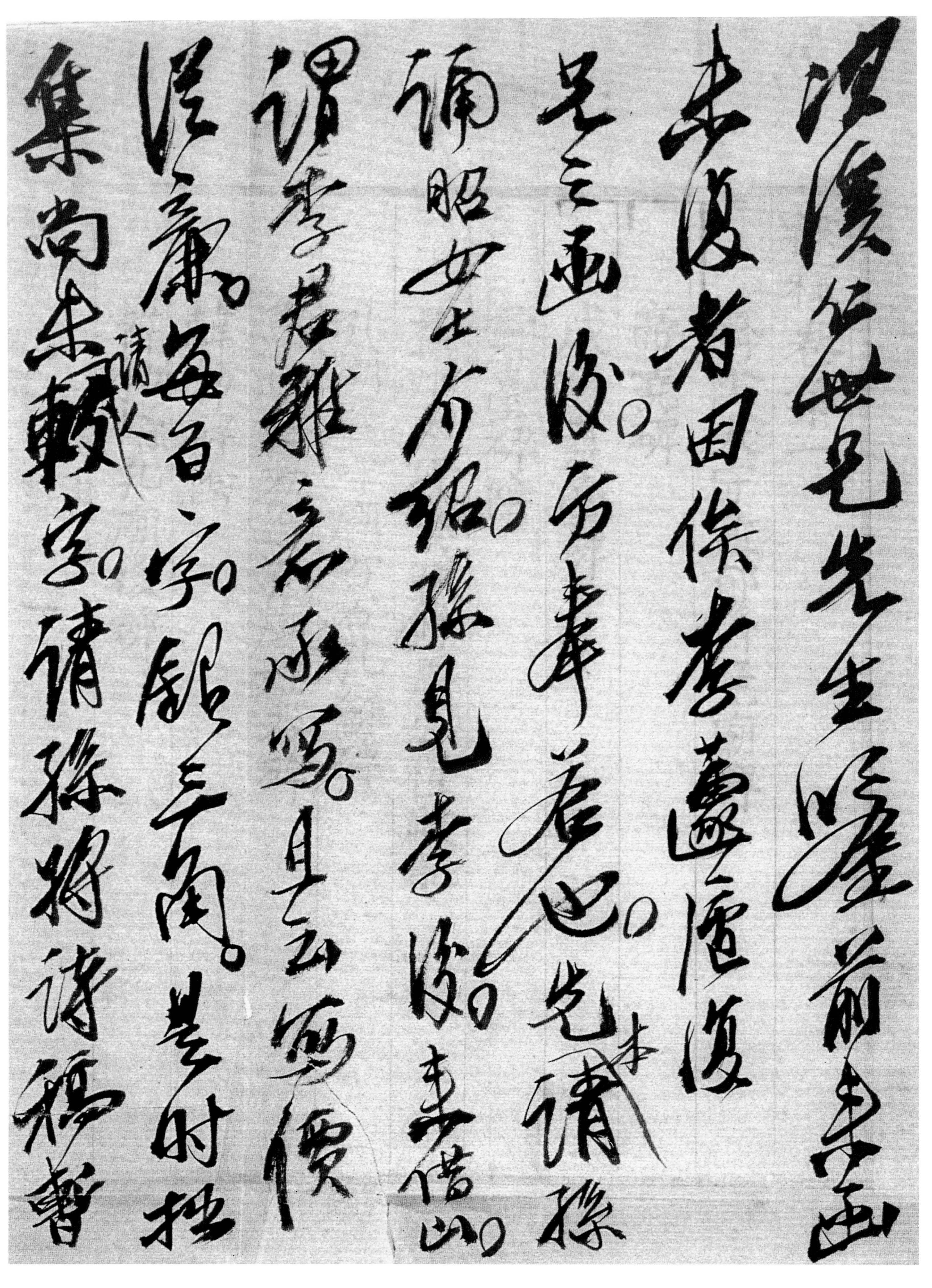

一六〇 行書信札（之一） 約三十年代

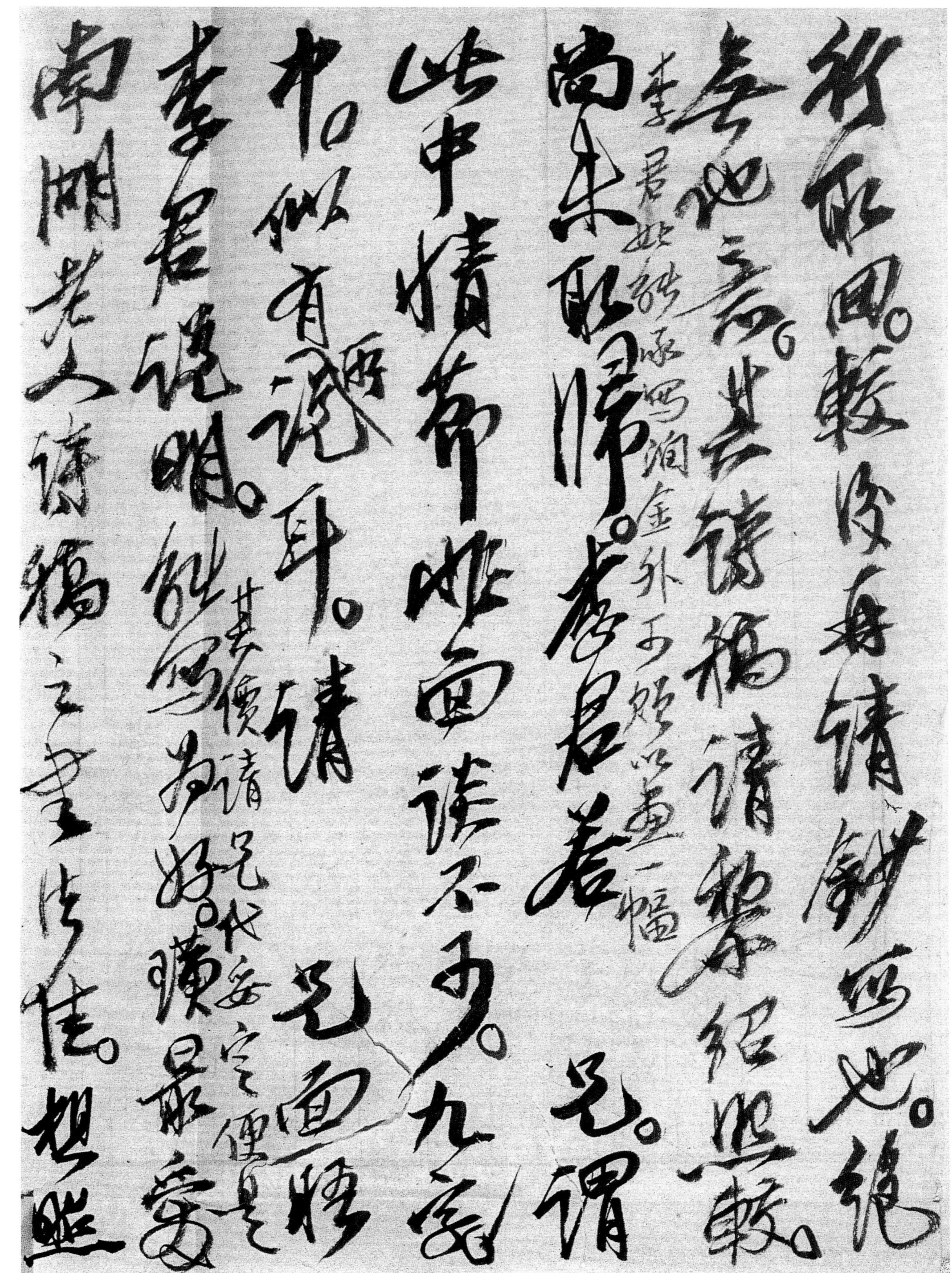

一六一　行書信札（之二）　約三十年代

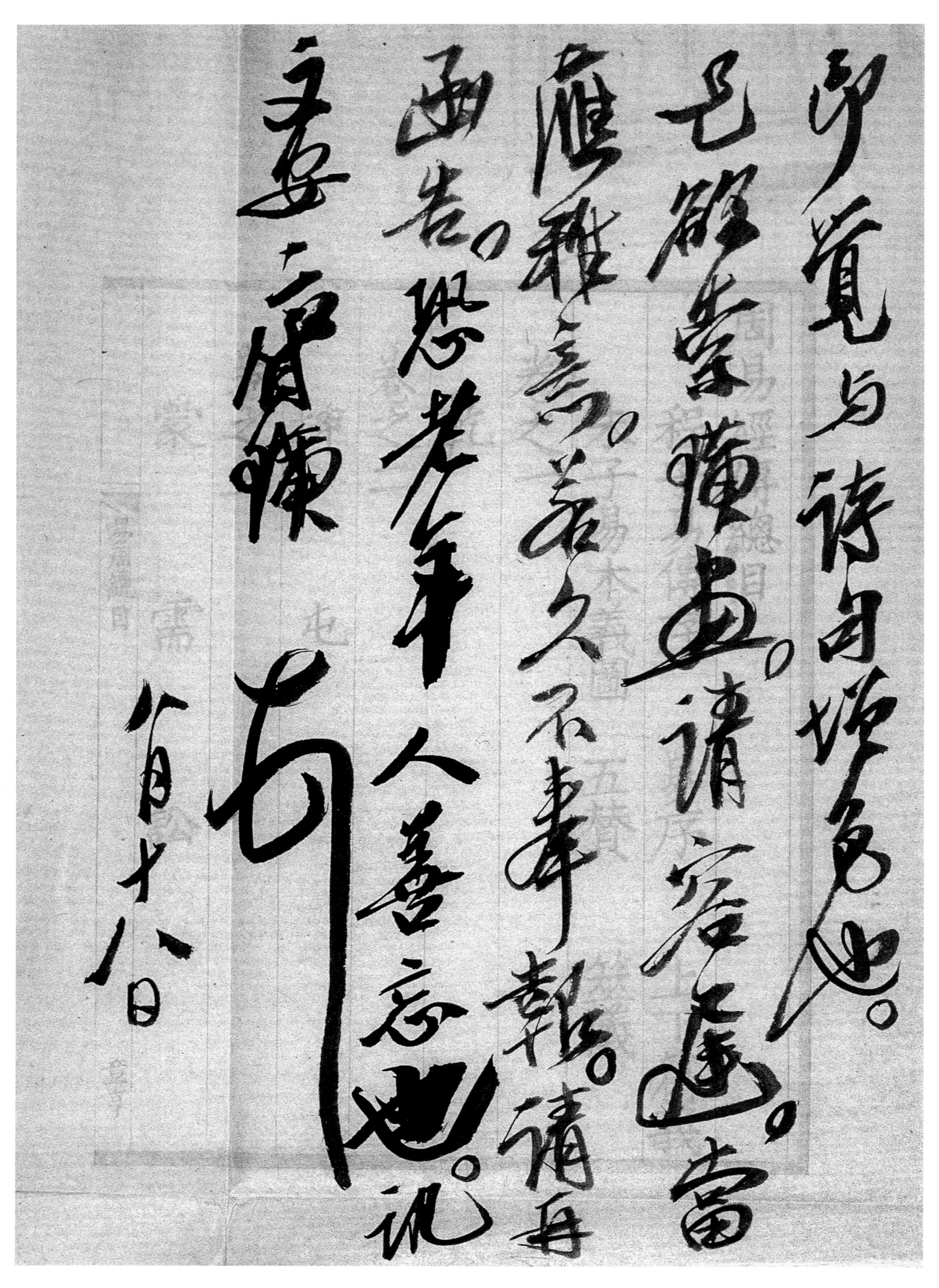

一六二　行書信札（之三）　約三十年代

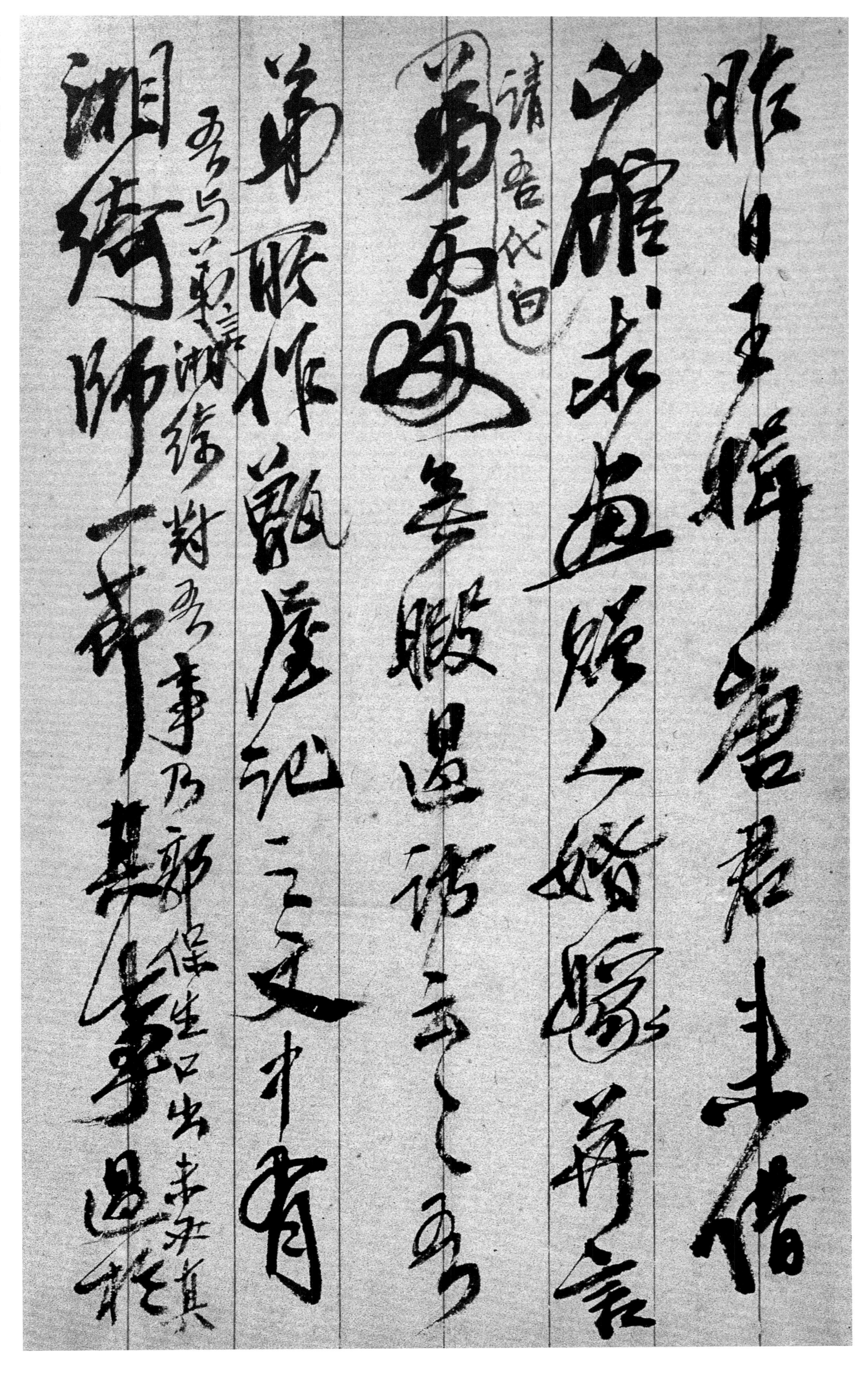

一六三　行書信札（之一）　約三十年代

一六四　行書信札（之二）約三十年代

一六五　行書信札（之三）　約三十年代

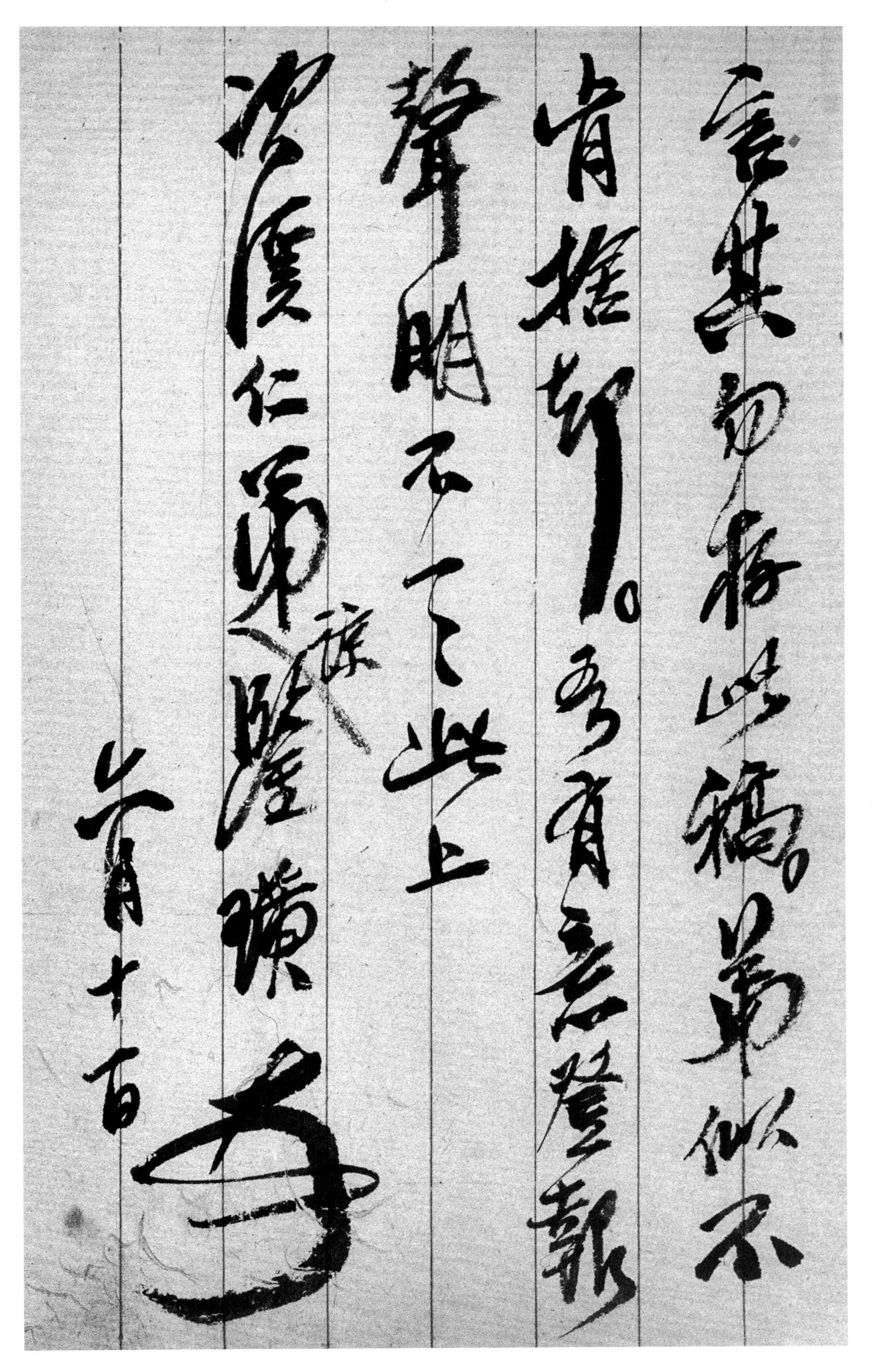

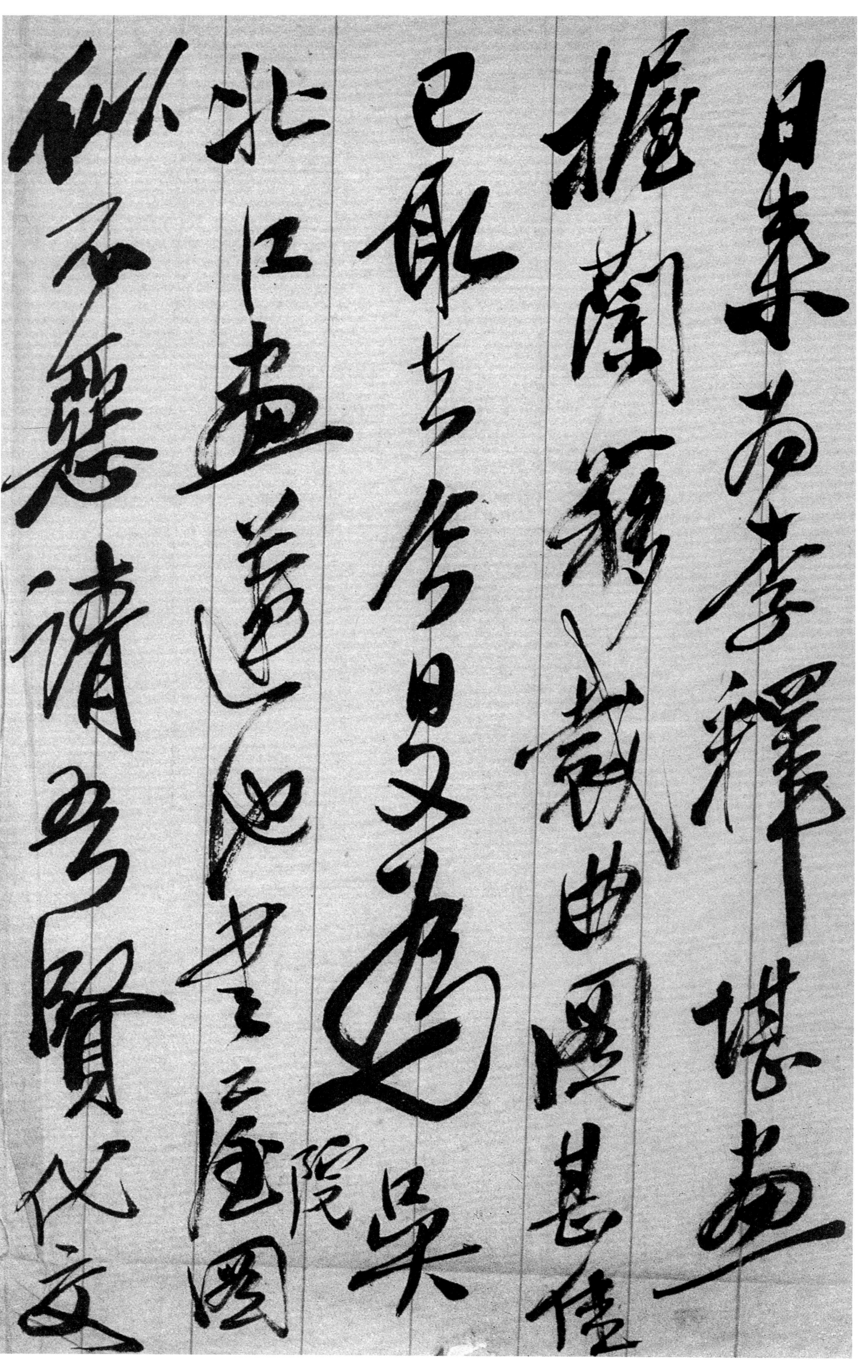

一六六　行書信札（之一）　約三十年代

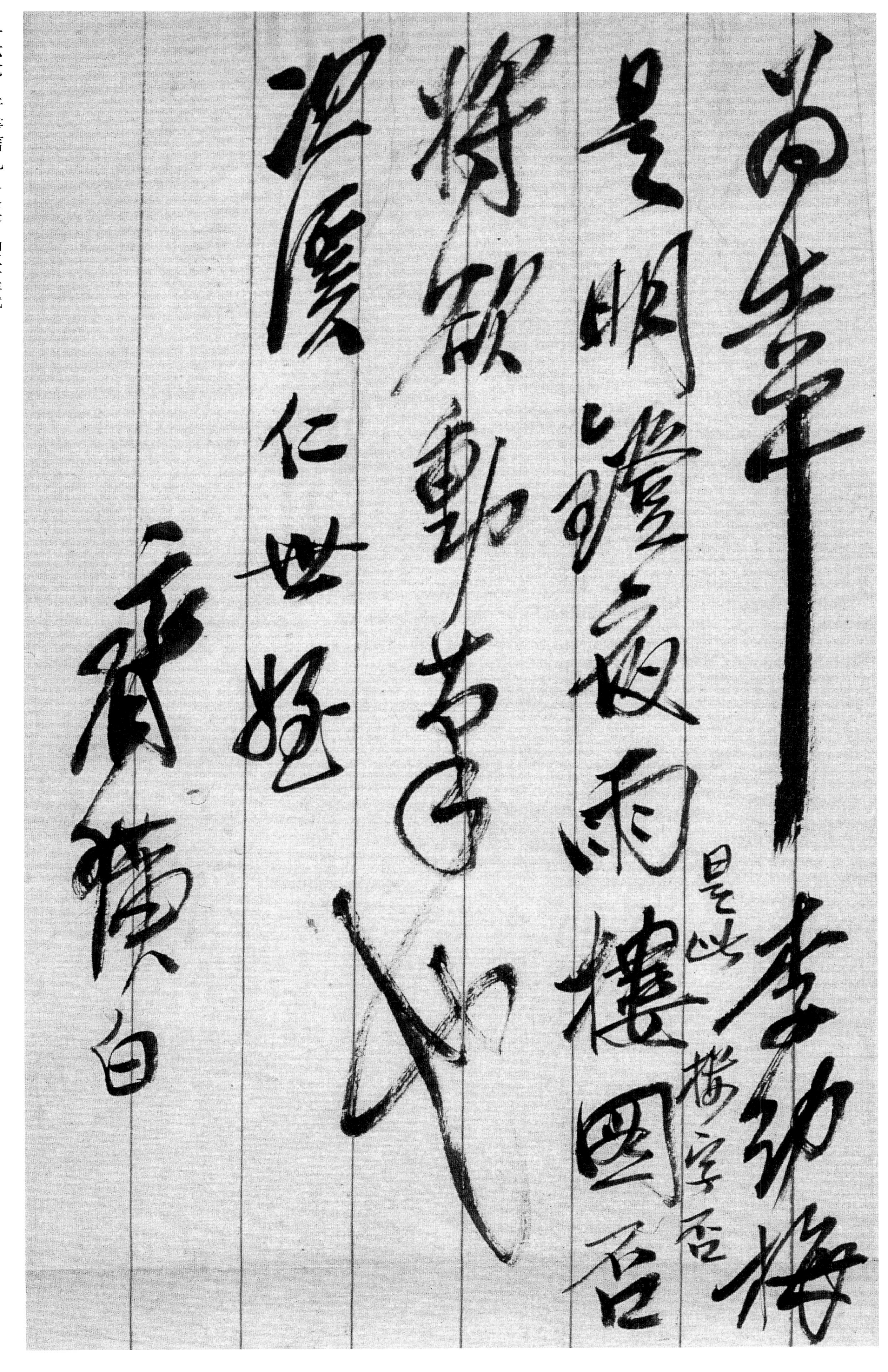

一六七　行書信札（之二）　約三十年代

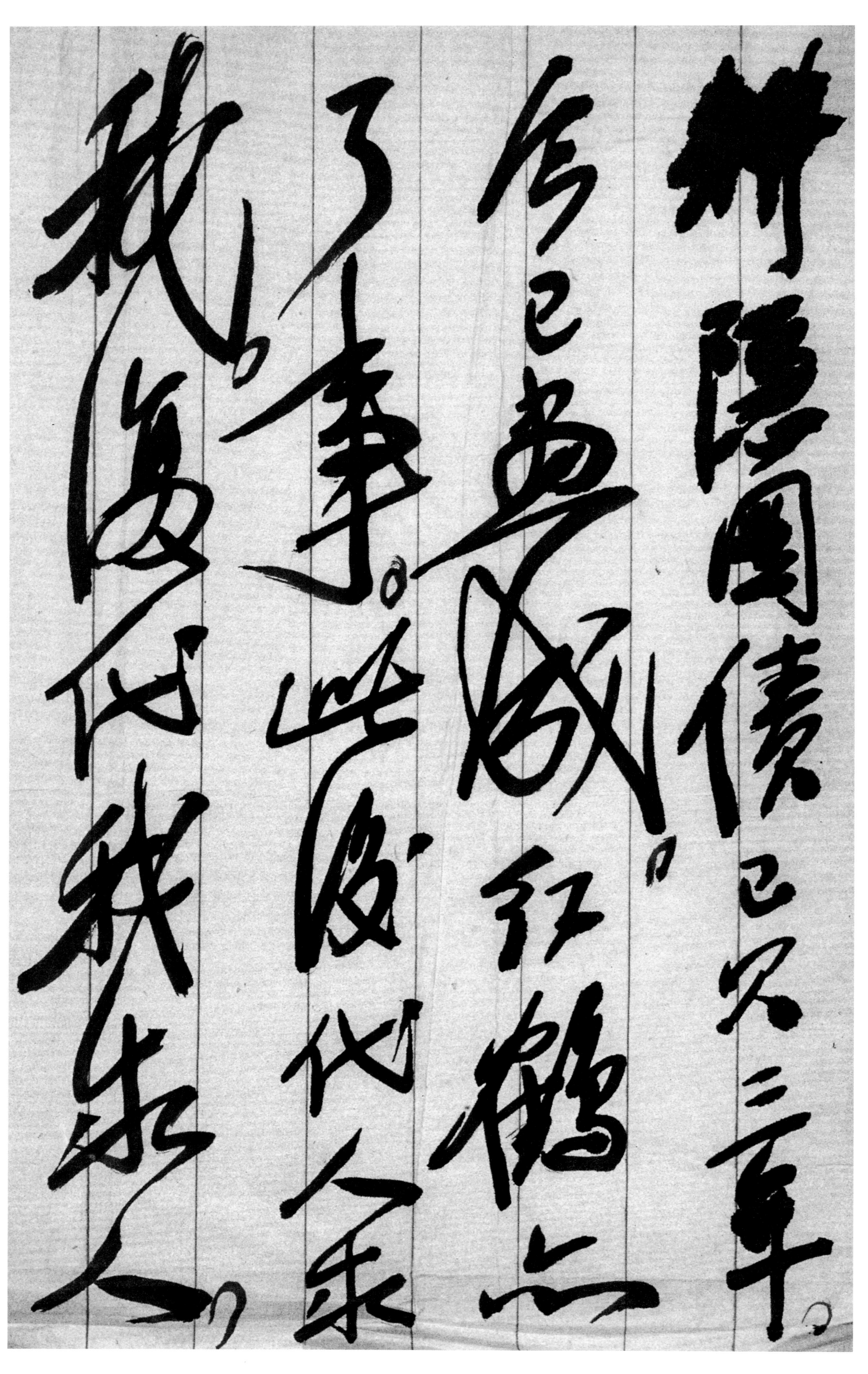

一六八　行書信札（之一）約三十年代

一六九　行書信札（之二）　約三十年代

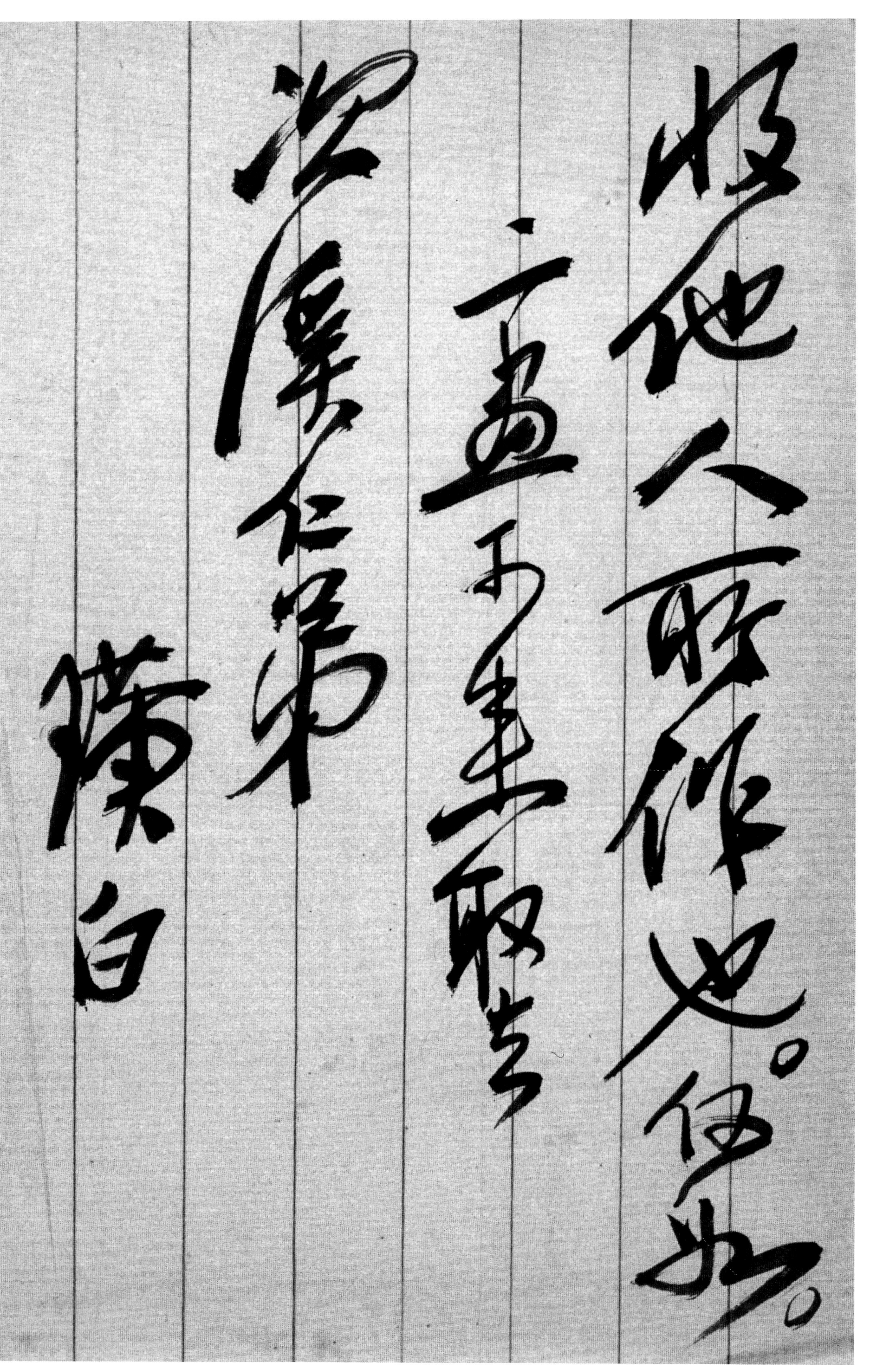

一七〇　行書信札（之三）　約三十年代

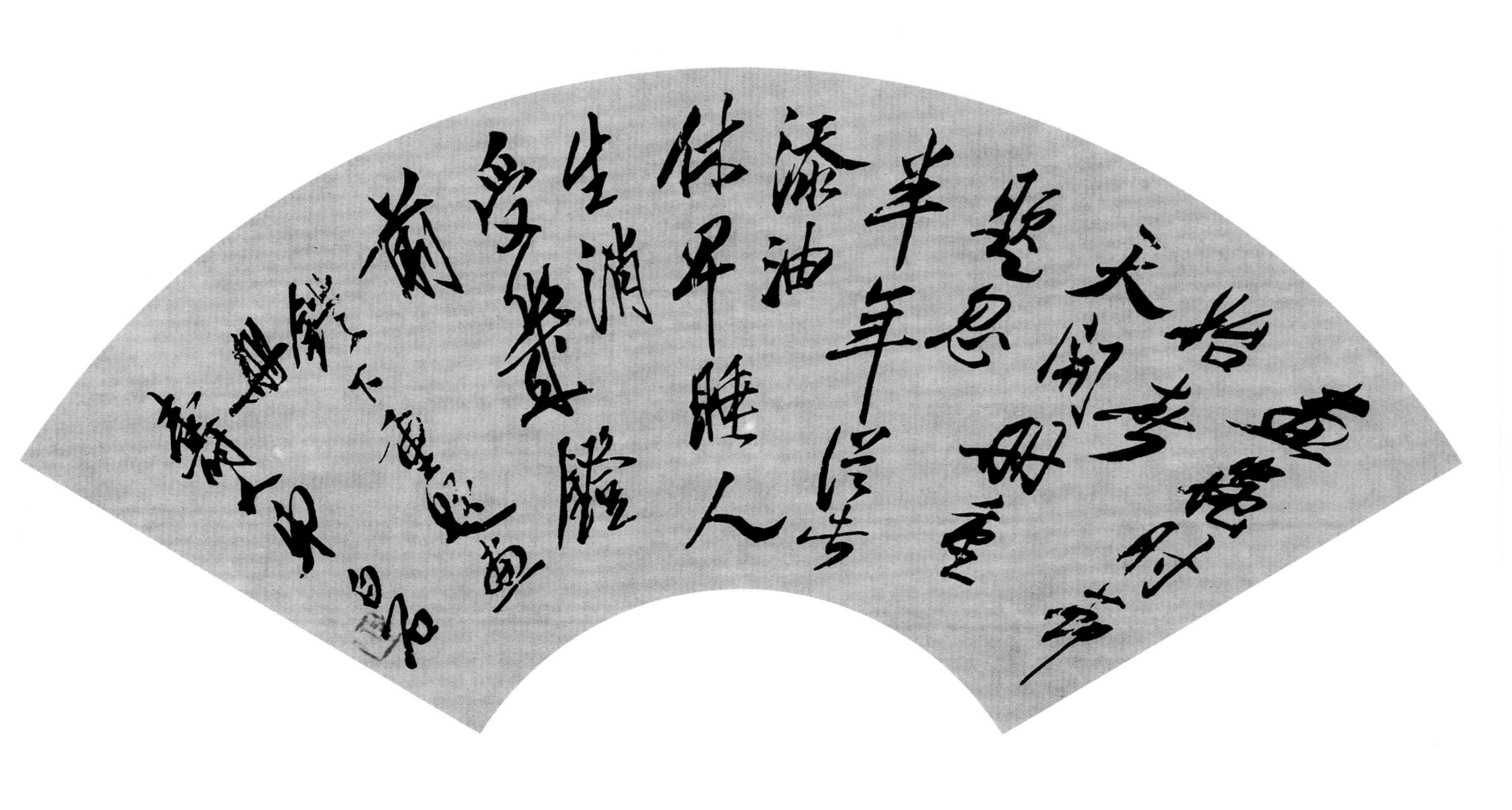

一七一　行書扇面 約三十年代

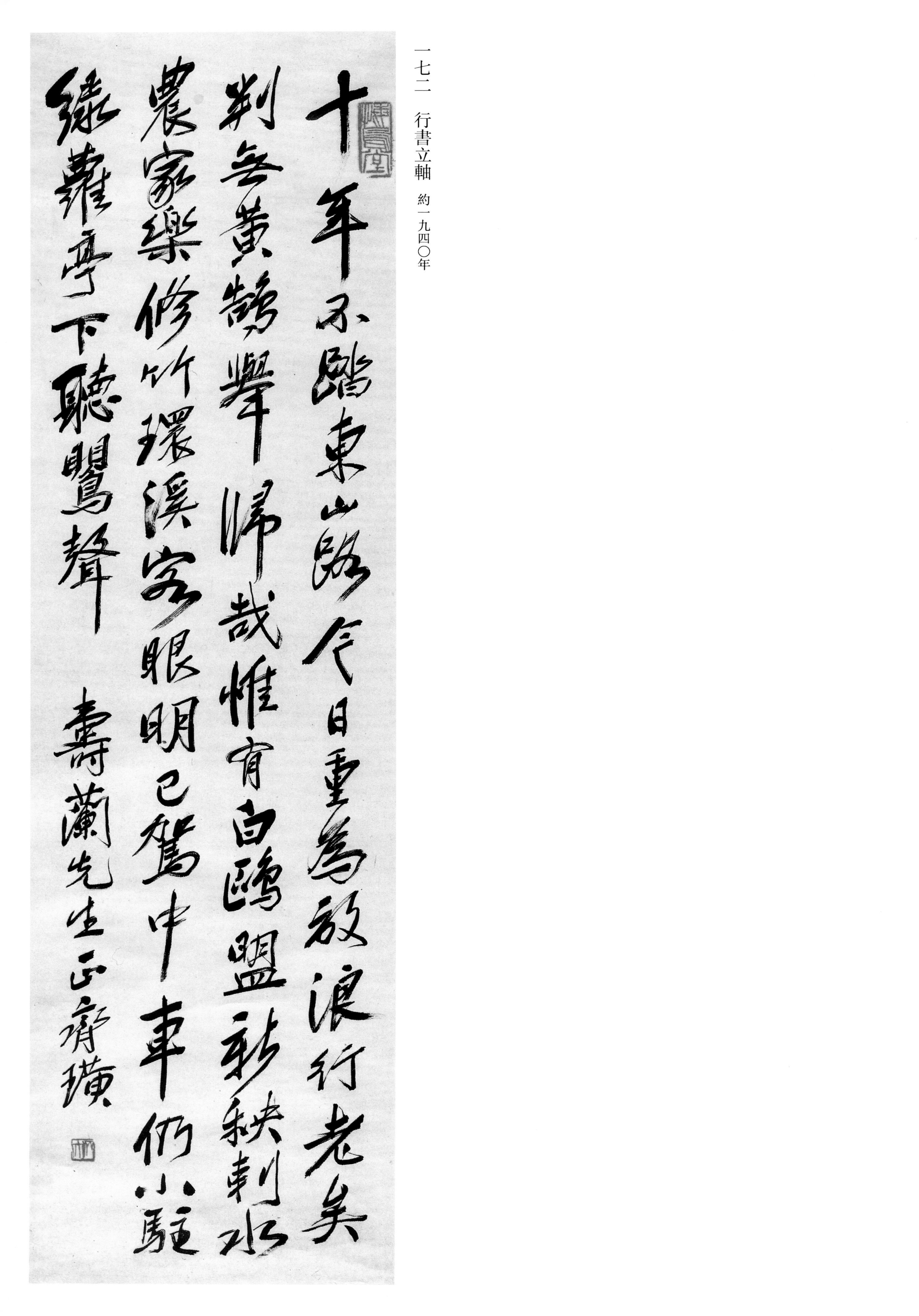

一七二　行書立軸　約一九四〇年

一七三　行書信封　約一九四一年

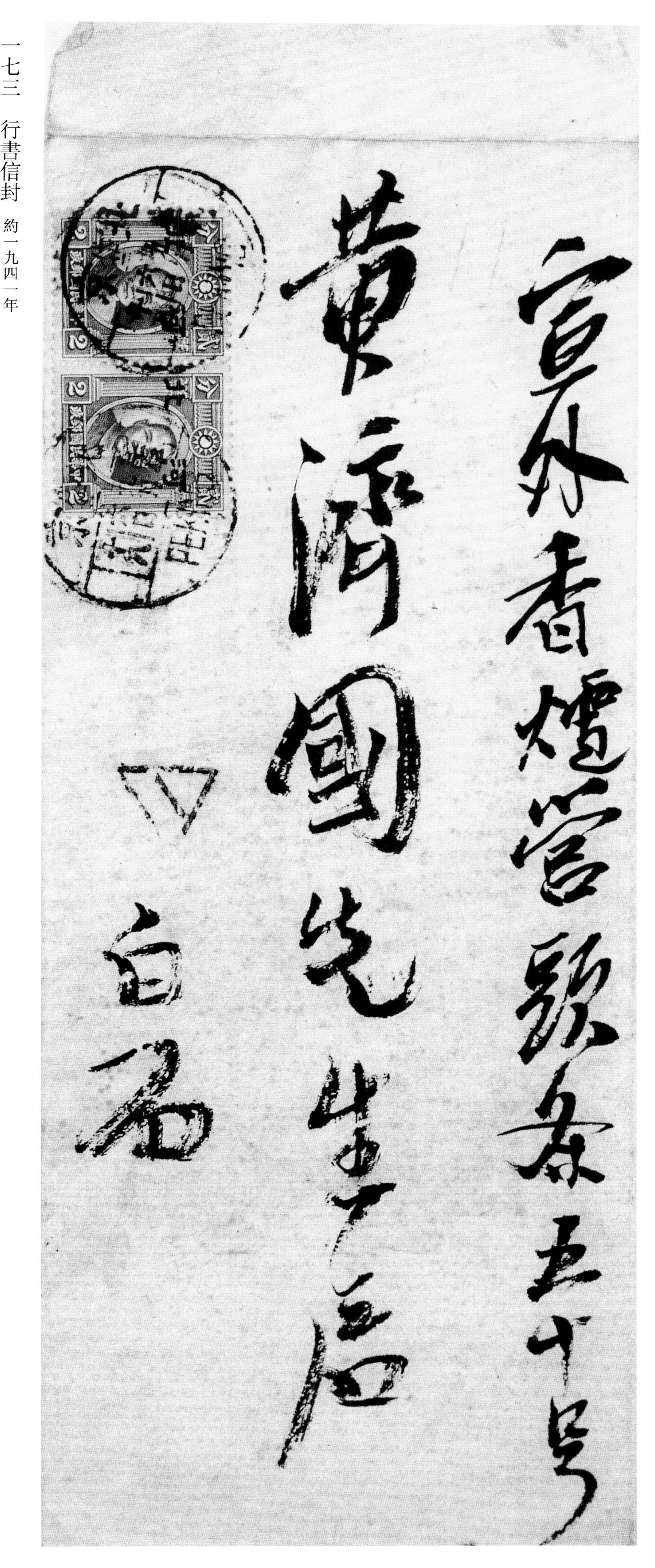

宣外香爐營頭條五十號

黃濟國先生

白石

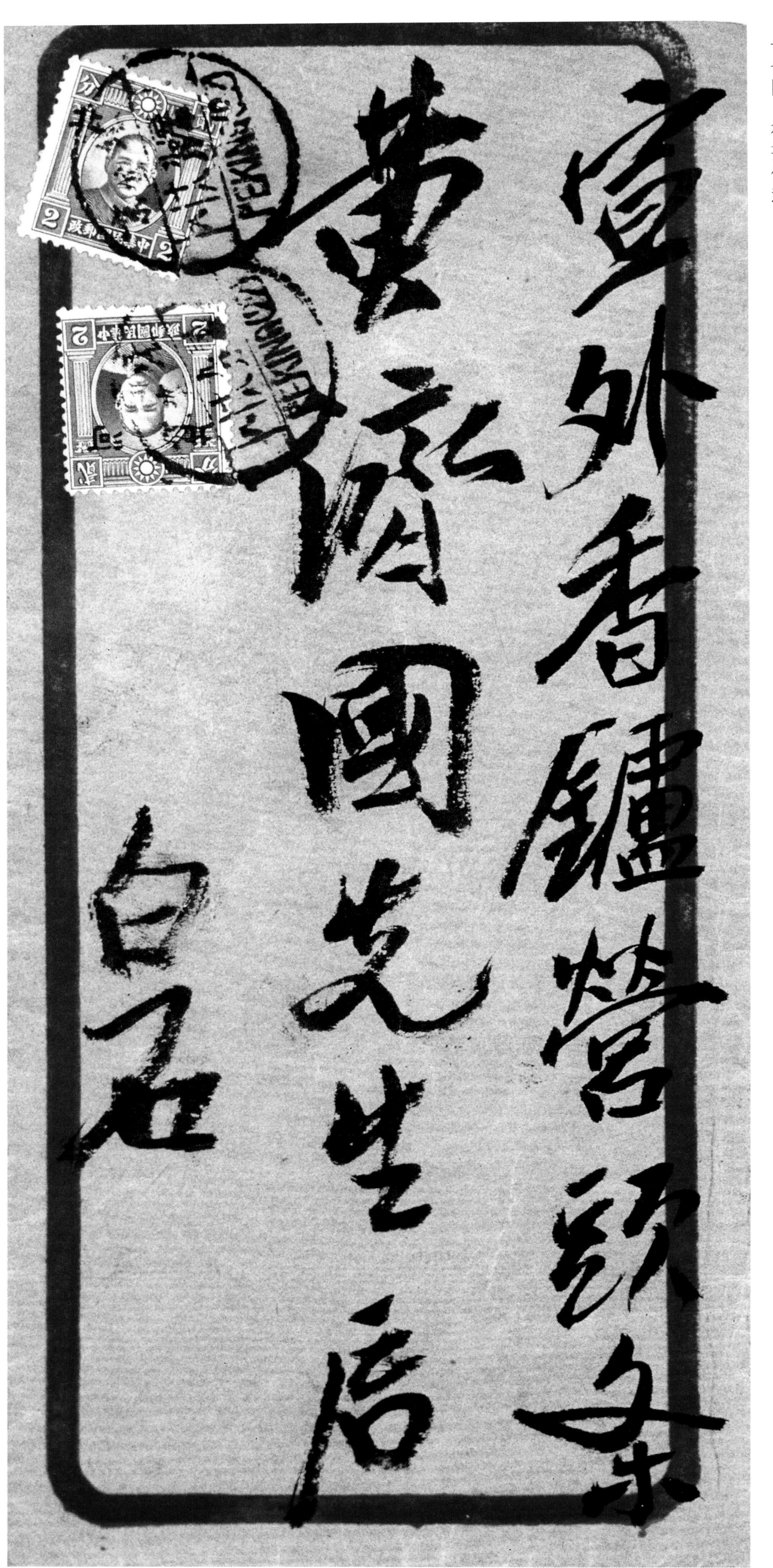

一七四　行書信封　約一九四一年　縱二一厘米　横一〇厘米

一七五　行書信札　約一九四一年　縱二九厘米　橫一八厘米

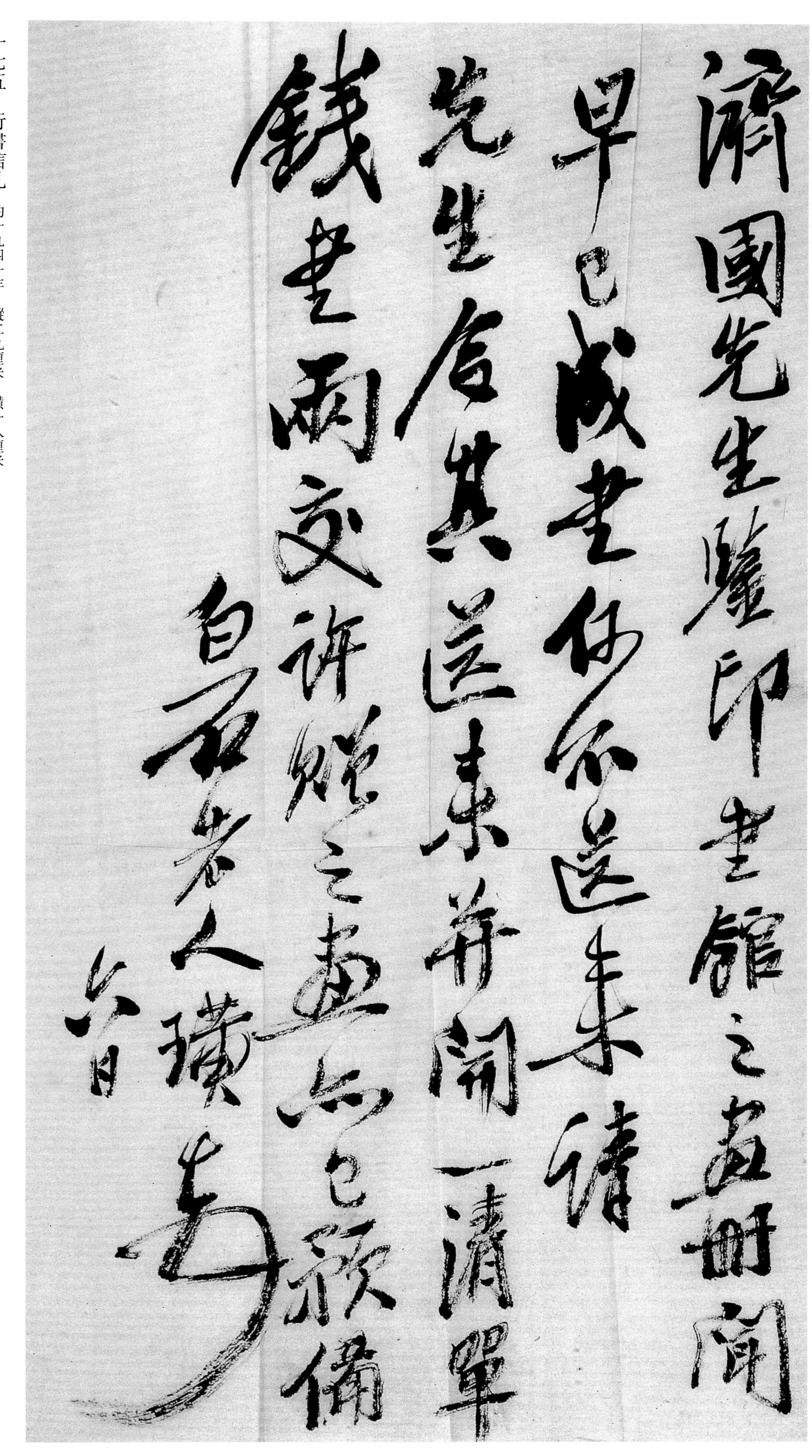
瀞園先生鑒印書館之畫冊聞
早已成書何不送來請
先生屬其送來并開一清單
錢若兩交許姬之畫亦已欲備
白石老人璜上
六日

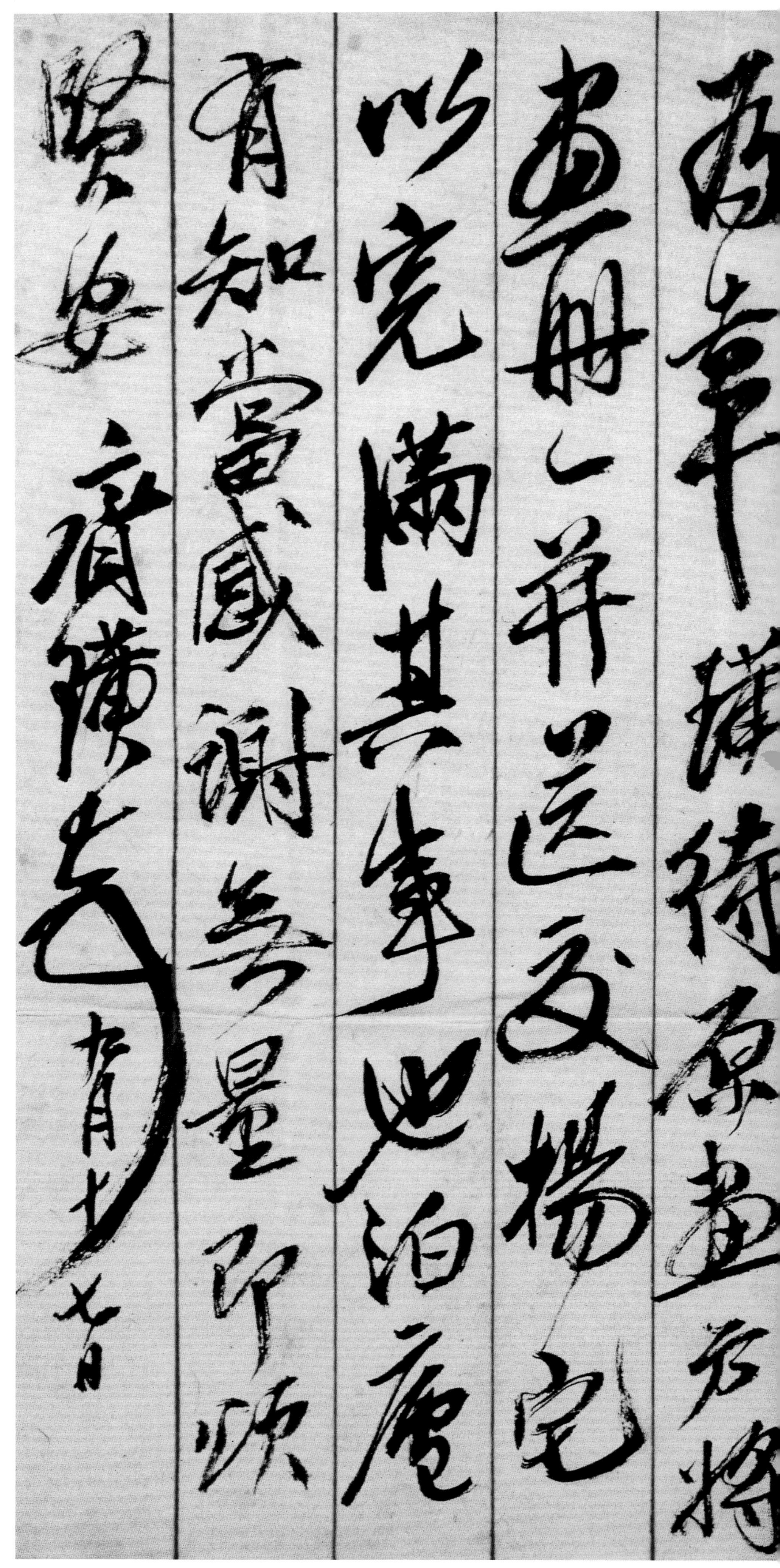

一七六　行書信札　約一九四一年　縱二六厘米　橫一六厘米

濟國先生有道：承助言
治唐印畫冊費錢壹兩
交去，有原畫十二幅尚未交
還，求
先生完其事，親往該印書
館言，即促其交出，求
先生便道帶來借山

一七七　篆書聯　一九四一年　縱一七八厘米　横四六厘米

子才仁弟大人雅屬

辛巳九二翁白石齊璜

一七八　篆書立軸　一九四一年

一七九　篆書横幅　一九四二年　縱三三厘米　横一三二·二厘米

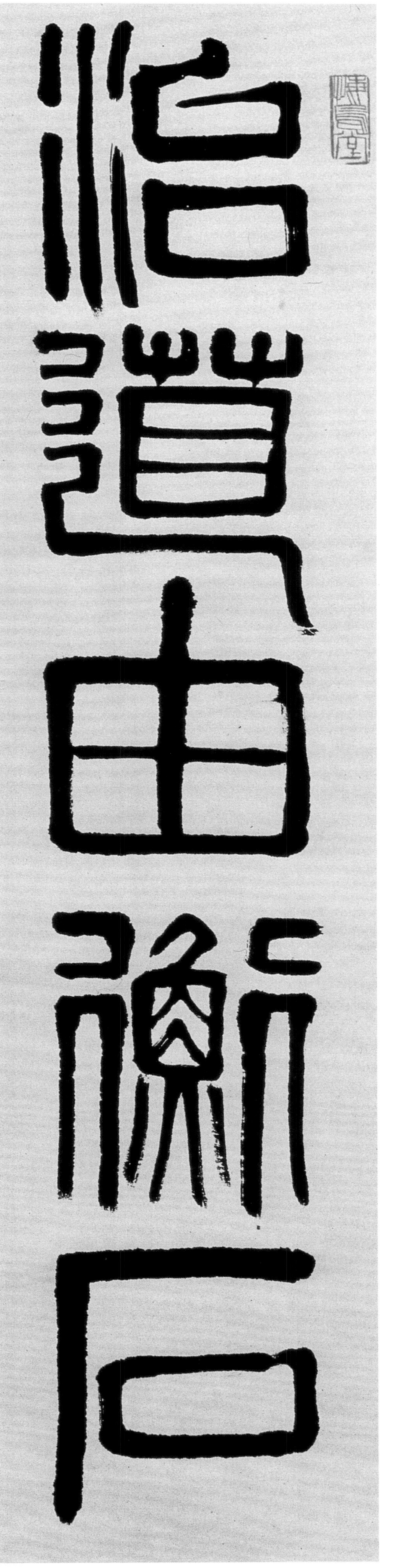

一八〇　篆書聯　約一九四二年　縱一三五・五厘米　橫三三・三厘米

一八一　篆書題簽　一九四二年

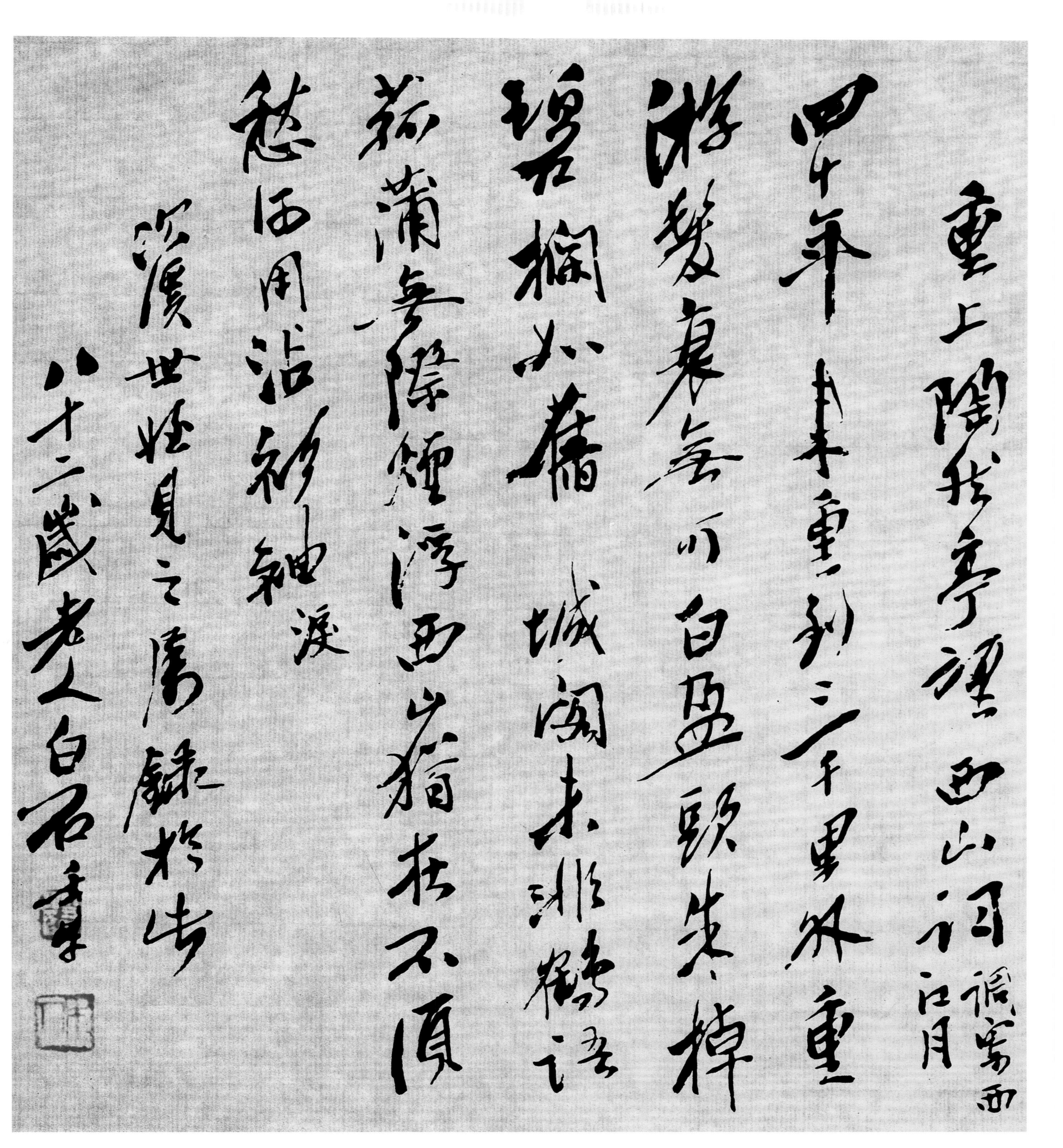

一八二　行書斗方　一九四二年

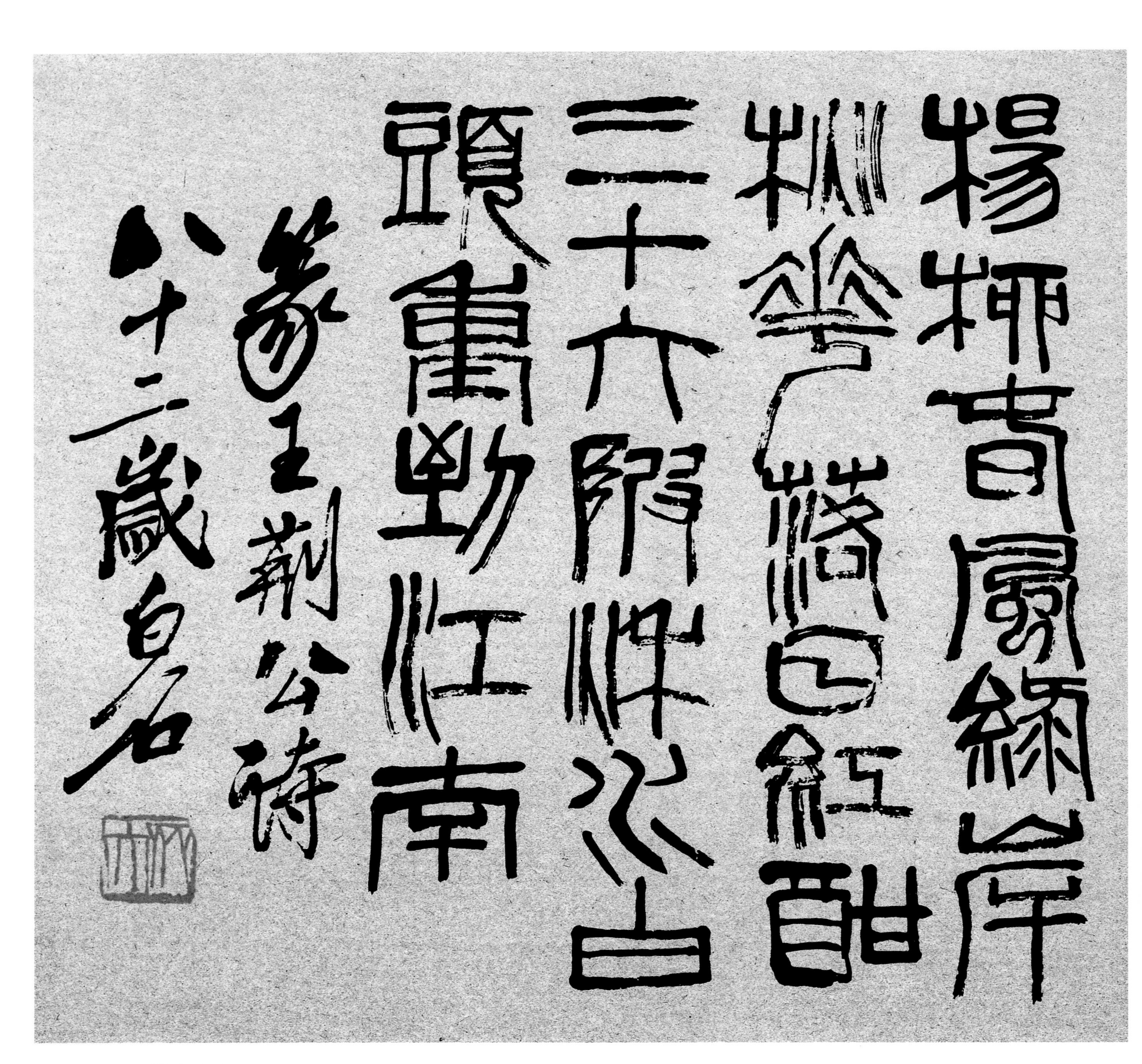

一八三　篆書斗方　一九四二年

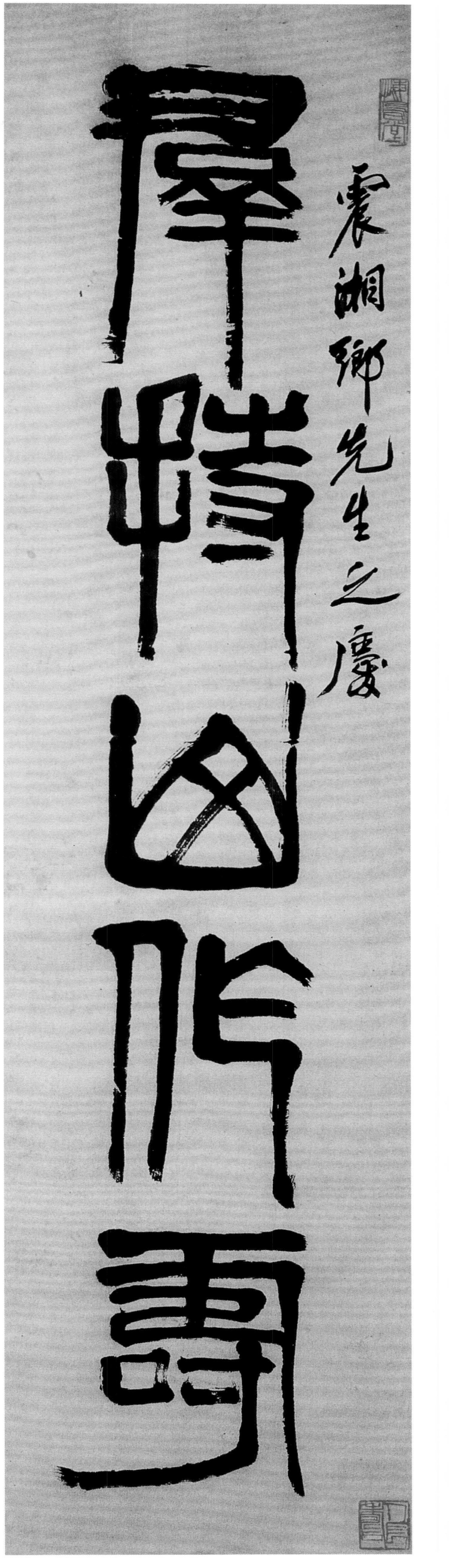

一八四　篆書聯　一九四二年　縱一七九厘米　橫四六厘米

一八五　篆書横幅　一九四二年　縱三二厘米　横一一四厘米

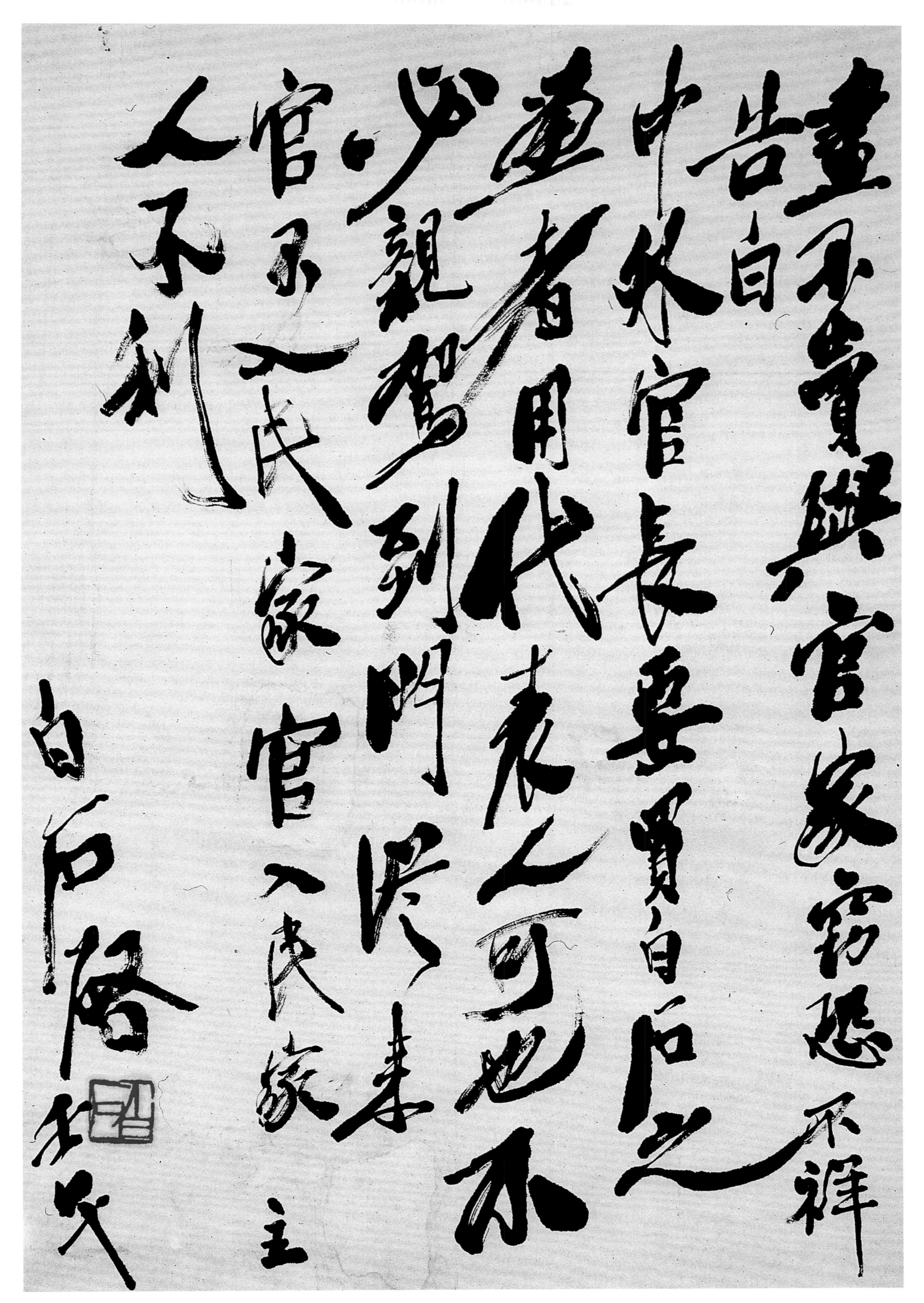

畫不賣與官家竊恐不祥
告白
中外官長要買白石之
畫者用代表人可也不
必親駕到門從來
官不入民家官入民家主
人不利
白石啓

一八六　行書手札　一九四二年　縱六九·五厘米　橫四八厘米

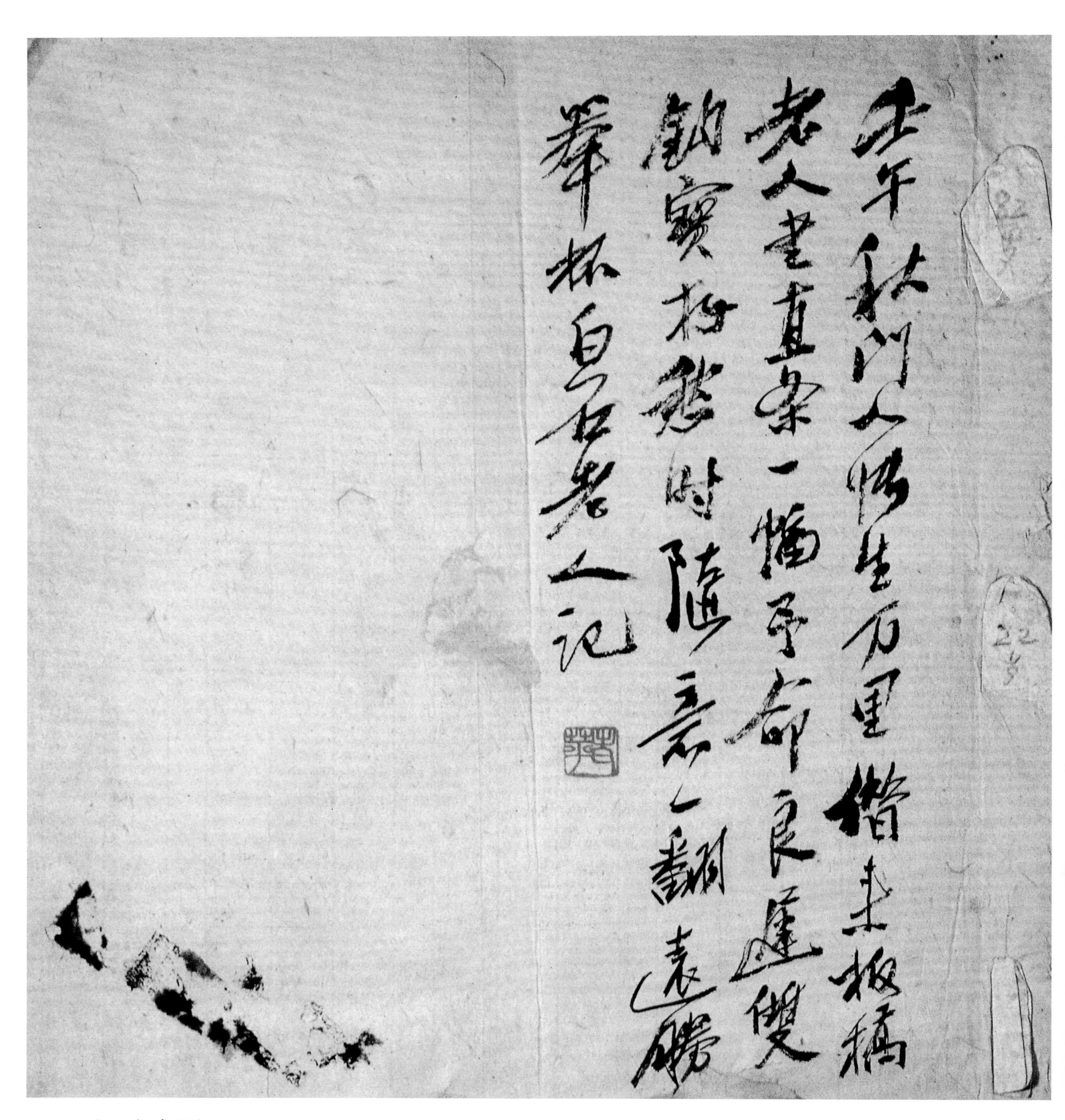

一八七　行書題記　一九四二年　縱二五·五厘米　橫二三·五厘米

一八八　行書立軸　約一九四三年　縱一三〇厘米　橫三二·五厘米

行書題跋　一九四三年　縱二八・三厘米　橫一八厘米

跋夏壽田遺像

直隱生齊璜之友也為畫此像須下三升碧落黄泉有知也應一哭齊璜之未死也

文農來太息之見璜与

卅二年九月廿九日

一九〇　篆書横幅　一九四三年　縱三二厘米　横五九厘米

一九一　篆書立軸　一九四三年　縱九〇厘米　橫四六厘米

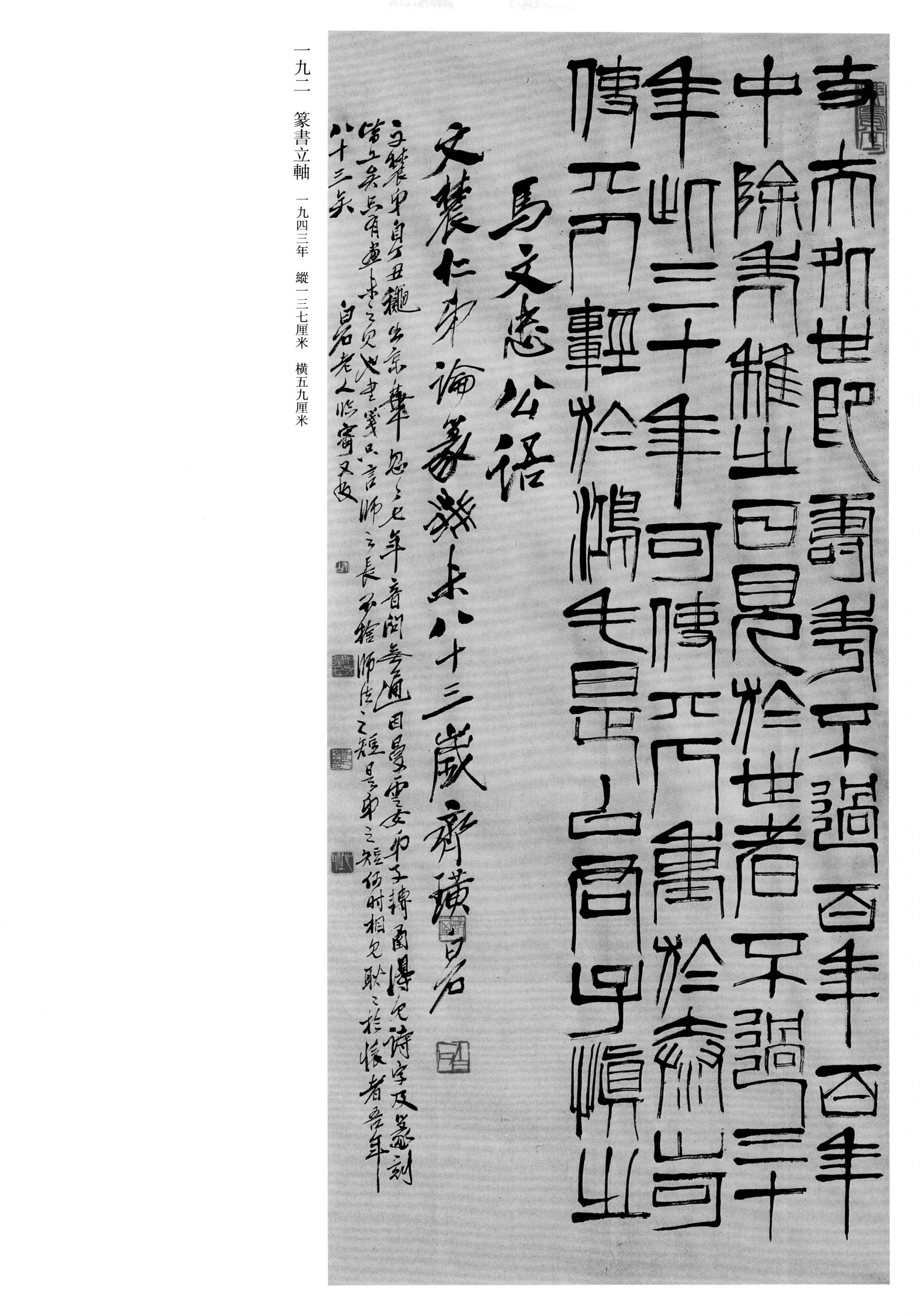

一九二　篆書立軸　一九四三年　縱一三七厘米　横五九厘米

一九三　篆書立軸　一九四四年

篆書聯　一九四四年

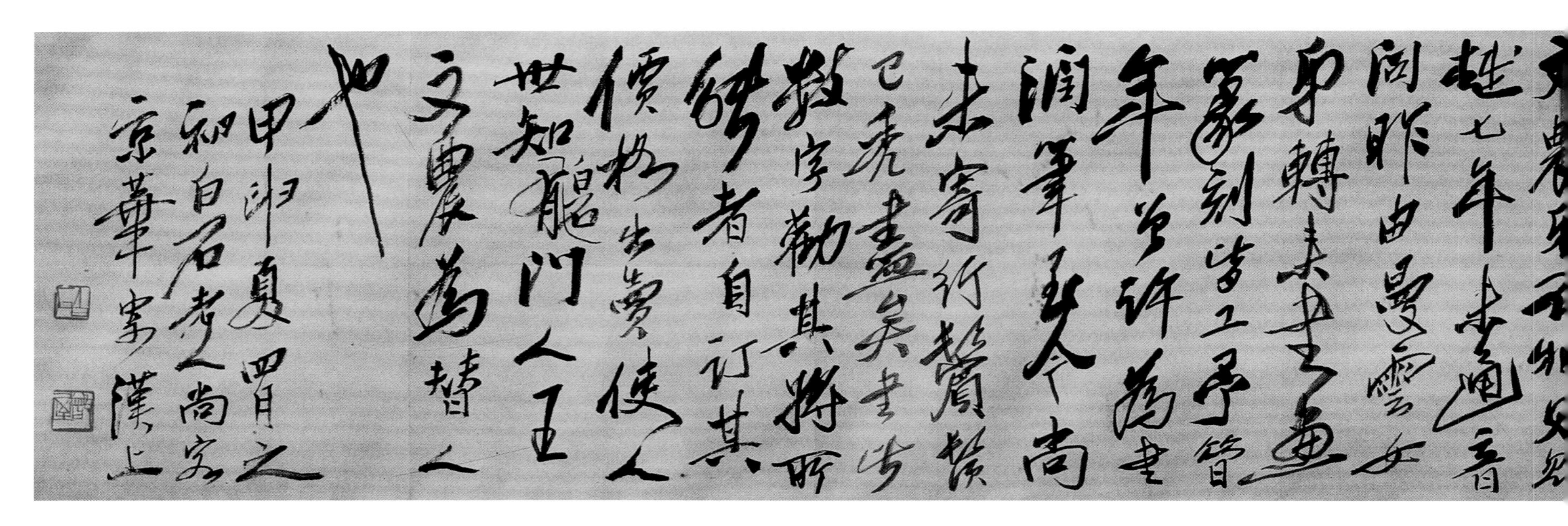

一九五　行書横幅　一九四四年　縱三二·五厘米　横一〇三厘米

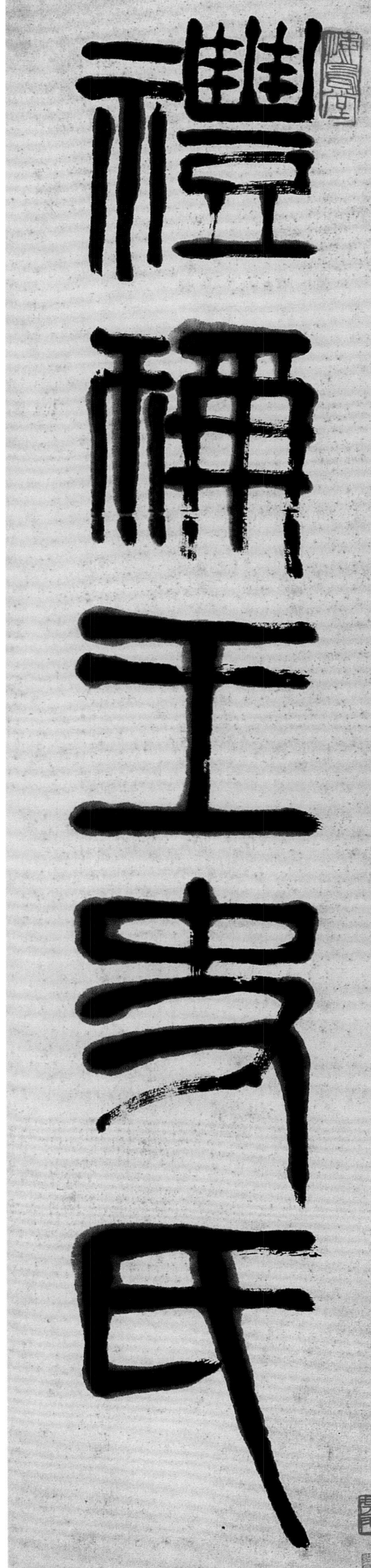

一九六　篆書聯　一九四五年　縱一三五厘米　橫三二厘米

一九七　行書扇面　一九四五年

一九八　行書斗方　一九四五年　縱二七·五厘米　橫二九厘米

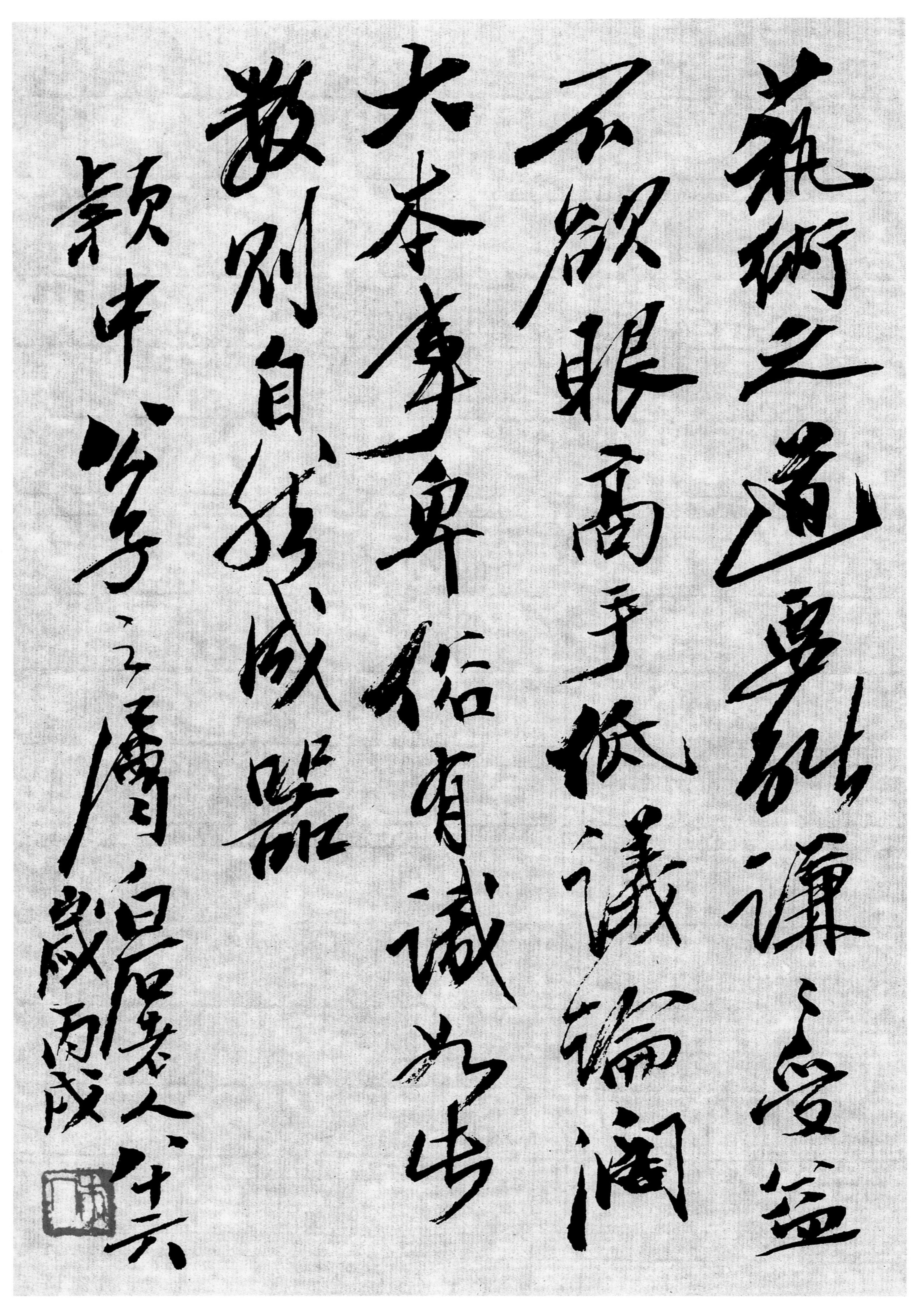

一九九　行書立軸　一九四六年

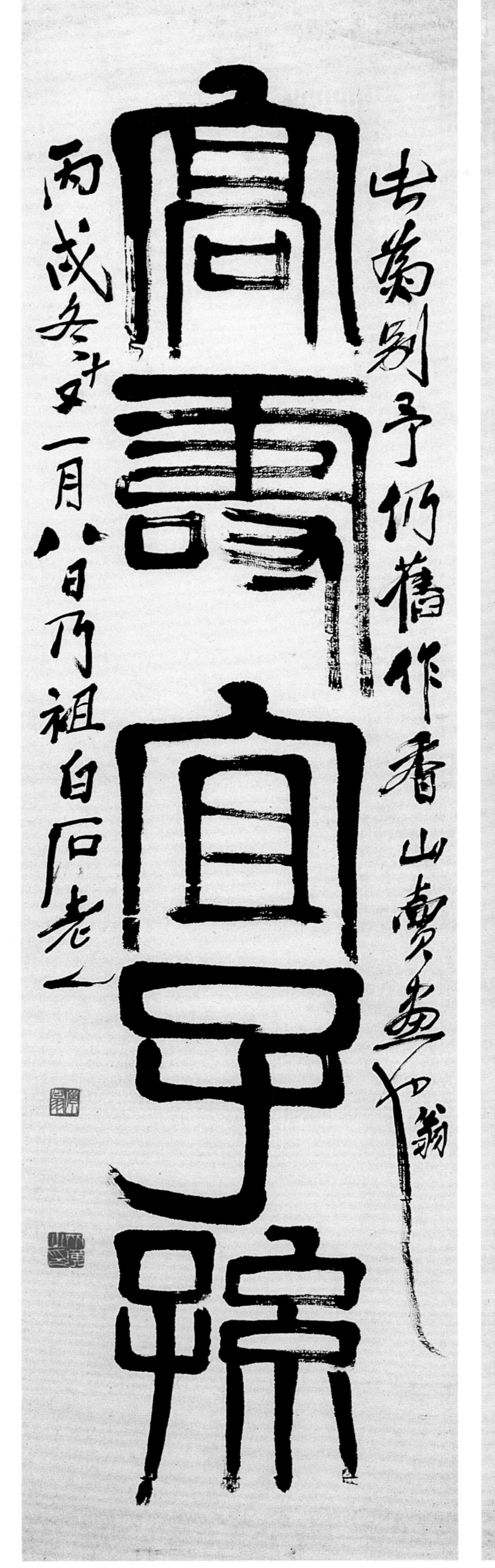

篆書聯　一九四六年　縱一五四厘米　橫四一厘米

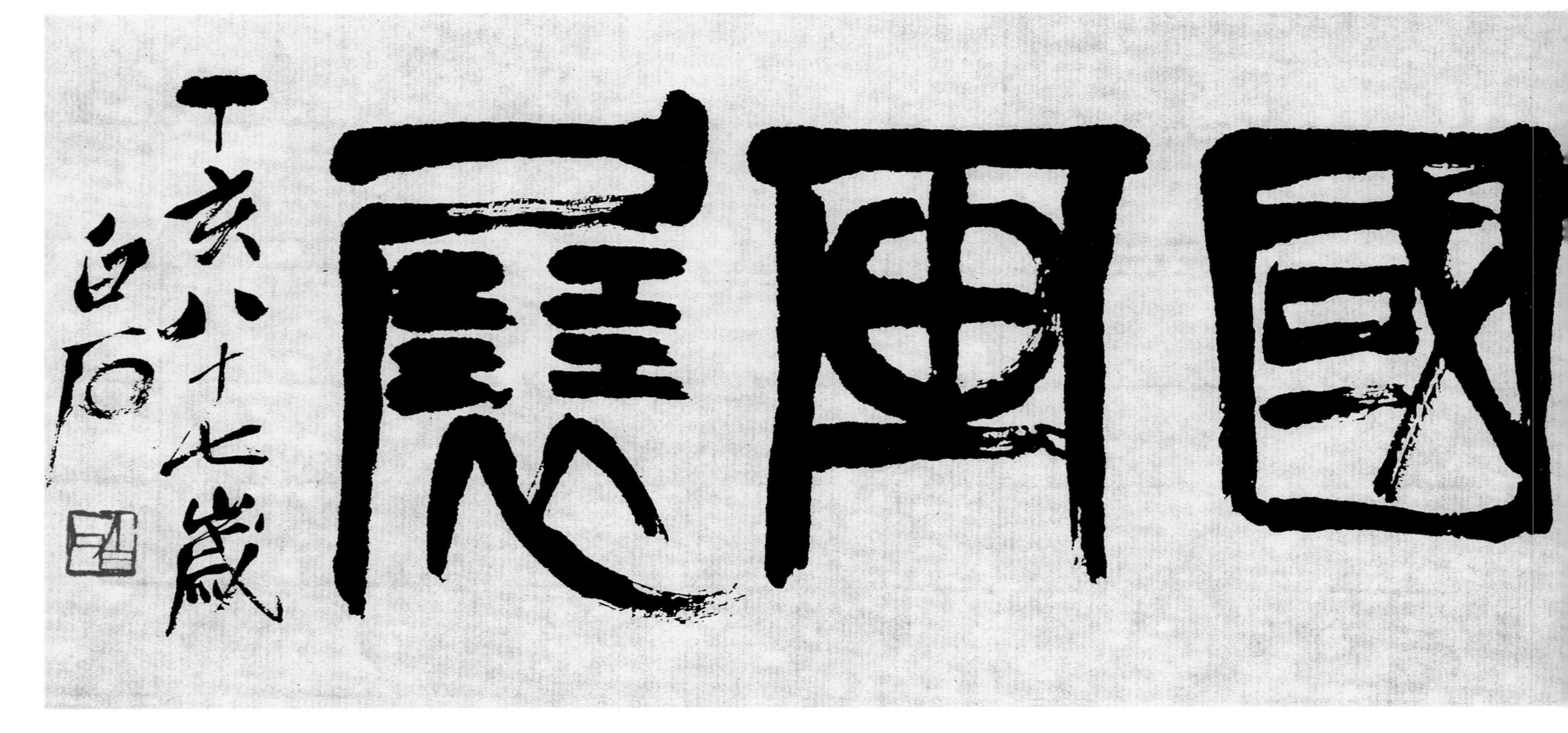

二〇一　篆書横幅　一九四七年　縱三一厘米　横一四八厘米

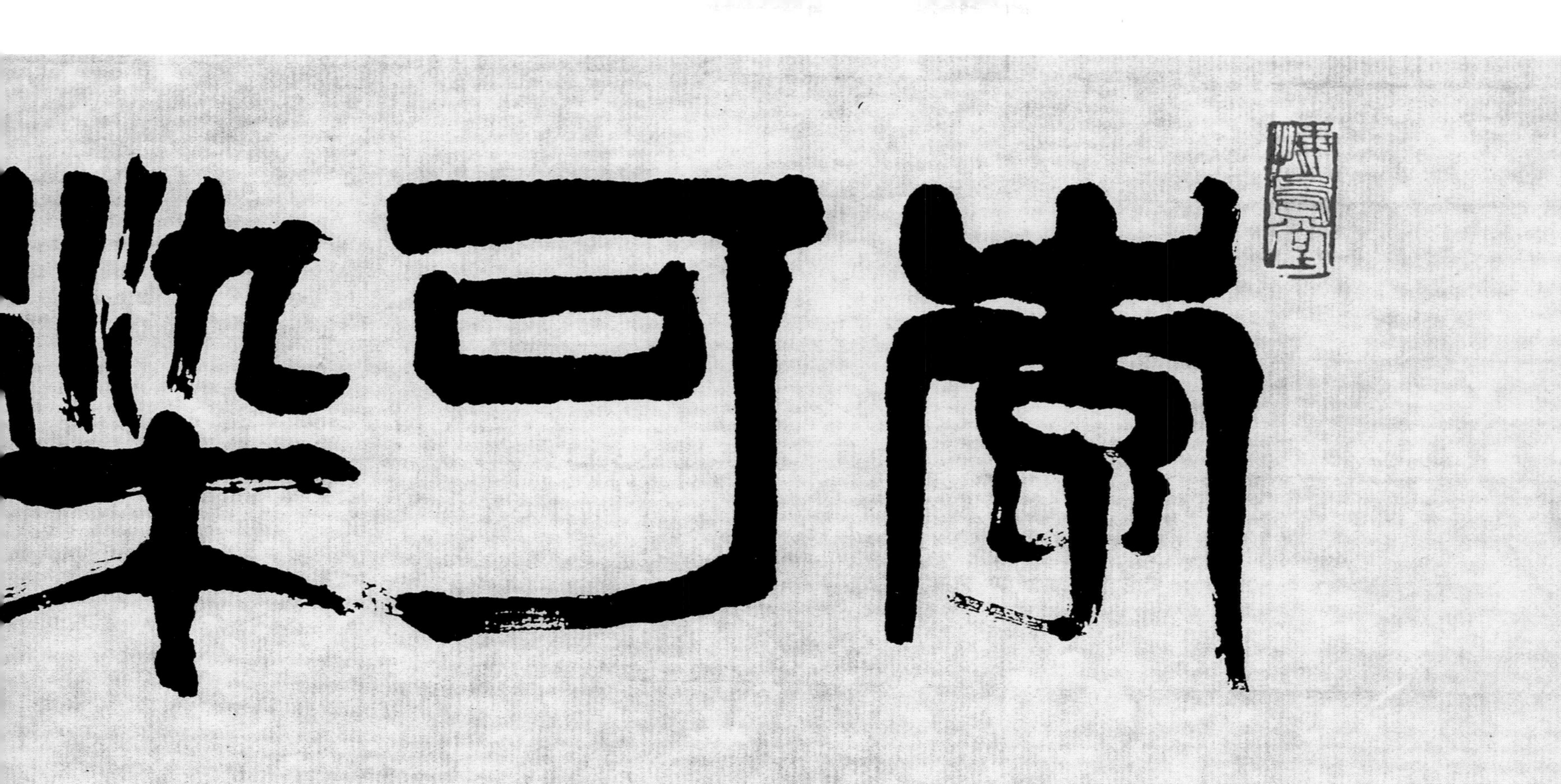

二〇二　行書題跋　一九四八年

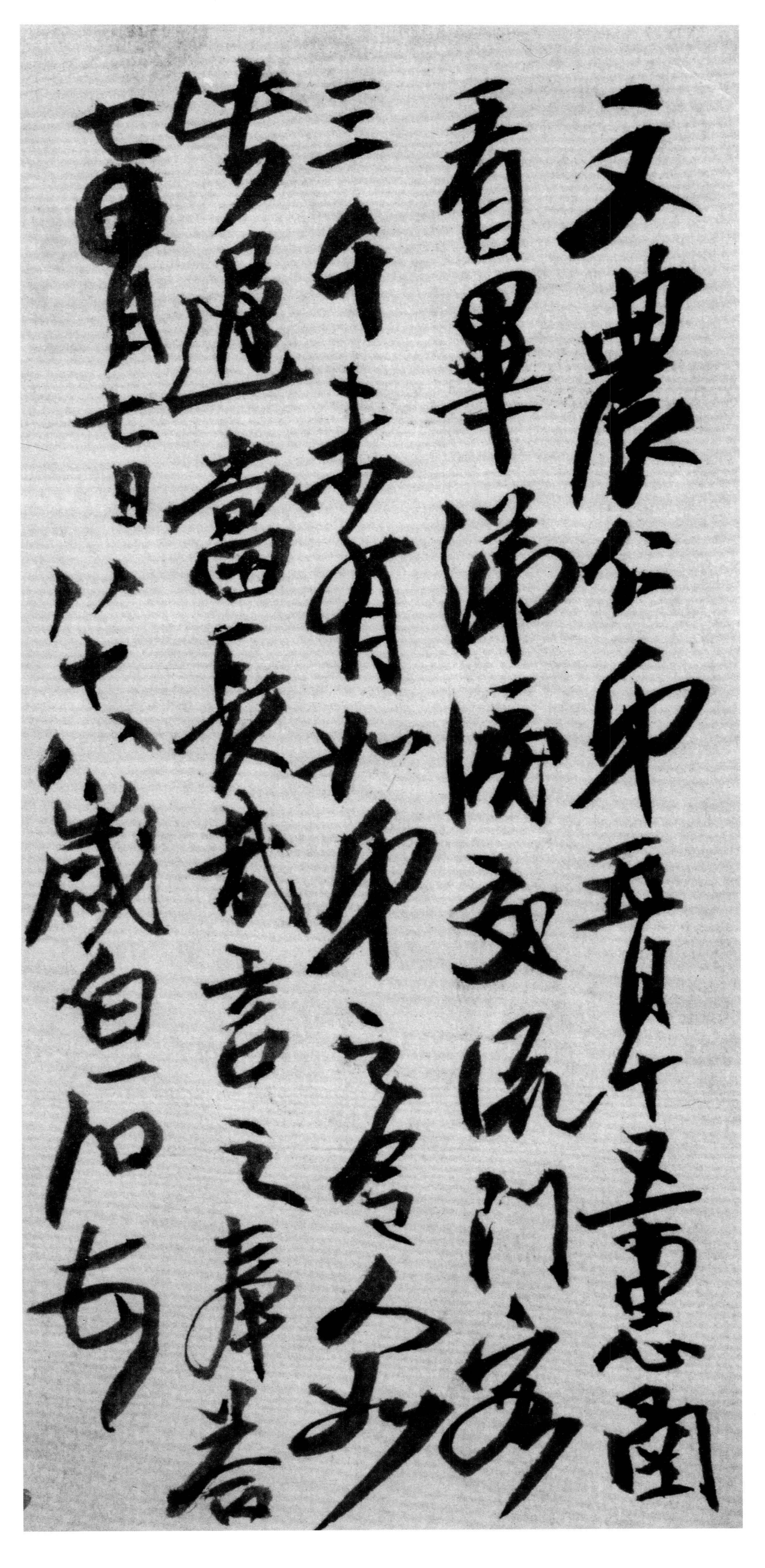

二〇三 行書信札 一九四八年 縱一一・三厘米 横五・三厘米

篆書聯　一九四八年　縱六八厘米　橫二一厘米

二〇五　篆書聯　一九四八年

戊子齊璜白石書于京華城西鐵屋

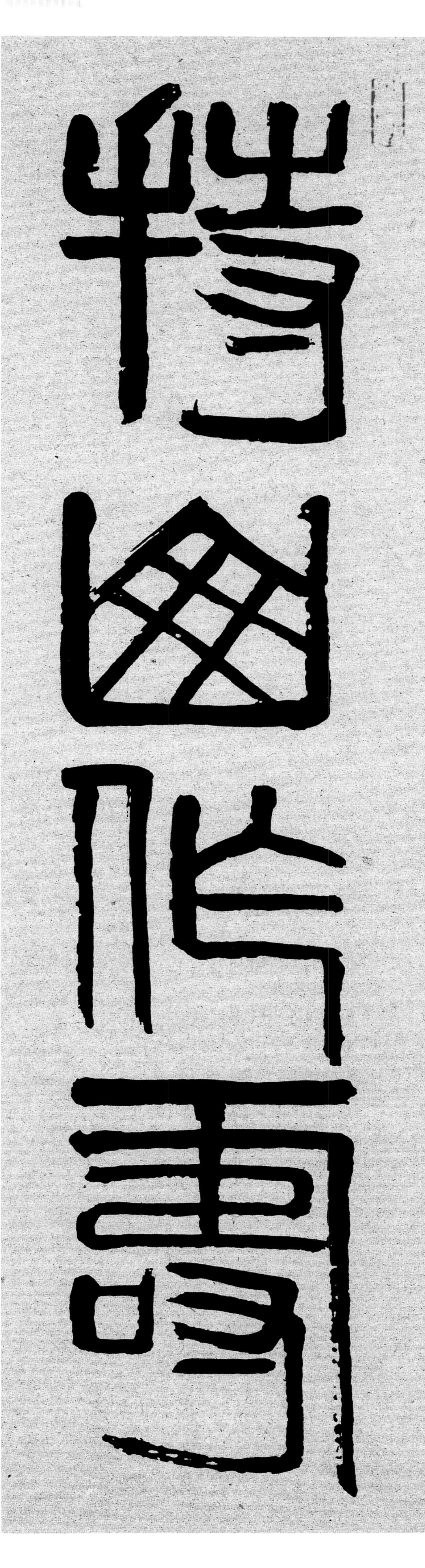

二〇六　篆書聯　一九四九年　縱一三三厘米　横三二厘米

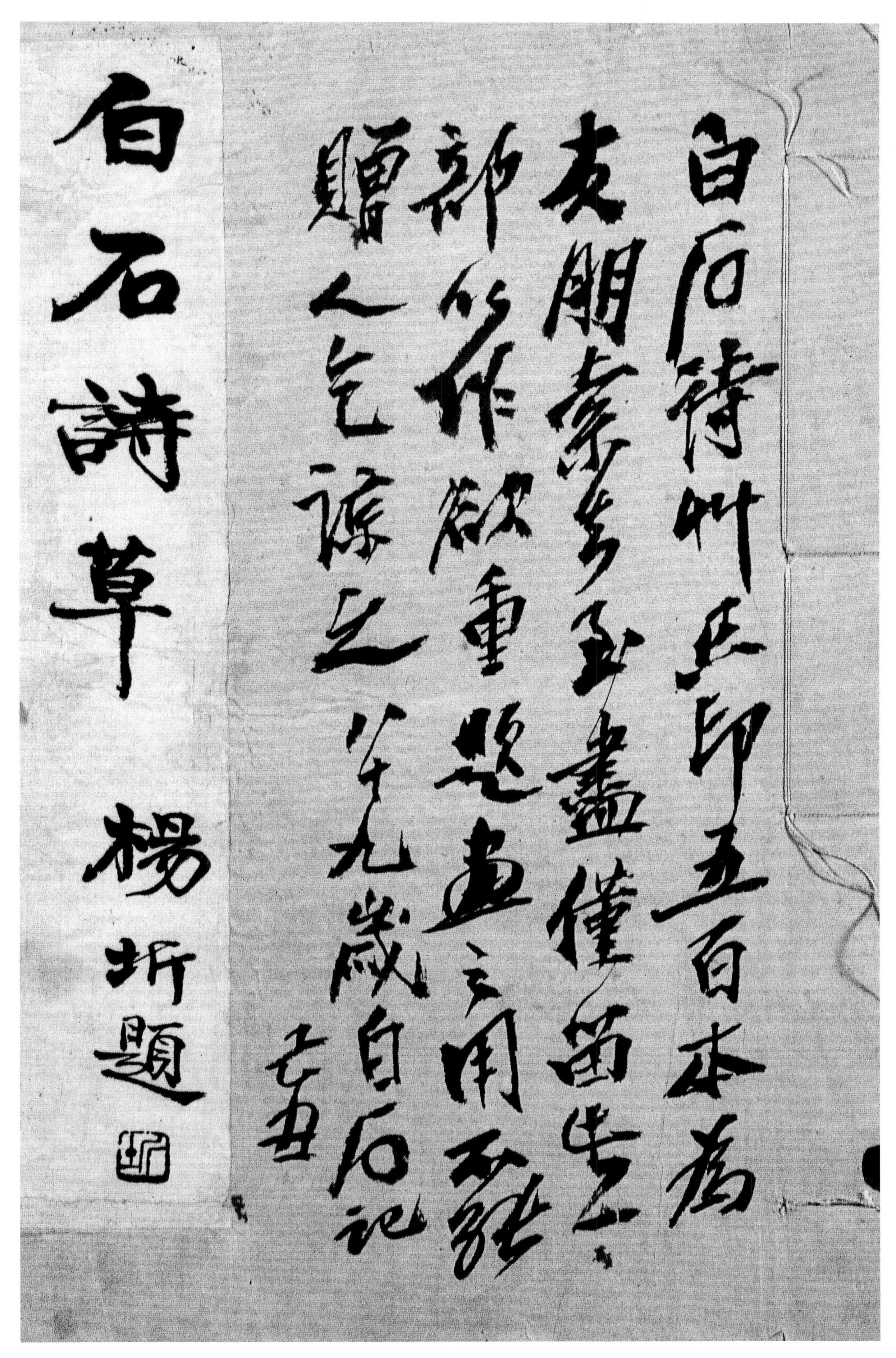

二〇七　行書題記　一九四九年　縱二七厘米　橫一八厘米

二〇八　篆書立軸　一九四九年

曾歐陽子集古錄已來古刻散棄于山崖墟莽間未收拾為足惜又自謂荒林破冢神僊鬼物

作人仁弟雅屬　己丑八十九歲白石

八十九歲白石老人

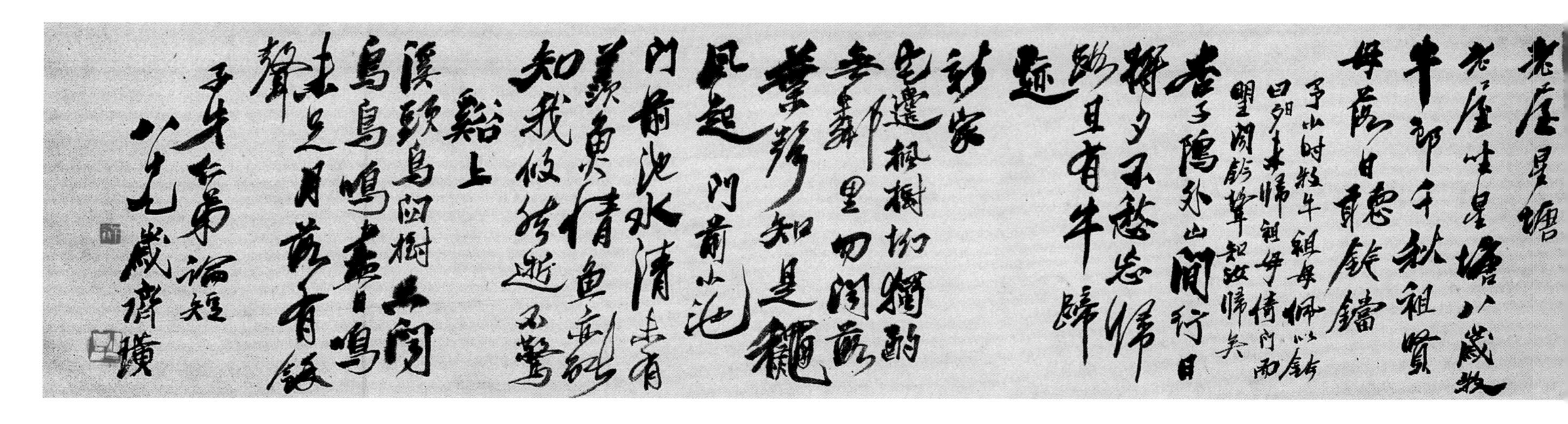

二一〇　行書横幅　一九四九年　縱二七·八厘米　横一〇七厘米

二一一　篆書聯　一九四九年　縱一四九厘米　横四六·五厘米

八十九歲白石

作人仁弟論篆

篆書立軸　一九四九年

宅邊楓尌坳獨坐無鄉里忽聞
落葉聲知是秋風起杏子陽
外山閒行日將夕不知忘歸路且
有牛蹄跡

八十九歲白石老人書老年句
己丑

二一三　篆書扇面　約四十年代　縱二〇厘米　横五五厘米

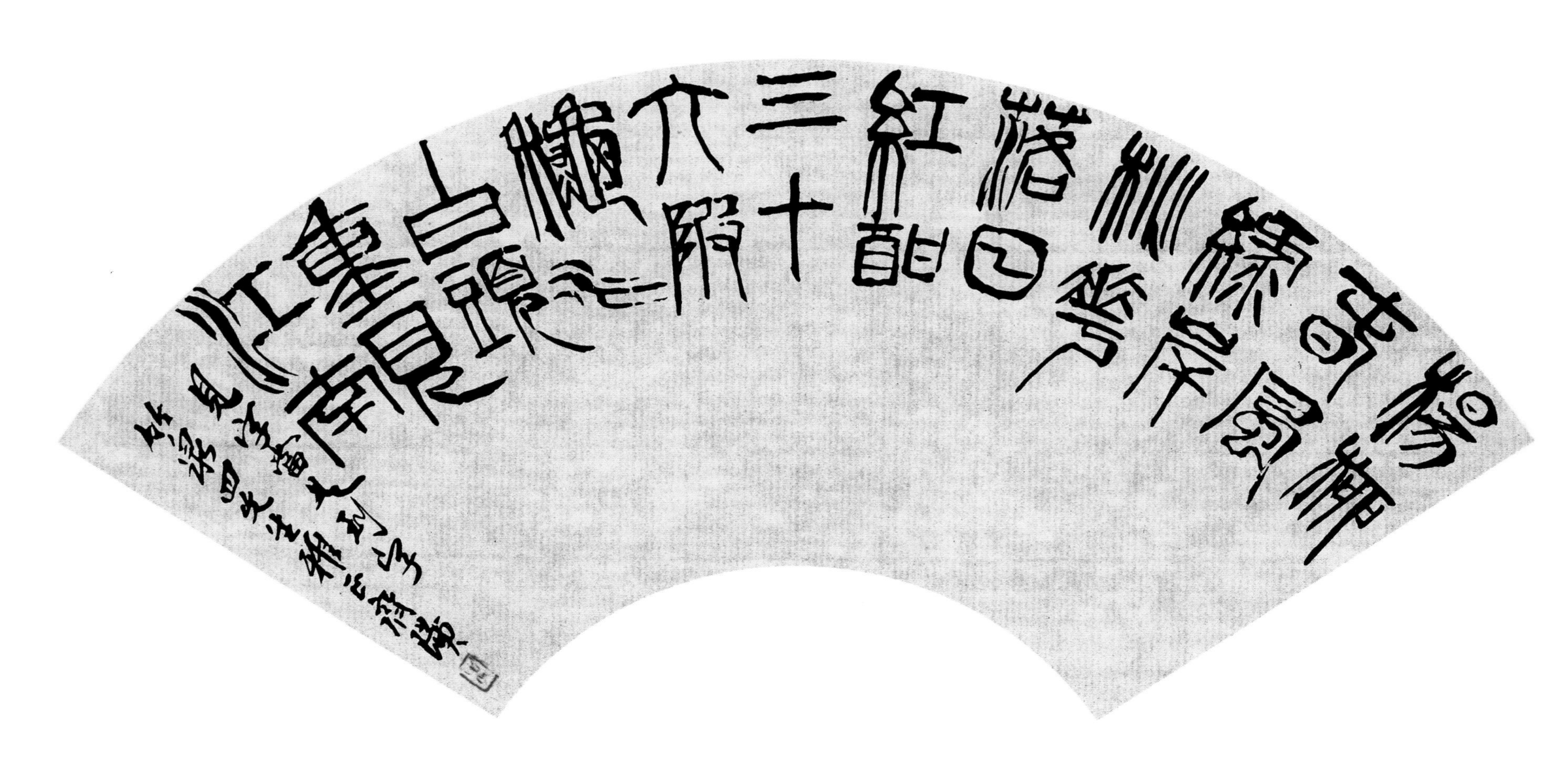

二一四　篆書扇面　約四十年代

二一五　行書扇面　約四十年代　縱二三厘米　橫六七厘米

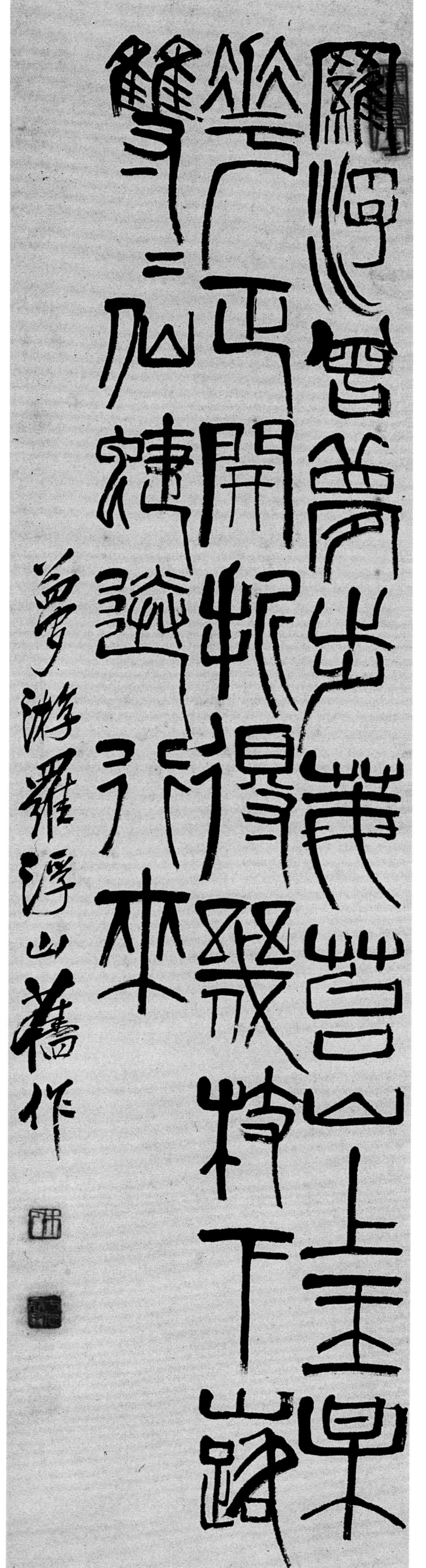

二一六　篆書立軸　約四十年代　縱一三五·五厘米　橫三三·五厘米

二一七 行書立軸 約四十年代 縱一〇九厘米 橫一四厘米

每思搔背憶麻姑

白石老人

二一八　篆書立軸　約四十年代

二一九　篆書聯　約四十年代

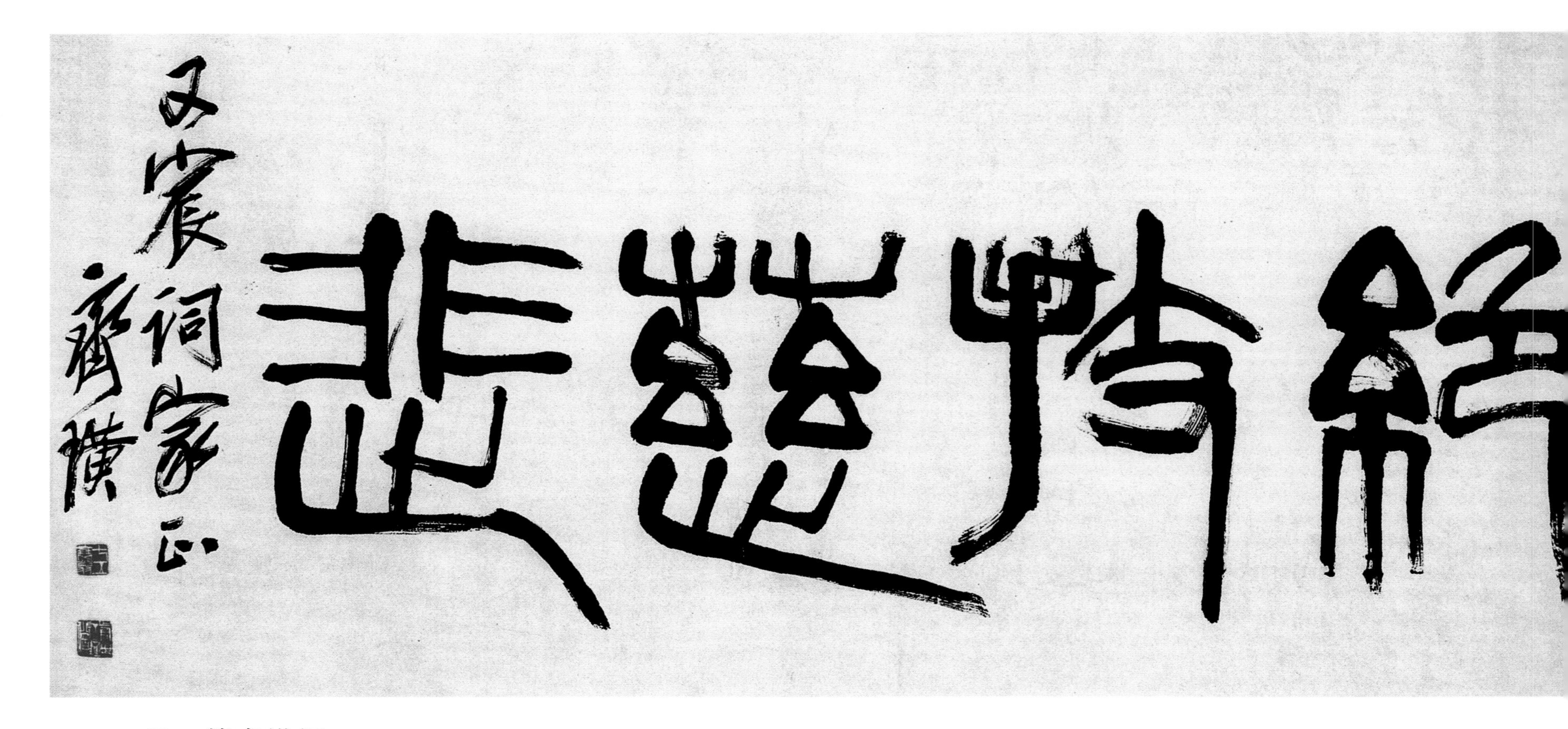

二二〇　篆書橫幅　約四十年代後期　縱六一·五厘米　橫一三四·五厘米

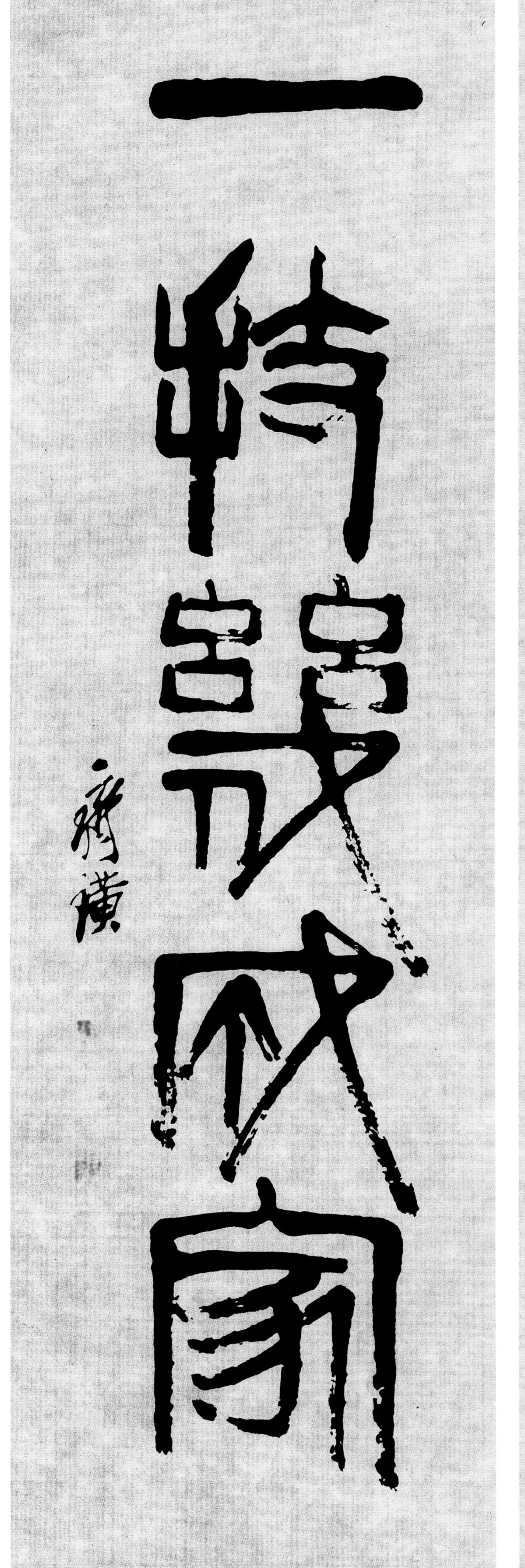

篆書聯　約四十年代後期

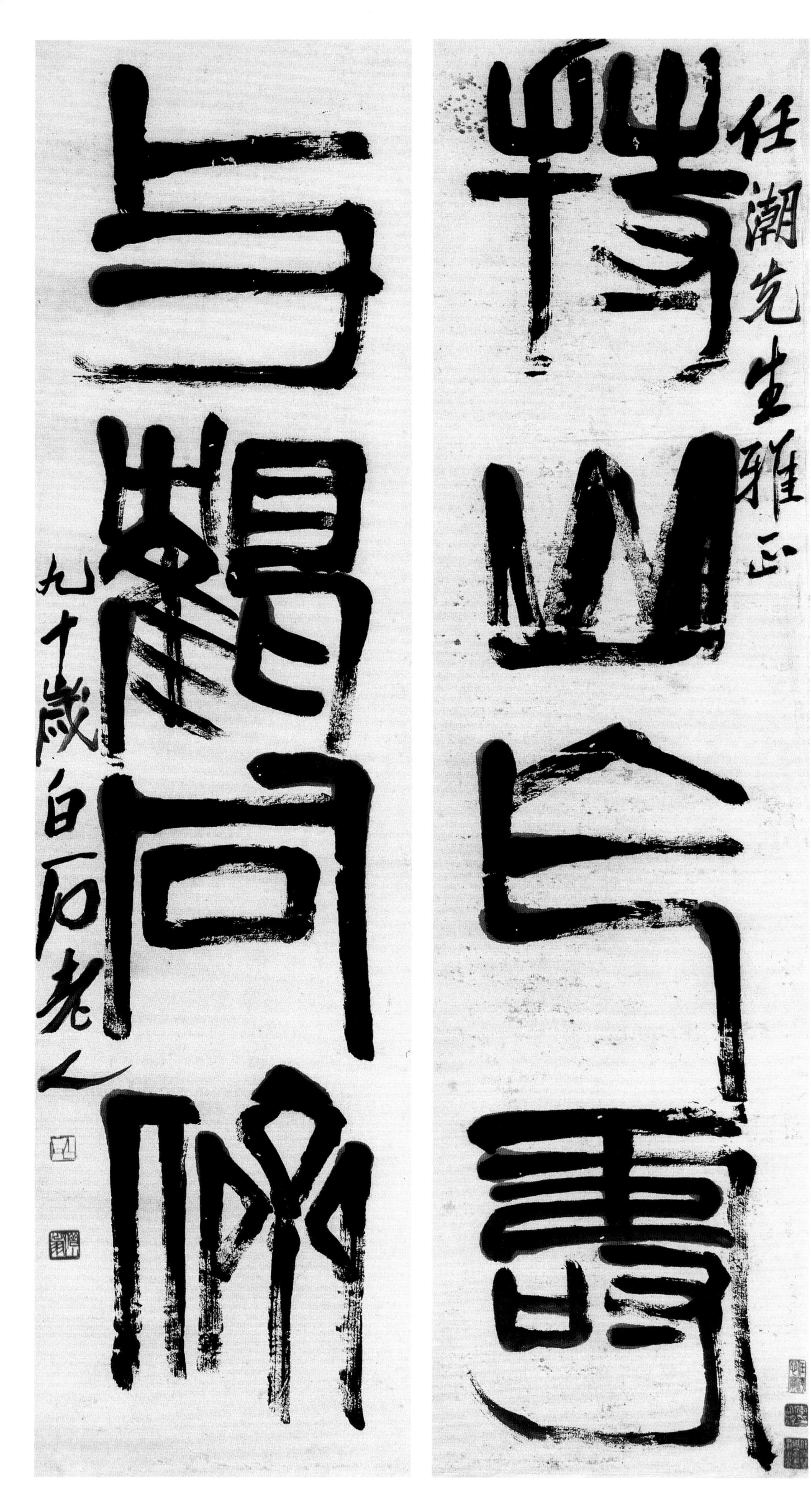
任潮先生雅正
九十歲白石老人

二三二　篆書聯　一九五〇年　縱一三三·五厘米　橫三五厘米

篆書（局部）

篆書（局部）

二二二三　篆書聯　一九五〇年

二二四　篆書聯　一九五〇年　縱一二八厘米　橫二九厘米

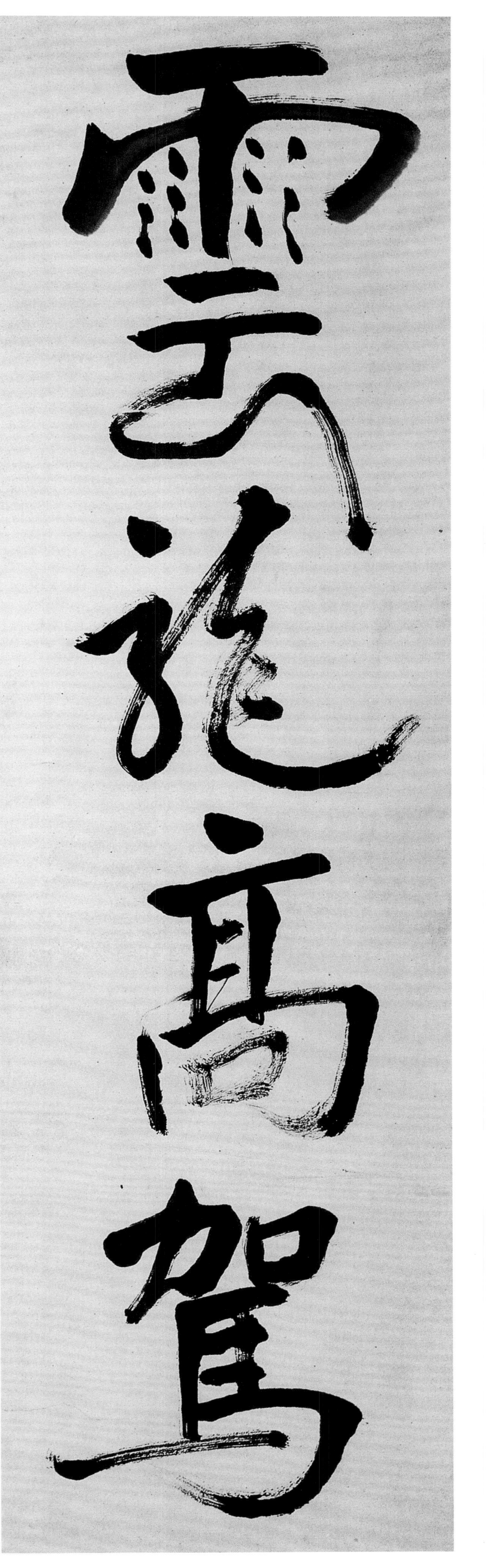
雲龍高駕

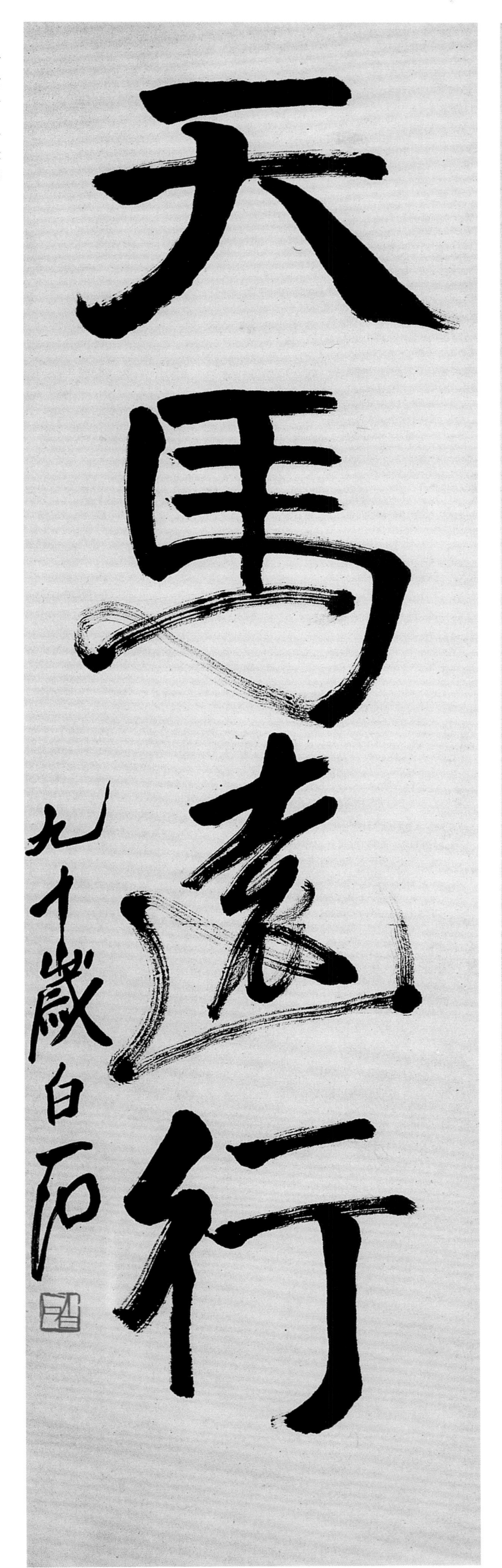
天馬遠行
九十歲白石

二二二五　行書聯　一九五〇年　縱一三四厘米　橫三九厘米

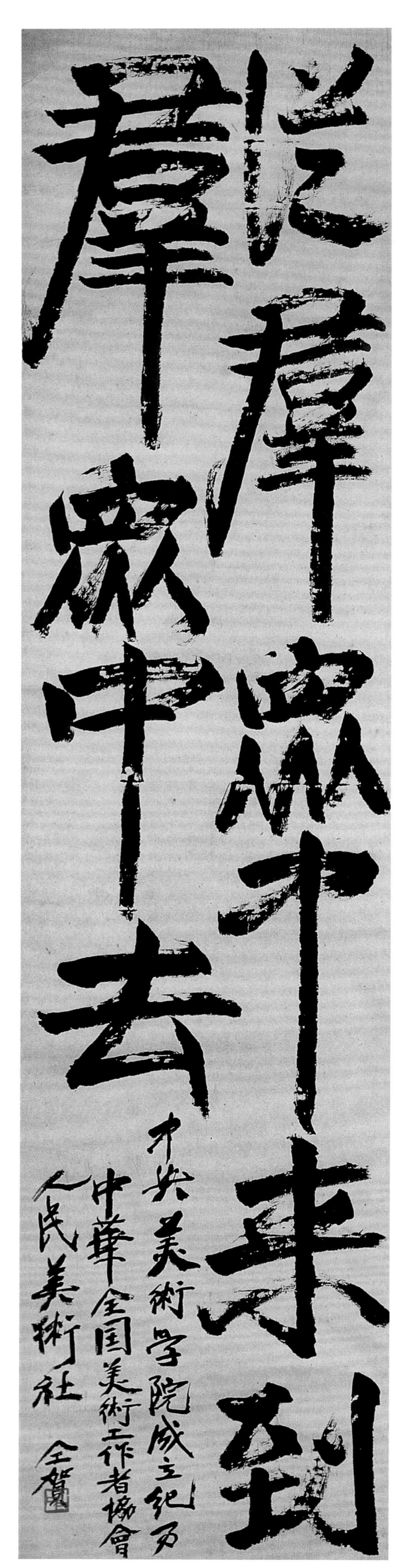

二二六　行書立軸　一九五〇年　縱二二五厘米　橫五四厘米

二二七　篆書聯　一九五〇年　縱一四一厘米　橫四六厘米

篆書（局部）

篆書（局部）

二二八　行書聯　一九五〇年

城鄉家家人來壽

風雨時時龍一吟

阿龍世侄論定

庚寅四月九十老人白石

篆書聯　一九五一年

二三〇 行書立軸 一九五一年

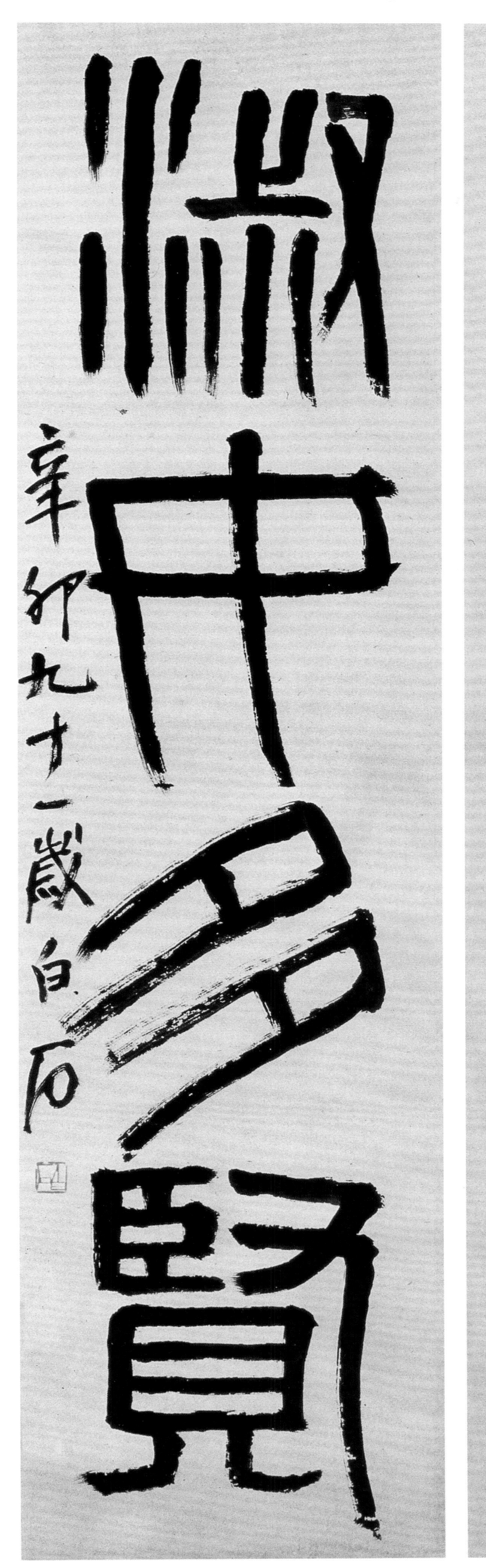

二三一　篆書聯　一九五一年　縱一一七・八厘米　橫三一・八厘米

二三二　篆書立軸　一九五一年

二三三　行書題跋　一九五一年

京时带来寿上云云甚感老人

旧有少年时所作工笔虫子册页，及大小诸幅，颇多精数幅，亦俟汝来京时交赠吾女良，并有画赠琪翔印，承汝代裱画十三幅。裱钱不用琪翔弟管理。老人自宜谢之，劳神中足矣。老人一家穷，愿言多钱，欺弟慎之慎之。

齐行同享白石记之

秀儀夫人女弟子鑒。老身無恙。勿
勞懸念。得汝函。知
璞翔弟吉祥。汝來函三兩次來著。
甚歡。每由南尚謙處得見汝
函并所問及老翁近况。汝五月一日與
函收到。爲賣畫之事。日前女來

二三四　行書信札　一九五一年　縱二三厘米　橫一六厘米

二三五　篆書聯　一九五一年　縱一三九厘米　橫三四·五厘米

二三六　篆書立軸　一九五一年　縱一七四·五厘米　横九四·五厘米

二三七　行書立軸　一九五二年

行書（局部）

雨餘赤泥紅板對溪橋只
疏葉如山擁坡廊玉瑠織
山奈森何怪殺清時靈過了
樵餘雞犬亦登天空覓金風
仙侶縱傳他明月万回圓門前
往神仙總香甚魂夢不來痕路
棋擲老而已句九十二歲白石老人

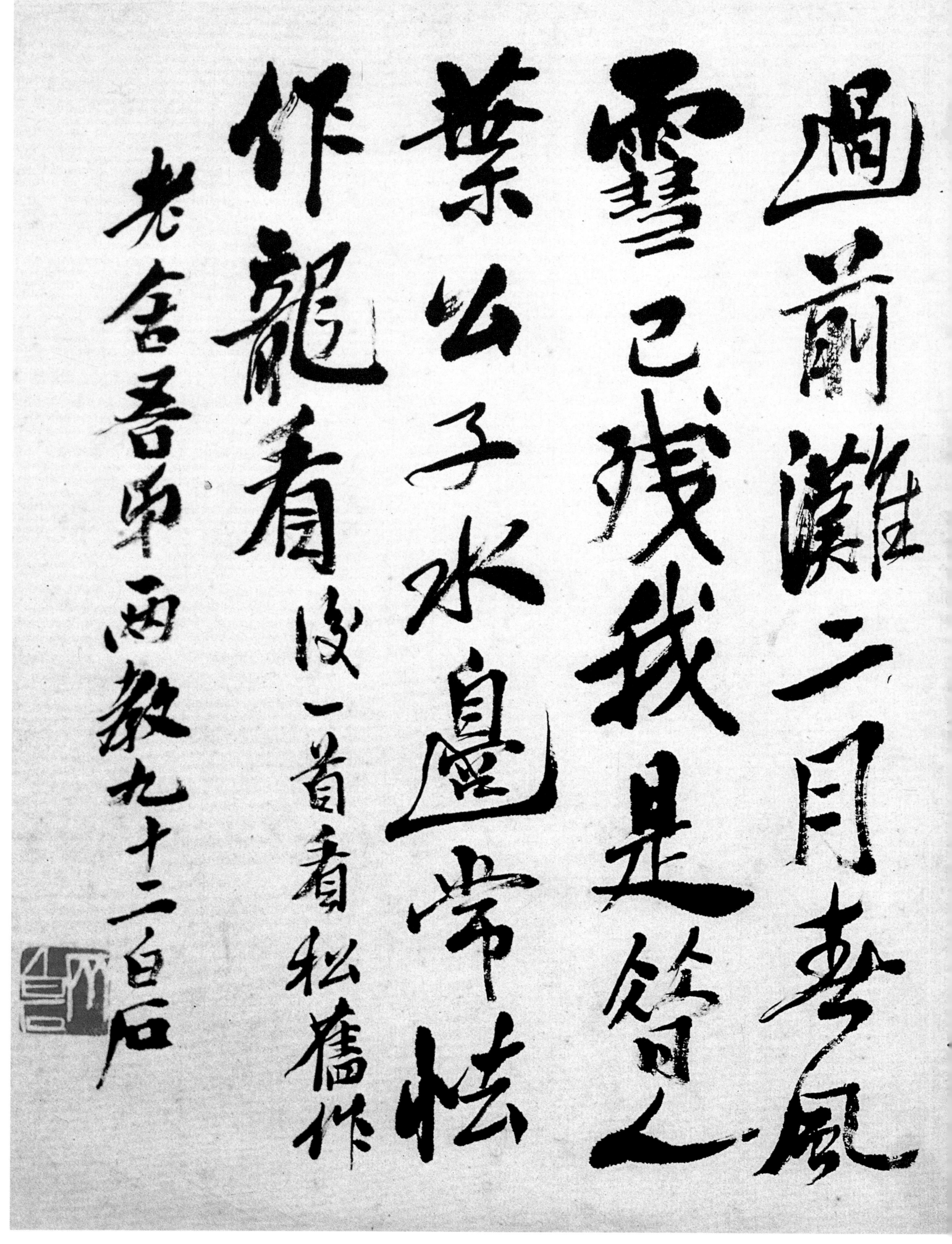

二三八　行書橫幅　一九五二　縱三五厘米　橫五三厘米

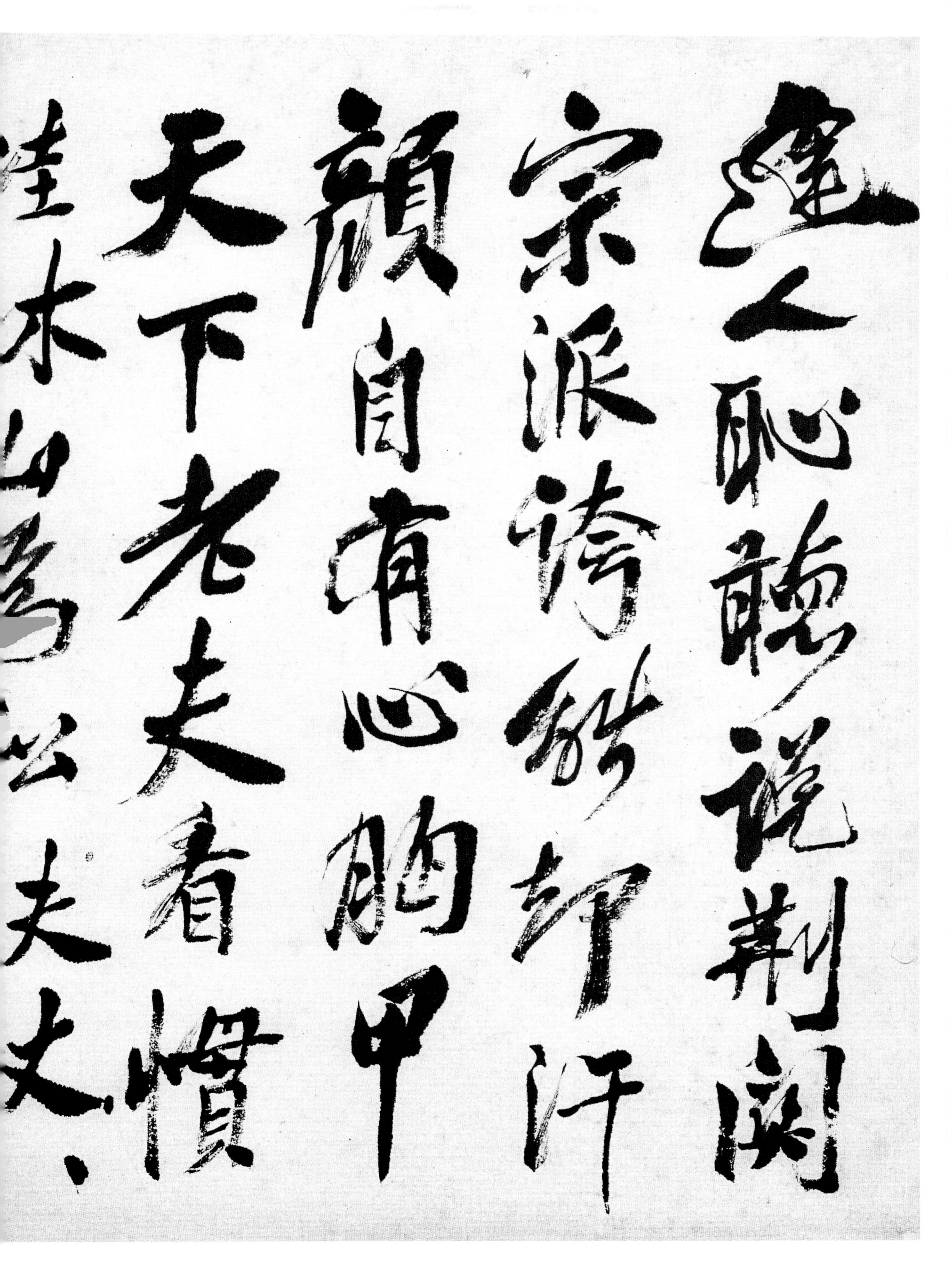

二三九　篆書横幅　一九五三年

二四〇　行書手札　一九五三年　縱三三·三厘米　横三三·三厘米

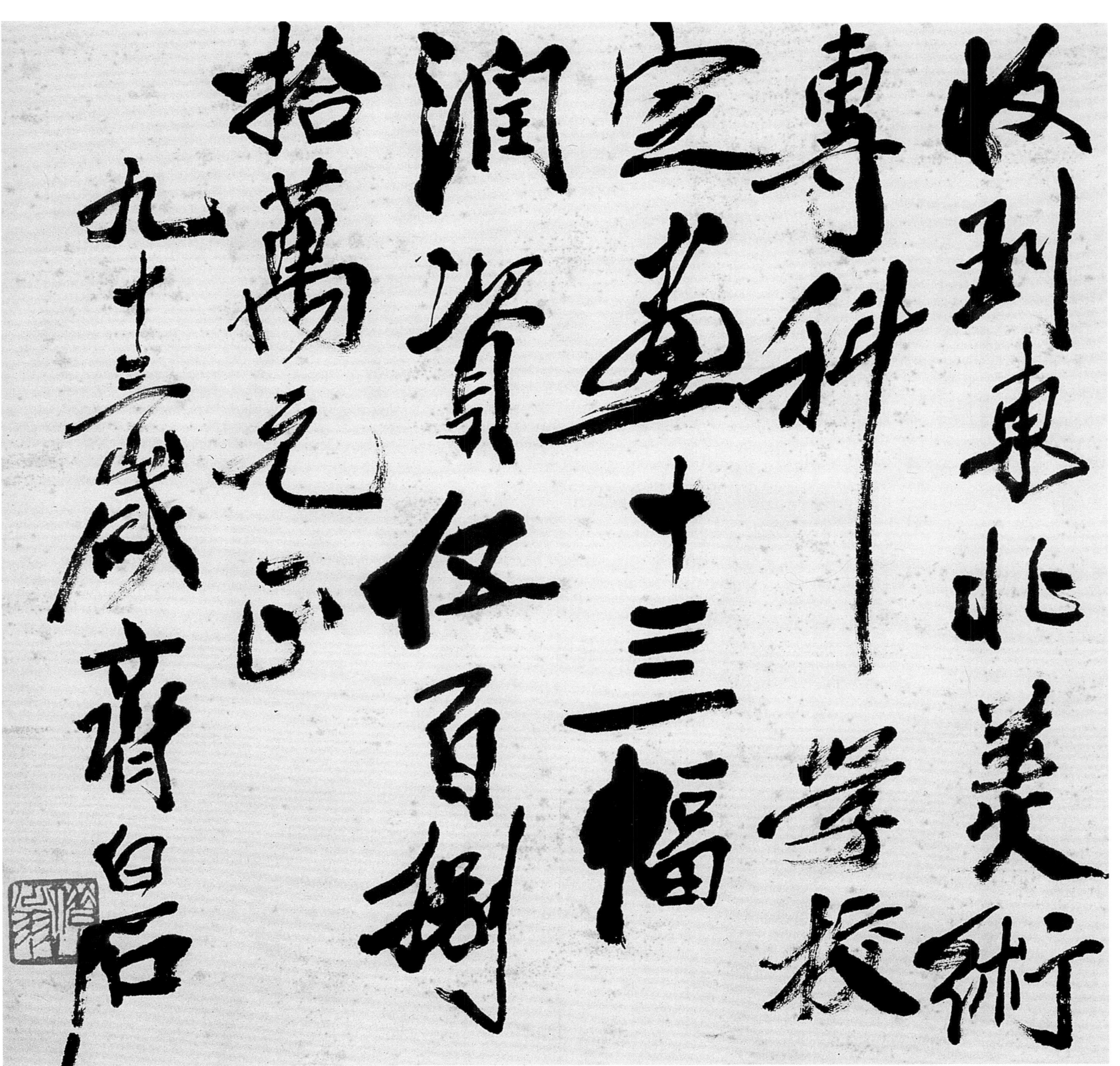

收到東北美術專科學校定畫十三幅潤資伍百捌拾萬元正
九十三歲齊白石

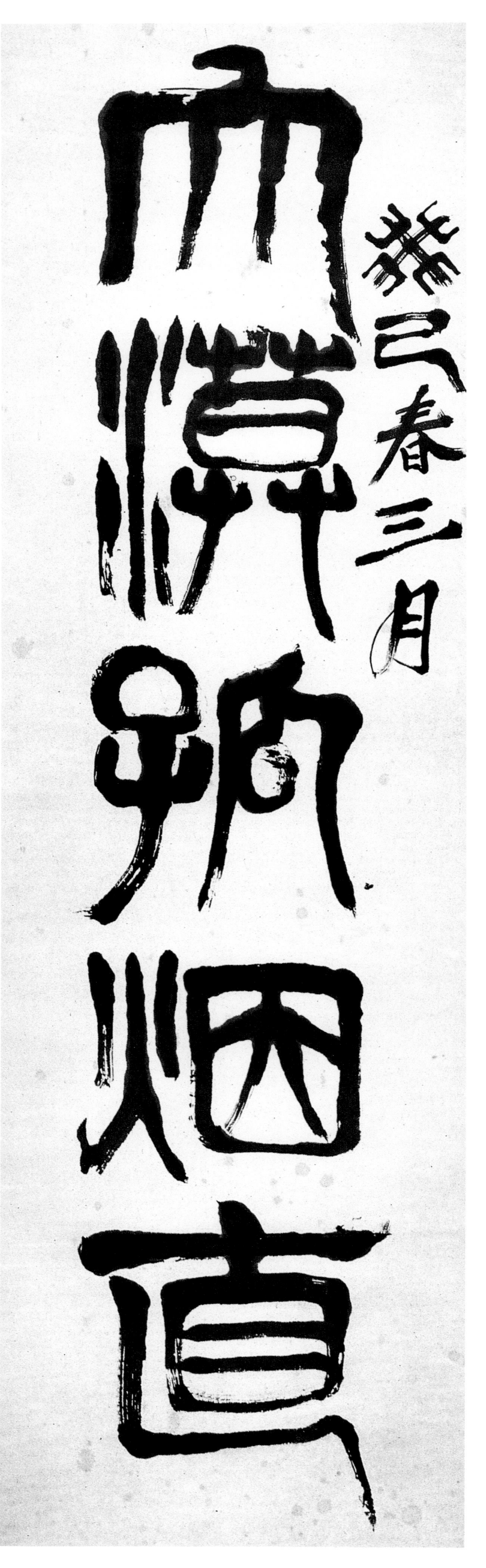

二四一 篆書聯 一九五三年 縱一四四厘米 橫四四厘米

篆書（局部）

篆書（局部）

篆書（局部）

篆書（局部）

二四二　篆書聯　一九五三年　縱一七三・二厘米　横四七・八厘米

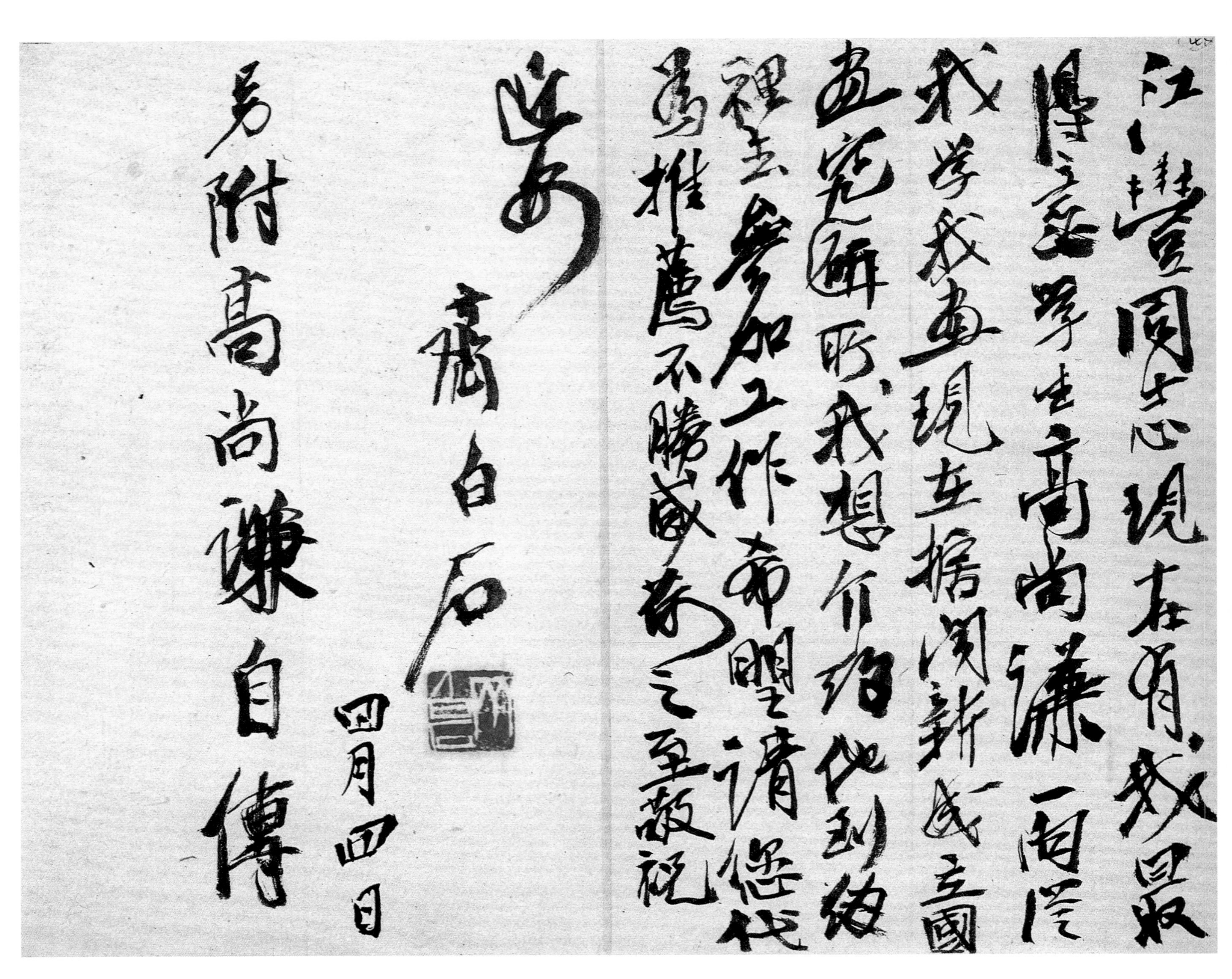

江丰同志：現在有我最得意學生高尚謙，一向隨我學我畫，現在據聞新成立國畫研究所，我想介紹他到那裡去參加工作，希望請您代爲推薦，不勝感謝之至。敬祝近安

齊白石 四月四日

另附高尚謙自傳

二四三　行書信札　一九五三年　縱二八厘米　橫三六厘米

楷書聯　一九五三年

我們的學習應該是掌握總路線的全部精神實質並把它貫澈到我們的思想和實際工作中去從而使我們都能正確地自覺地作好自己的工作

一九五三年十二月白石老人書于京華

二四五　行書立軸　一九五三年

我们學習我國在過渡時期的總路綫就是要
學習馬克思列寧主義在中國的具體化
就是要使我们的共産主義覺悟提高一步
一九五三年十二月齊白石九十三歲

二四六　行書立軸　一九五三年

二四七　行書橫幅　一九五三年

北國風光千里
冰封万里雪飄望
長城内外惟餘
莽莽大河上下
頓失滔滔山舞
銀蛇原驅蠟
象試与天公共比
高須晴日看紅
粧素裹分外妖
嬈江山如此多
嬌引無數英雄
競折腰昔秦皇
漢武略輸文彩

行書立軸　一九五三年

全國人民一致努力為實現第一個五年計劃的基本任務而奮鬥為在一個
相當長的時期內逐步實現國家的社會主義工業化逐步實現國家對農業對手工業和對私營工
商業的社會主義改造而奮鬥集中主要力量發展重工業建立國家工業化和國防現代化的基礎相應地培養建設
人材發展交通運輸業輕工業農業和商業有步驟地促進農業手工業的合作化繼續進行對私營工商業的改造正確地發揮
個體農業手工業和私營工商業的作用保證國民經濟中社會主義成份的比重穩步增長保證在發展生產的基礎上逐步
提高人民物質和文化生活的水平

齊白石敬書

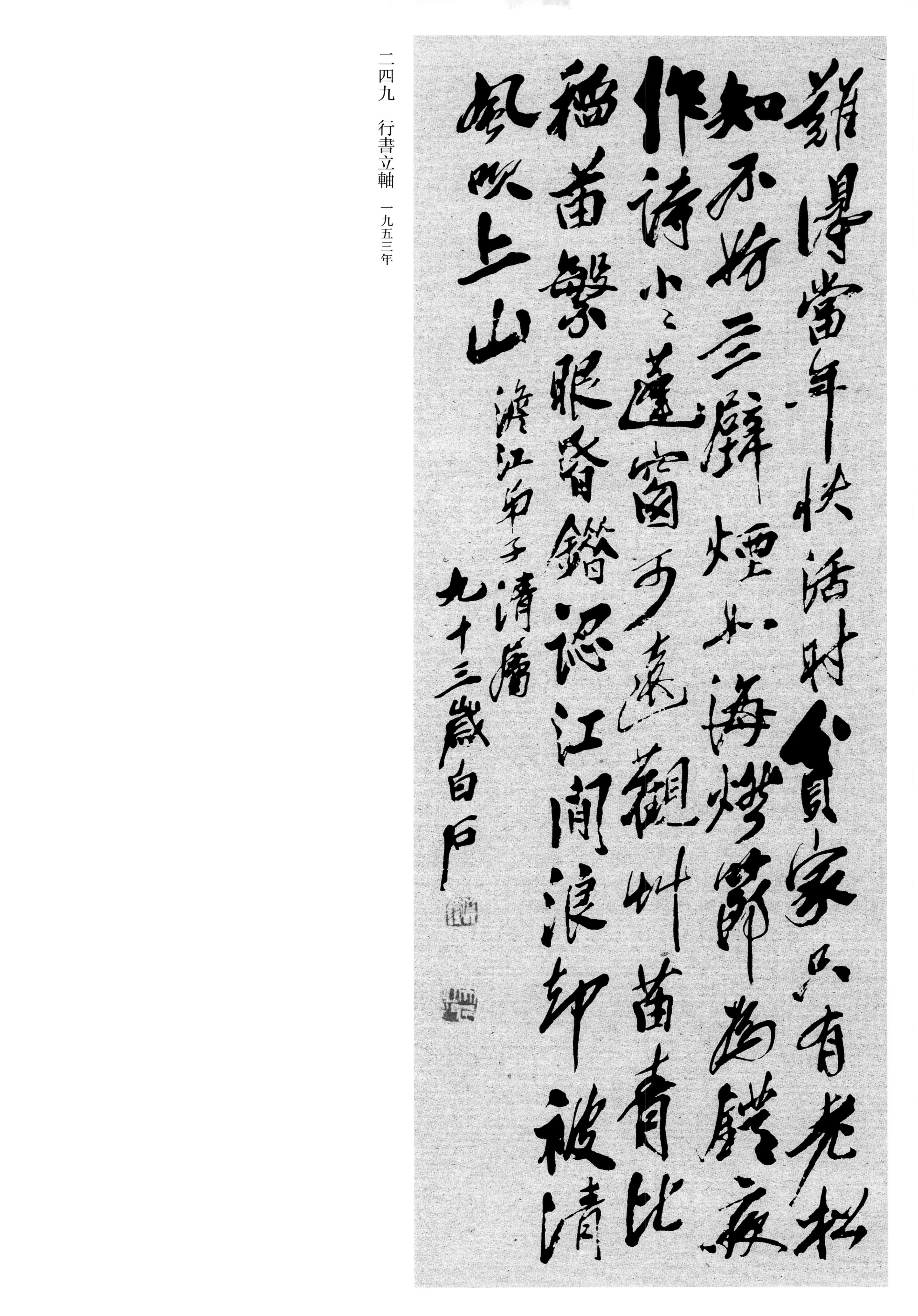

二四九　行書立軸　一九五三年

二五〇　篆隸横幅　一九五四年

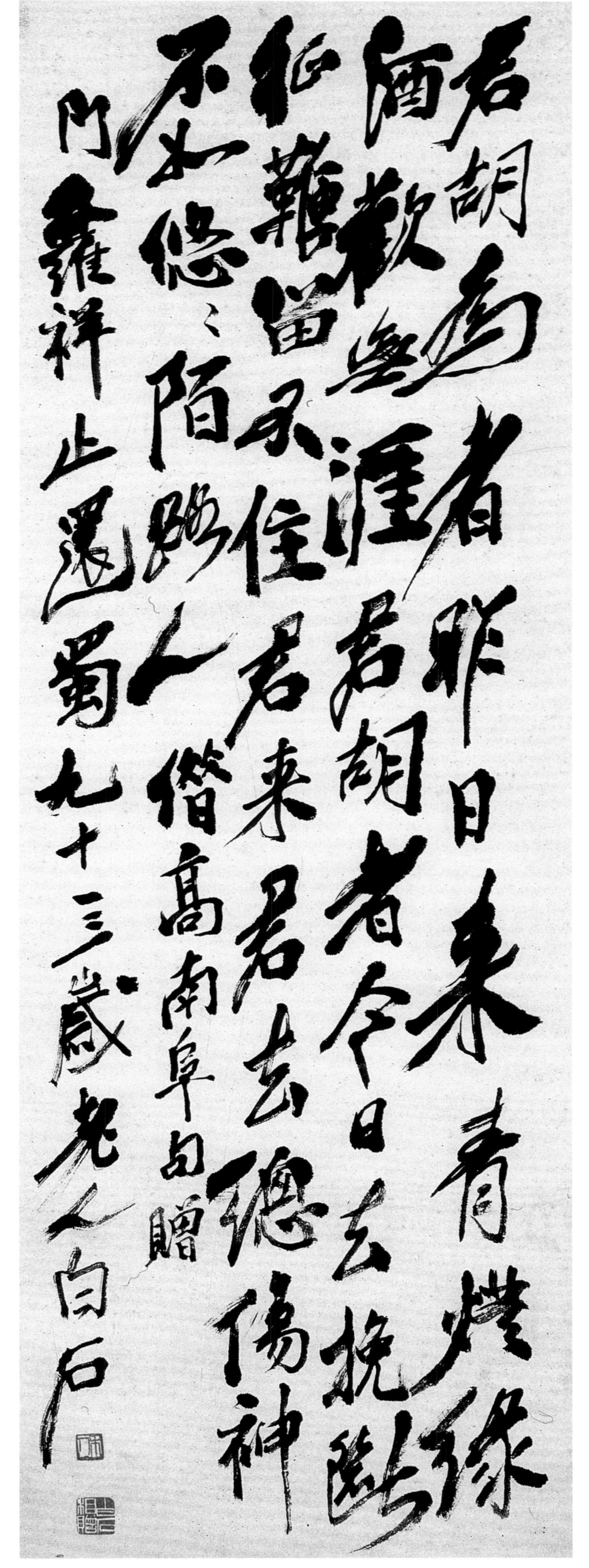

二五一　行書立軸　一九五四年　縱九一・五厘米　橫三三厘米

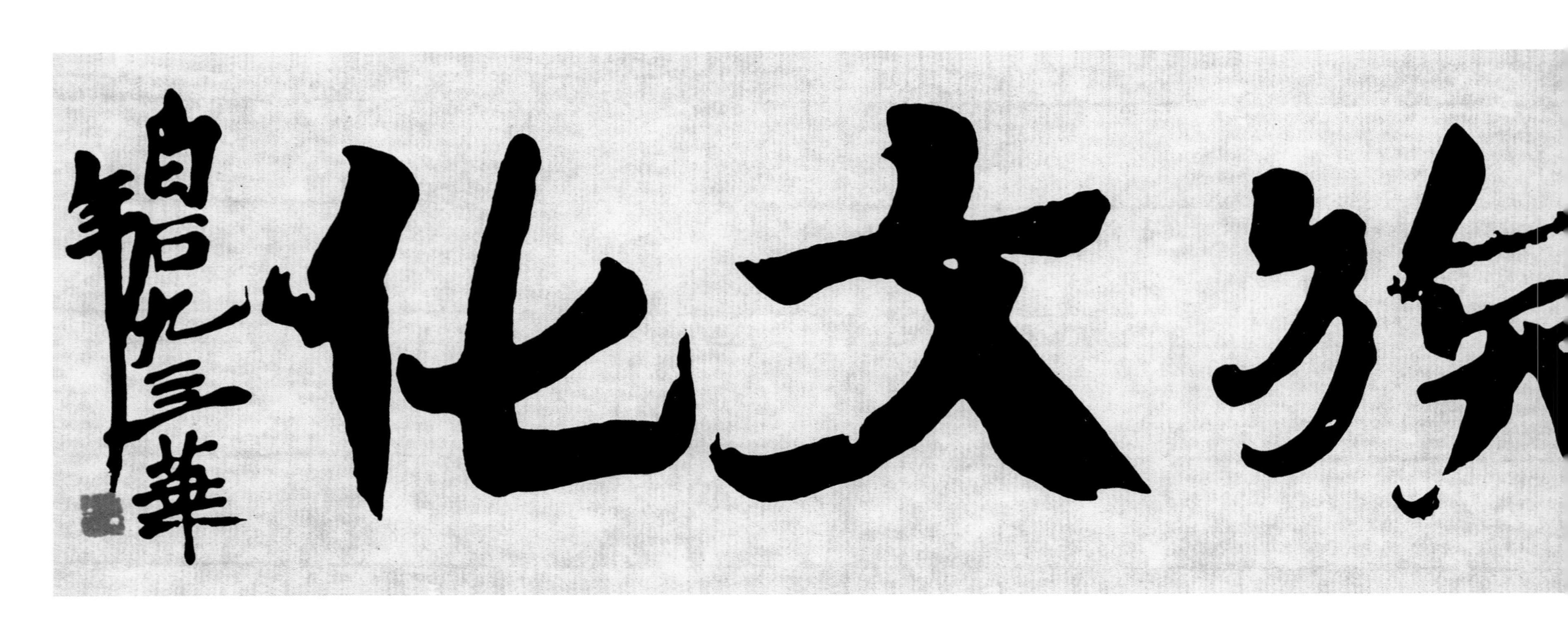

二五二　行書橫幅　一九五四年

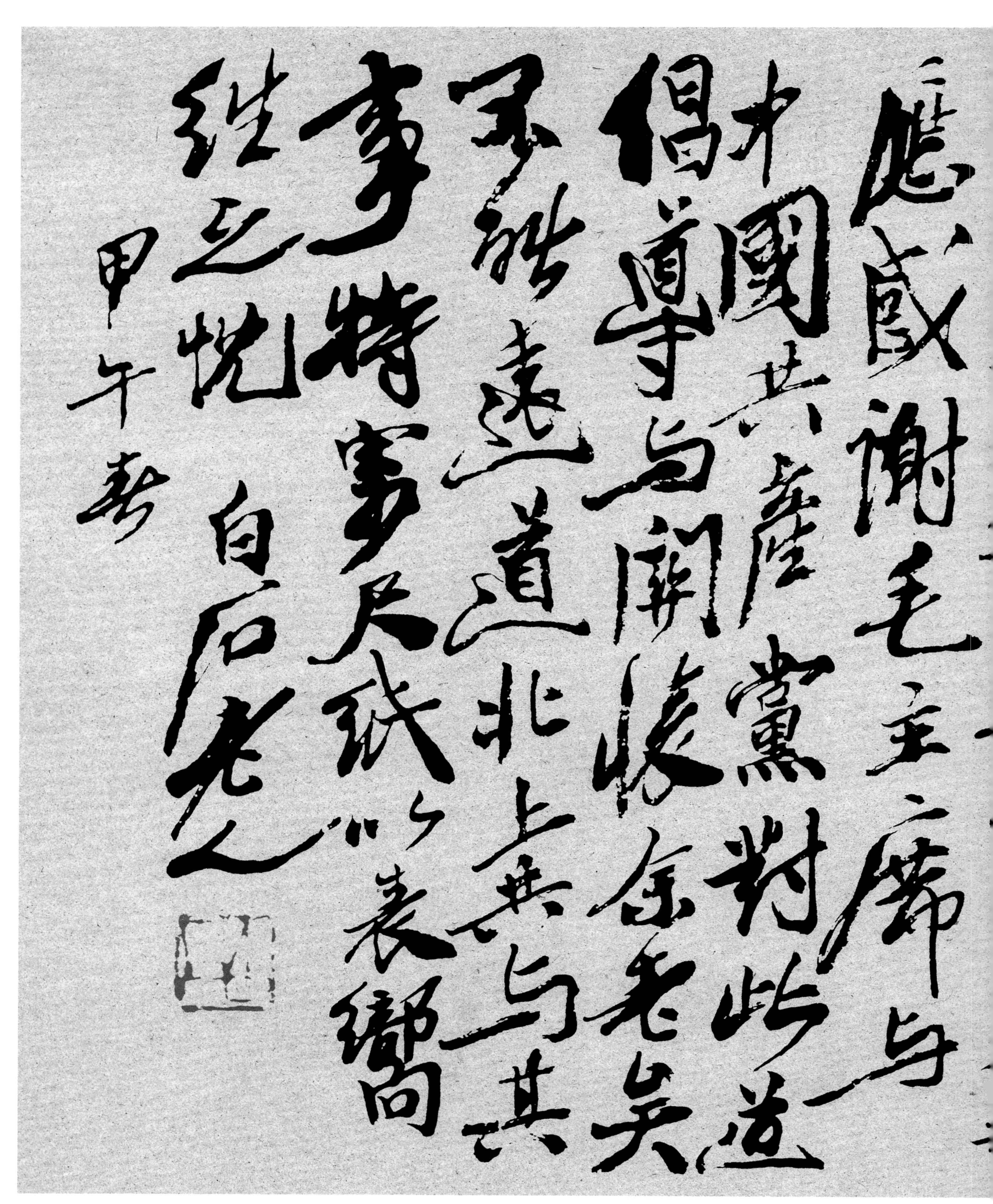

二五三　行書横幅　一九五四年

東北博物館舉辦白石畫展集余往昔及近年所作數拾幅於一堂與我東北人士相見幸何如之白石老年身逢盛世國內外

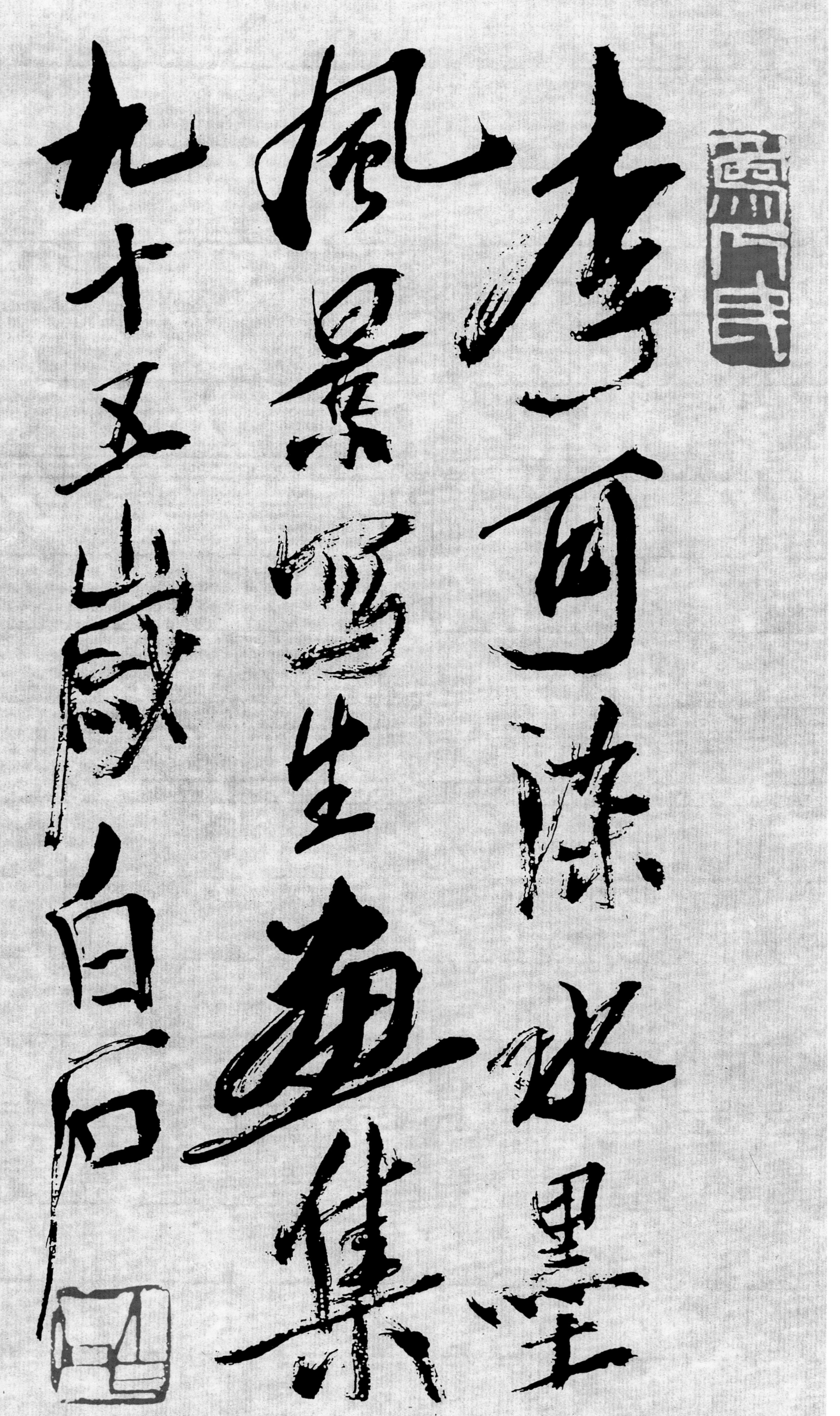

行書題款　一九五五年

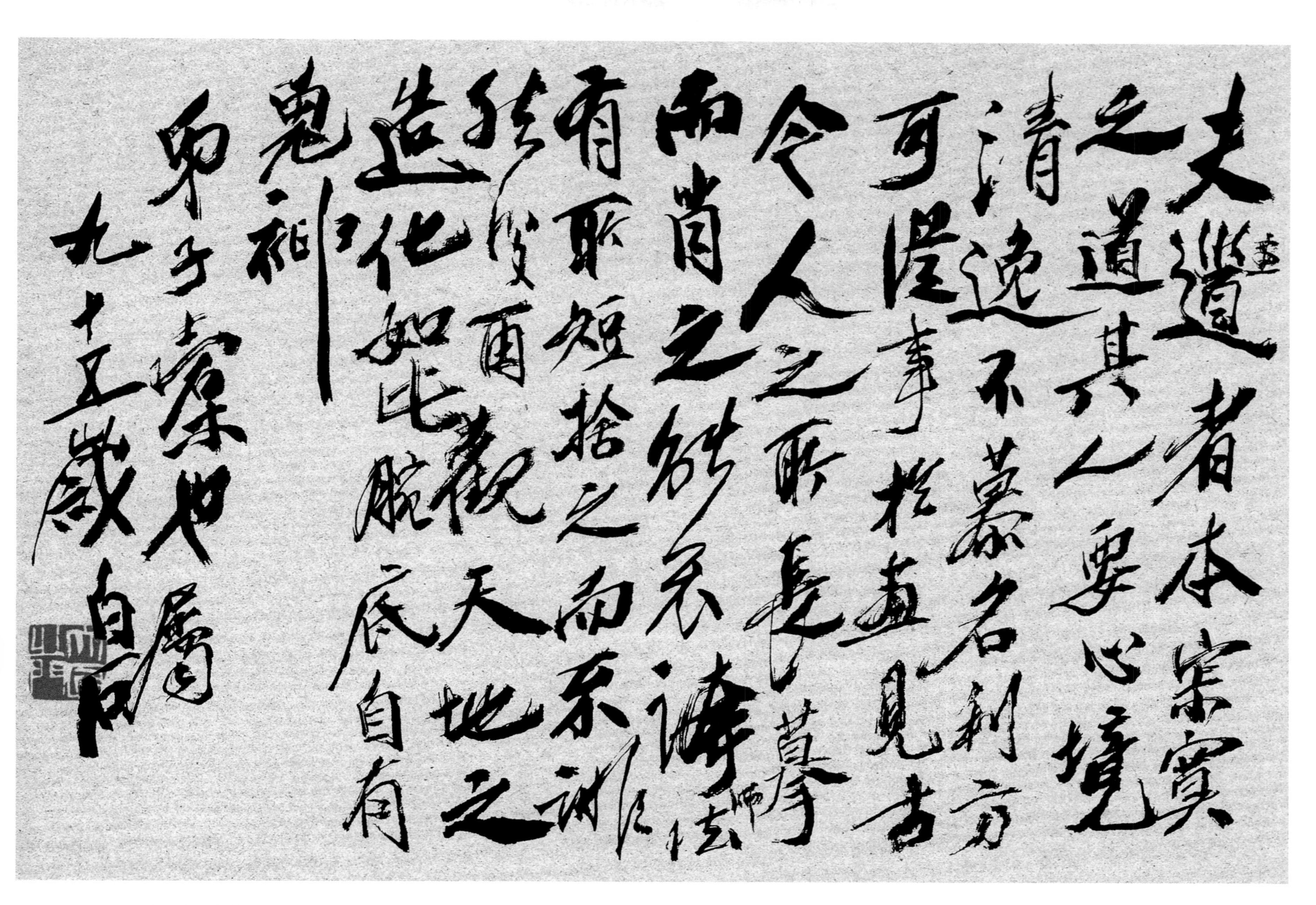

二五五　行書手札　一九五五年

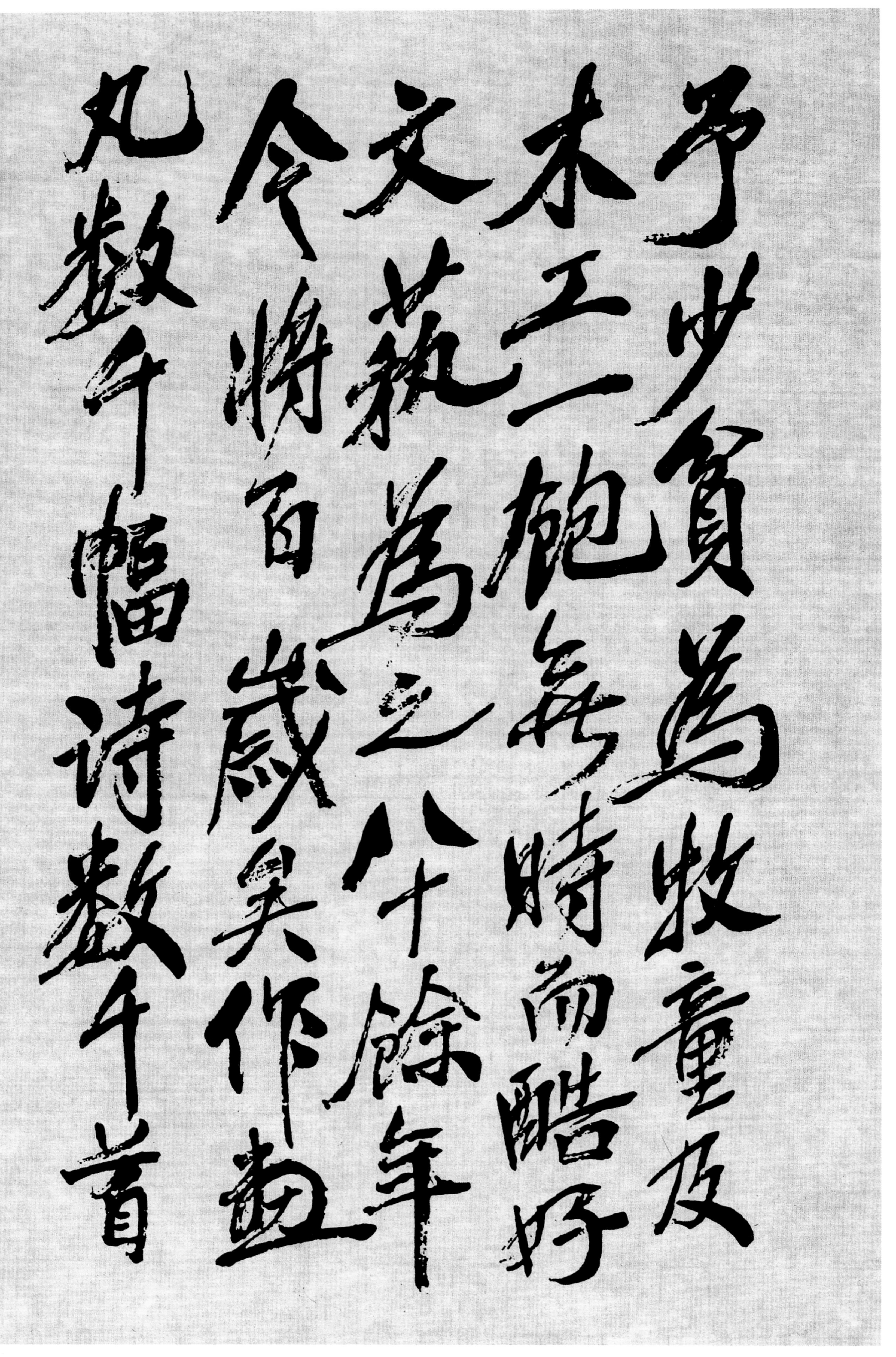

二五六　行書序文（之一）一九五六年

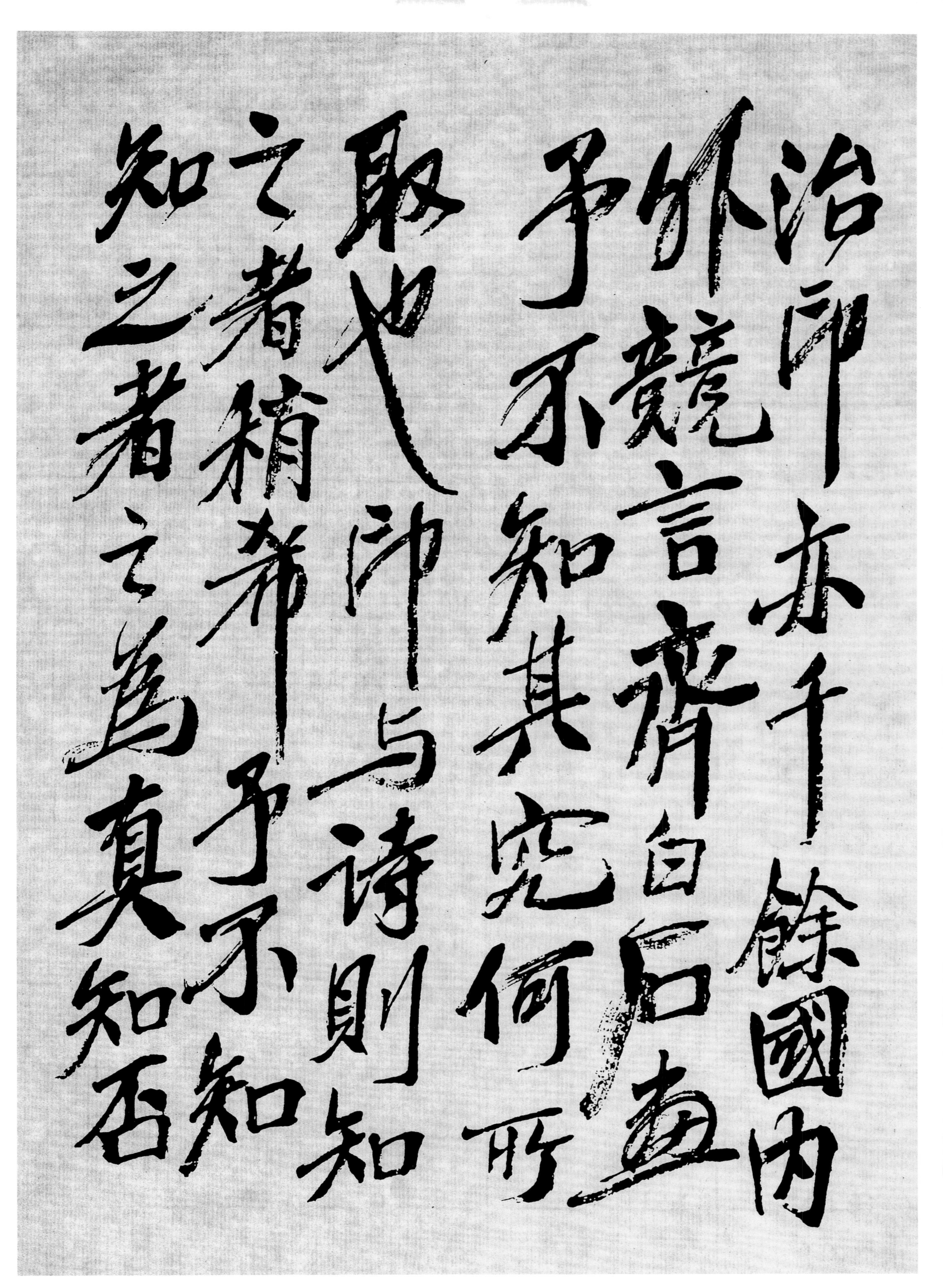

二五七　行書序文（之二）一九五六年

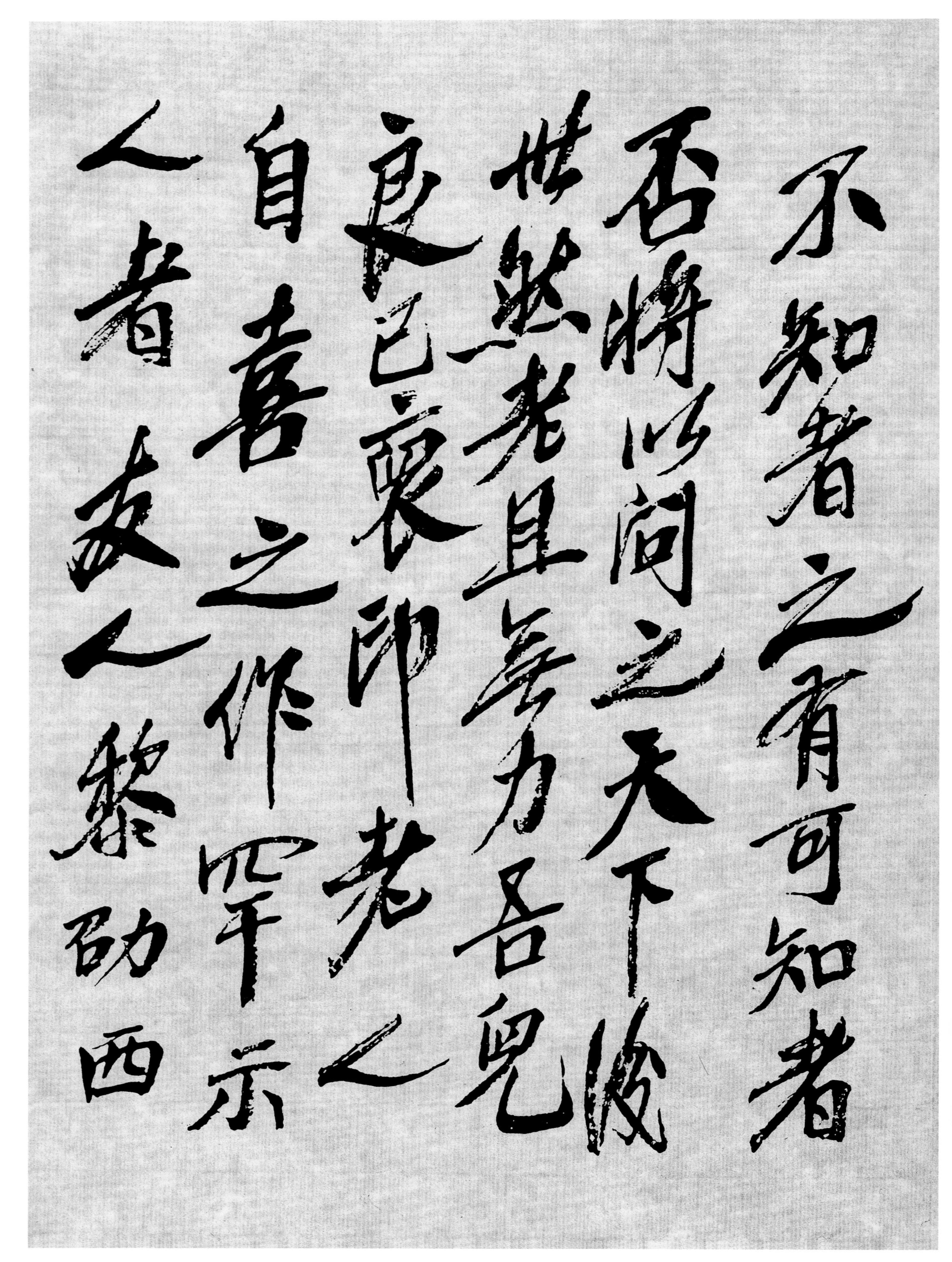

二五八　行書序文（之三）一九五六年

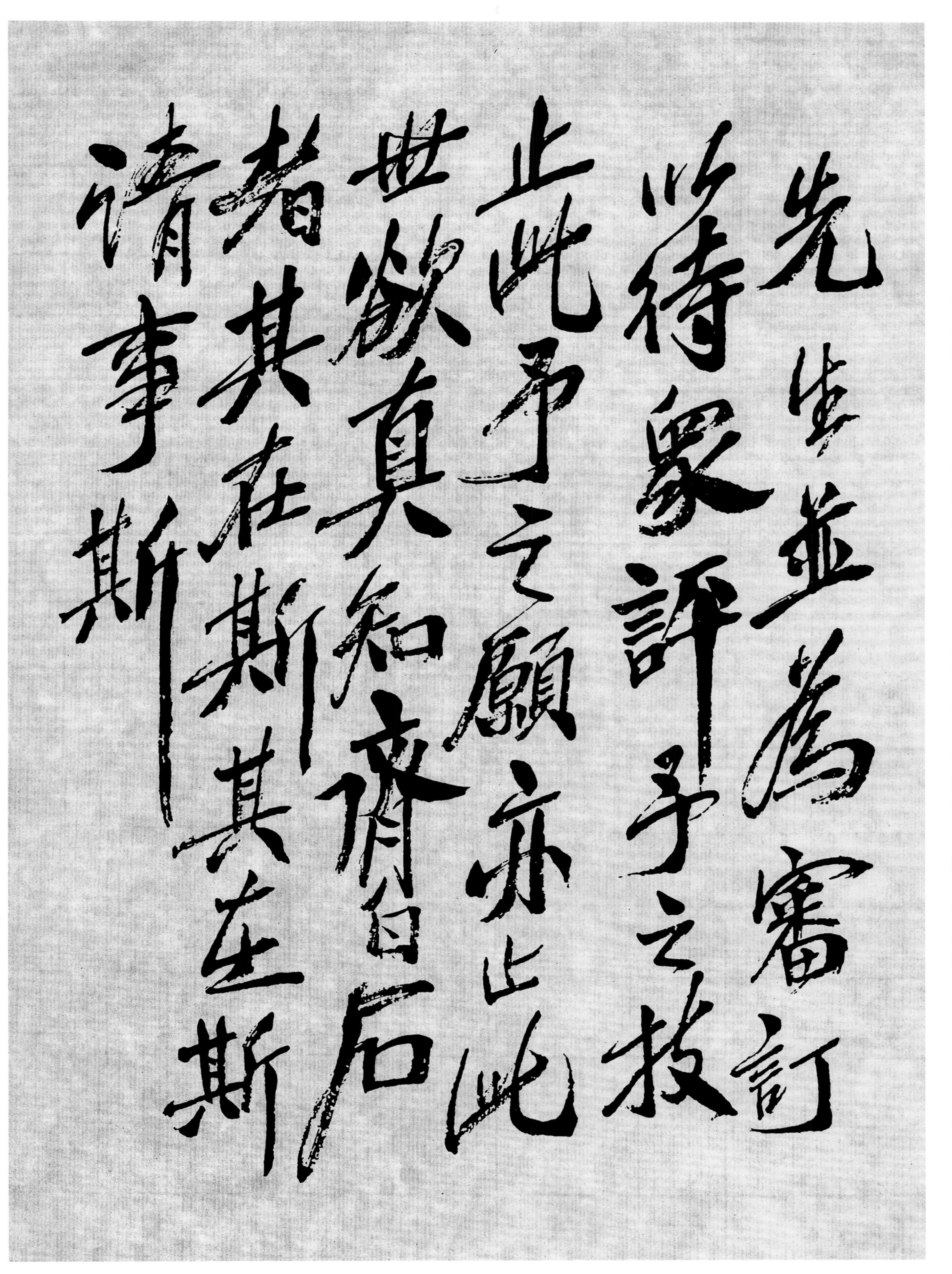
先生並為審訂
以待衆評予之教
止此予之願亦止此
世欲真知齊白石
者其在斯其在斯
請事斯

二五九　行書序文（之四）一九五六年

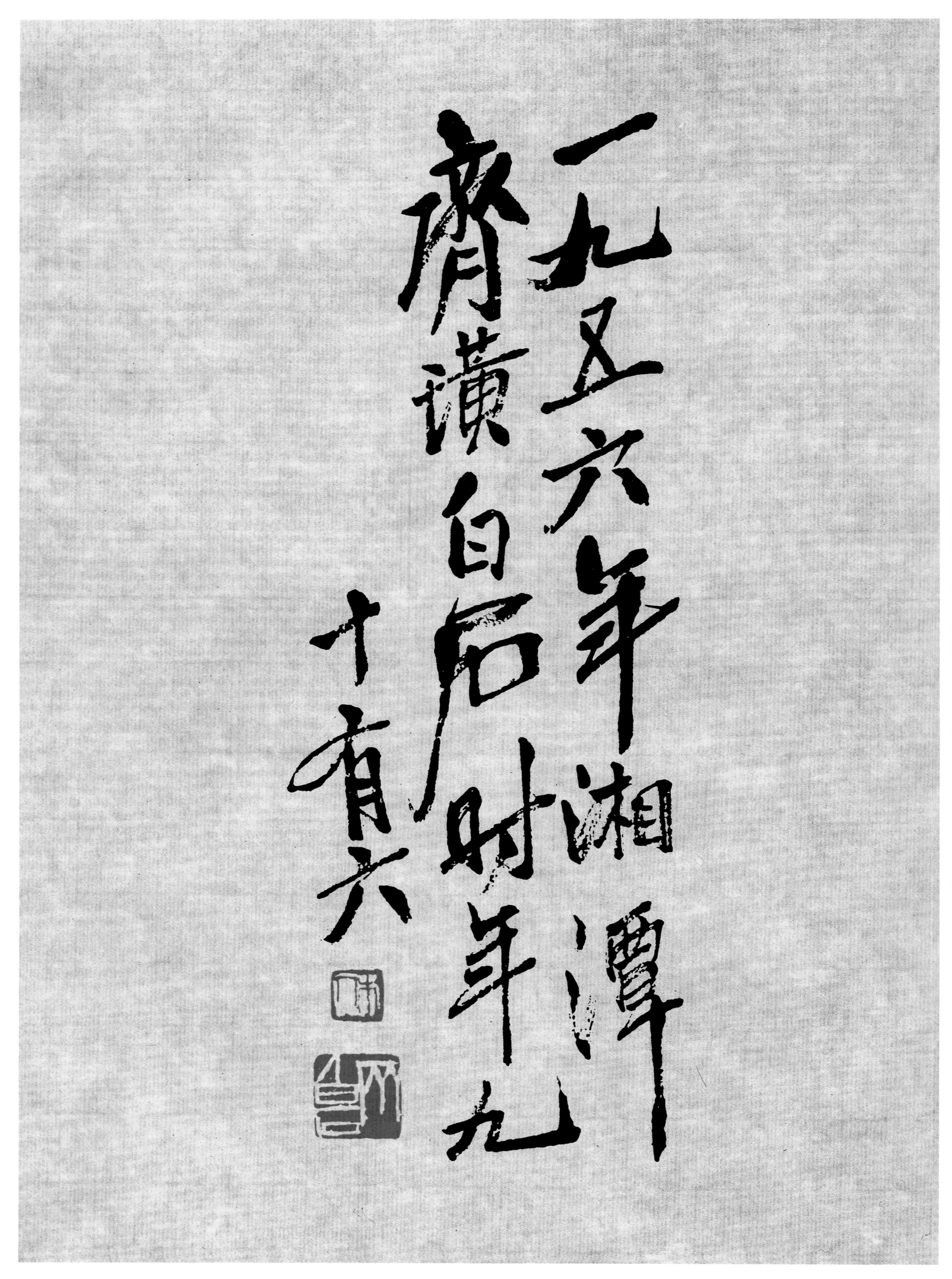
一九五六年湘潭
齊璜白石時年九
十有六

二六〇　行書序文（之五）一九五六年

二六一　行書信札　五十年代　縱三三·五厘米　橫三一·五厘米

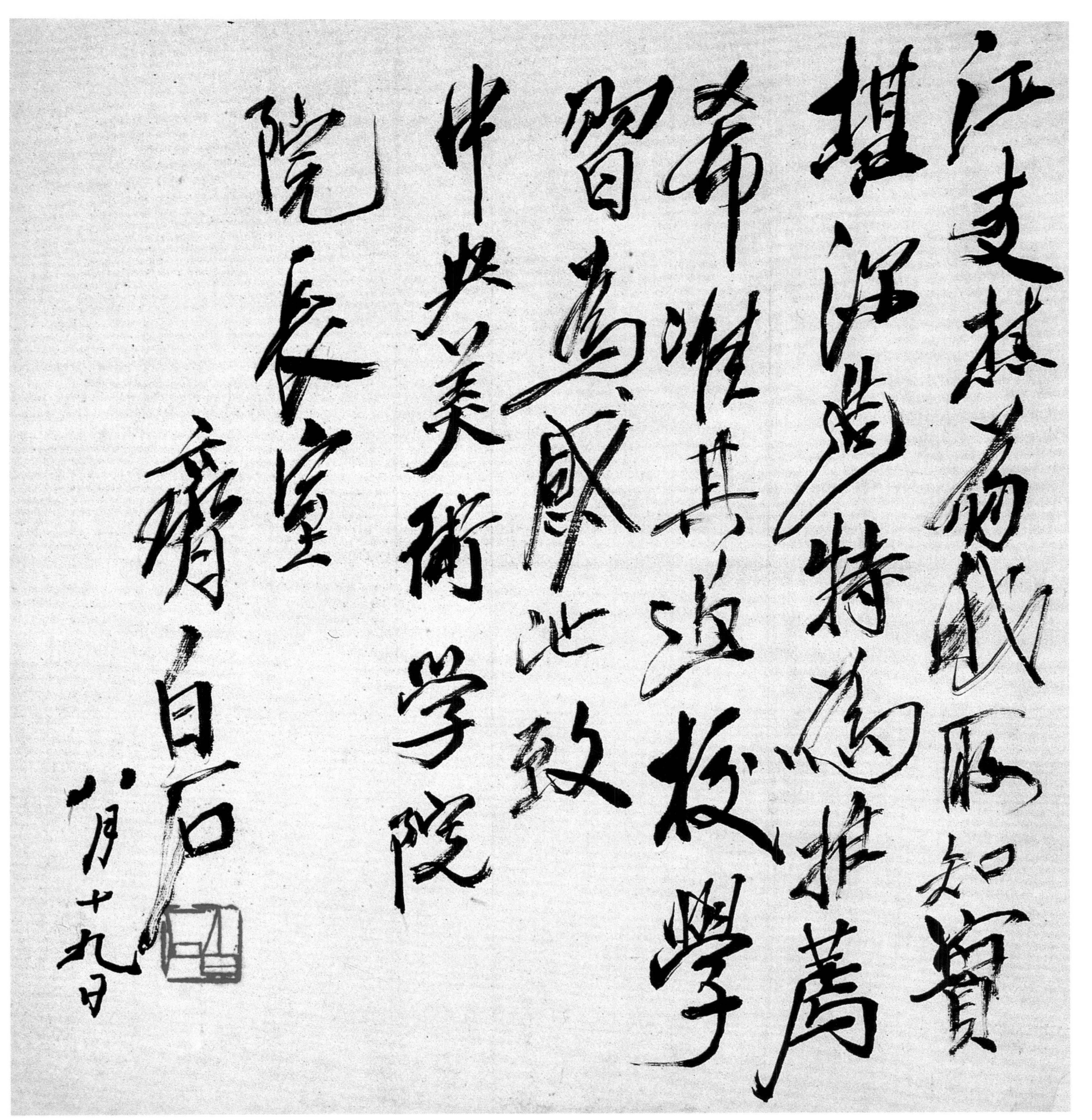
江支林為我所知質樸深篤特為推薦希准其返校學習為感此致
中央美術学院
院長室
齊白石
八月十九日

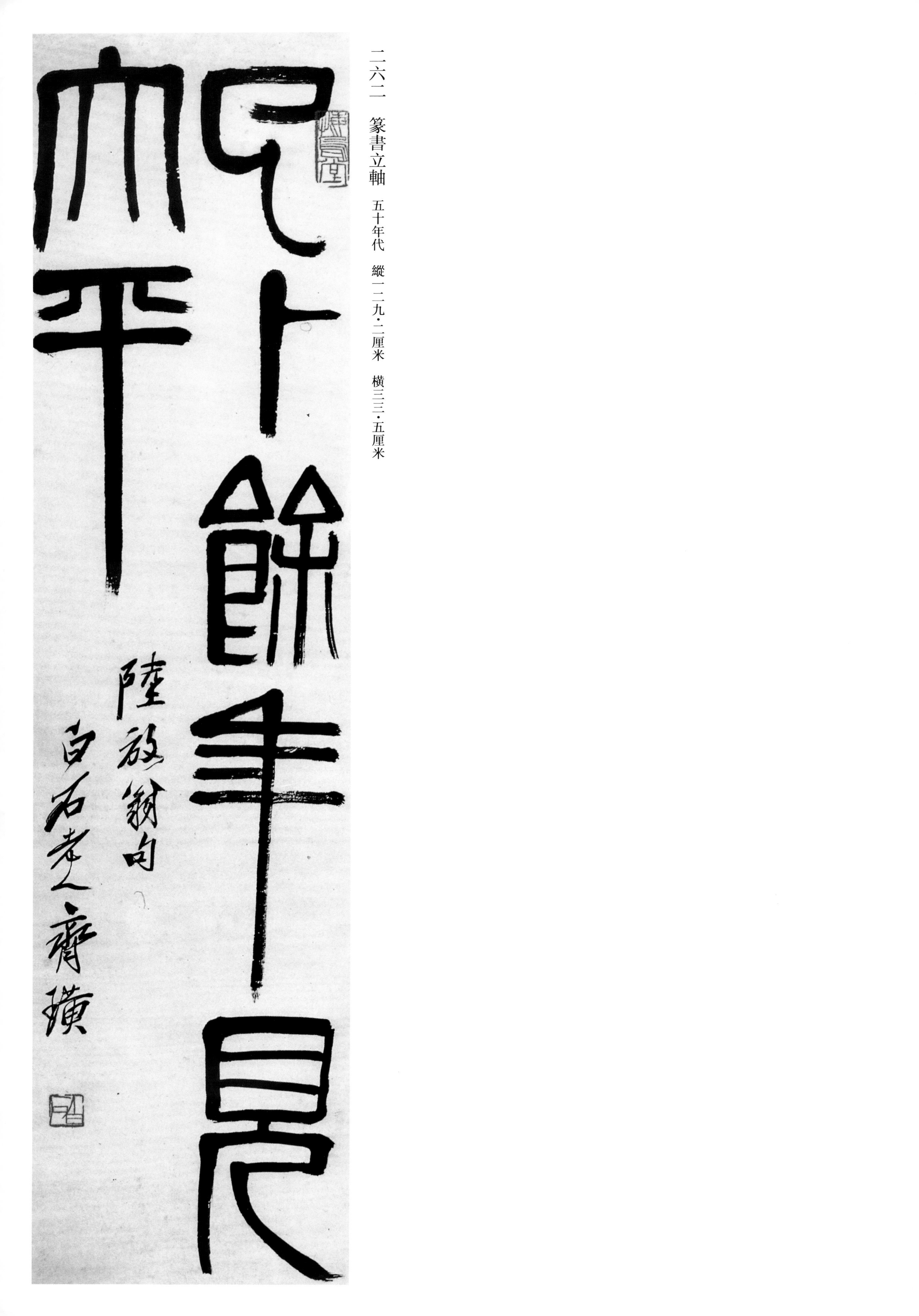

二六二　篆書立軸　五十年代　縱一二九·二厘米　橫三三·五厘米

陸放翁句

白石老人齊璜

篆書（局部）

篆書（局部）

著録·注釋

1. 行書聯

對聯
紙本
189×40.2cm
約 1902 年

釋文：

松陰半榻有山意。
梅影一窗移月來。
沁園夫子大人之命。門下齊璜。

印章：

齊璜之印(朱文)
□

收藏：

歐陽漮

2. 行書橫幅

橫幅
紙本
約 1902 年前

釋文：

補讀山房。
仙譜九弟之屬。兄璜。

印章：

寄萍堂印(白文)
臣璜之印(白文)
白石山人(白文)

收藏：

歐陽漮

注釋：

仙譜為齊白石早年老師胡沁園之長子。

3. 行書橫幅

橫幅
紙本
約 1902 年

釋文：

讀義理書。學法帖字。親友對奕(弈)。花下流觴。階前看鶴。浄几橫琴。雨後讀史。呼童煮香茗。倚樹聽黄鶯。清溪數魚。皆樂事也。仙譜仁兄世大人正字。弟齊璜。

印章：

齊璜私印(白文)　芝木匠(朱文)

收藏：

歐陽漮

4. 楷書信札

信札
紙本
約 1909—1914 年

釋文：

楚人之像。極似。專人送去。道出尊處。乞公加函為索酬謝也。今春植梨樹卅餘株。倘皆栽活。明春可奉贈一二株移於沁園深處。以報賜桃樹也。桃著實十。甚喜。因及之。今日(陰二月十五日)問公安否于王蜕園。人還。知貴恙將愈。喜極慰極。因挑鐙作此。明日將寄沁園夫子。門下弟子璜頓首。

收藏：

私人

5. 楷書題記

册頁

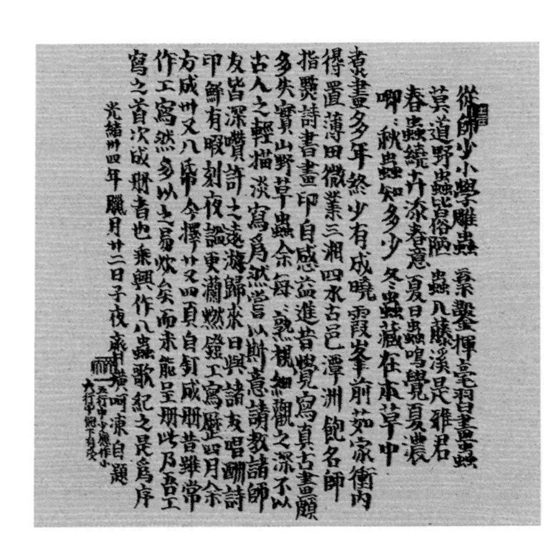

紙本
1909 年

釋文：

從師少小學雕蟲。弃鑿揮毫習畫蟲。
莫道野蟲皆俗陋。蟲入藤溪是雅君。
春蟲繞卉添春意。夏日蟲鳴覺夏濃。
唧唧秋蟲知多少。冬蟲藏在本草中。

煮畫多年。終少有成。曉霞峰前茹家衝(冲)内得置薄田微業。三湘四水古邑潭州飽名師指點。詩書畫印自感益進。昔覺寫真古畫頗多失實。山野草蟲余每每熟視細觀之。深不以古人之輕描淡寫為然。嘗以斯意請教諸師友。皆深贊許之。遠游歸來。日與諸友唱酬詩印。鮮有暇刻。夜謐更闌。燃鐙工寫。歷四月余（餘）方成卅又八帋(紙)。今擇廿又四頁自釘成册。昔雖常作工寫。然多以之易炊矣。而未能呈册。此乃吾工寫之首次成册者也。乘興作八蟲歌紀之是為序。

光緒卅四年臘月廿二日子夜齊璜呵凍自題。

五行中少應作小。六行中飽下有受。

印章：

木居士(白文)　齊大(朱文)

收藏：

私人

6. 行楷立軸

立軸

紙本
76×46cm
約 1909 年

釋文：

星塘小別感年華。十載飄零到處家。雪後園林歸未得。尊前誰与(與)問梅花。

秋蘭世妹屬。兄璜

印章：

璜印(朱文)

收藏：

湖南省博物館

7. 行楷立軸

立軸
紙本
79×34.5cm
1911 年

釋文：

司馬西河竇公名彦澄。碩德高闢。紹賢遠識。哭守岳厚。撿操冰清。屬以帥長。攝行隨手。以己而廣於詩書。以家而行於孝友。以重而雅俗自興。

辛亥正月。白石山長。

印章：

白石山長(白文)　齊瀕生(白文)

收藏：

中央美術學院

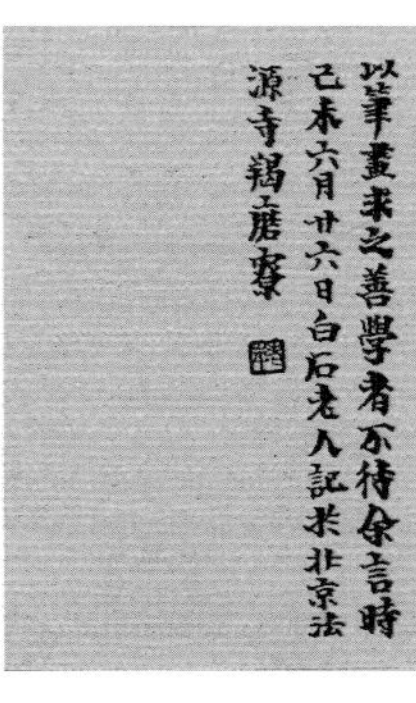

8. 楷書手札(之一)
9. 楷書手札(之二)

手札
紙本
25×19cm
1919 年

釋文：

前朝庚戌冬。小住長沙。於茶陵譚大武齋中獲觀二金蝶堂印譜。余以墨鈎其最心佩者。越明年。此原譜黎薇蓀借來皋山。余轉借歸借山館。以朱鈎之。觀者莫辨原拓鈎填也。且刊一印。其文曰。撝尗(菽)印譜瀕生雙鈎填朱之記。迄今九年以來。重游京師。於廠肆所見撝尗(菽)印譜皆僞本。今夏六月。瀘江吕習恒以二金蝶堂印譜与(與)觀。亦係真本。其印之增減与(與)譚大武所藏之本各不同只(祗)二三印而已。余令侍余游者楚仲華以填朱法鈎之。又借人二金蝶堂印賸(剩)擇其圓折筆畫者。亦鈎之。合為一本。其印之篆畫之精微失之全無矣。白石後人欲師其法。只(祗)可於章法篆法摹仿。不可以筆畫求之。善學者不待余言。時己未六月廿六日。白石老人記於北京法源寺羯磨寮。

印章：

老苹(朱文)

收藏：

齊良遲

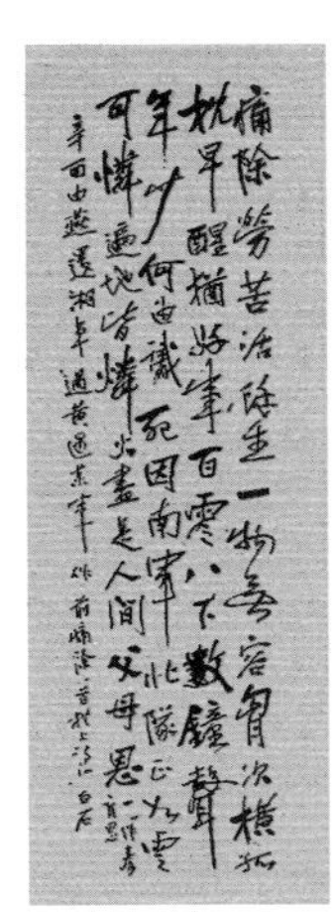

10. 行書條幅

立軸
紙本
1921 年

釋文：

痛除勞苦活餘生。一物無容胸次横。孤枕早醒猶好事。百零八下數鐘聲。年少何由識死因。南軍北隊正如雲。可憐遍地皆磷火。盡是人間父母恩。一作養育恩。辛酉由燕還湘。車過黄(河)遇某軍作。前痛除一首。枕上詩也。白石。

收藏：

私人

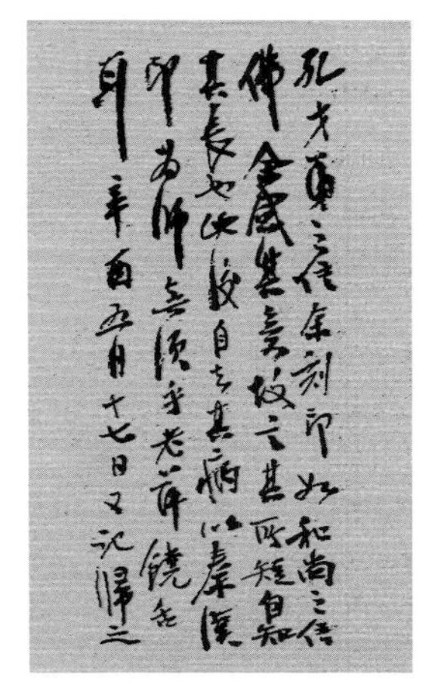

11. 行書手札

印譜
紙本
1921 年

釋文：

孔才弟之信余刻印如和尚之信佛。余感其意。故言其所短。自知其長也。此後自去其病。以秦漢印為師。無須乎老萍饒舌耳。辛酉五月十七日又記歸之。

收藏：

私人

12. 行書聯

對聯
紙本
142×21.2cm
1922 年

釋文：

文章江左家家玉。

烟月揚州樹樹花。

余行年六十。學書不成。以為書不必工。旦(但)能雅足矣。嘗見人摹寫漢碑。其用筆擺舞做成古狀。以愚世人。嘗居海上。時人稱為書中之聖。書中之王。深知書中三昧者恥(耻)之。今渭城仁仲素此。余之大慚。知書者自知耳。

白石老人璜。

印章：

白石翁(白文) □

收藏：

浙江省博物館

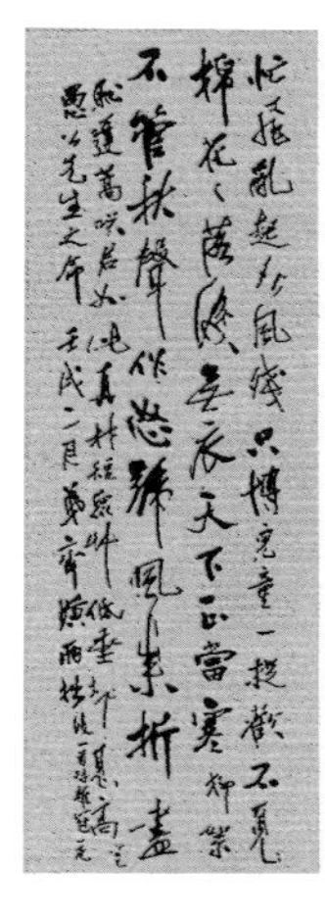

13. 行書立軸

立軸

紙本

1922 年

釋文：

忙飛亂起春風殘。只(衹)博兒童一捉歡。不見棉花花落後。無衣天下正當寒。(柳絮)不管秋聲作怒號。風來折盡恥(耻)蓬蒿。笑君如此真材短。衆草低垂却覺高。

愚公先生之命。壬戌二月。弟齊璜兩拙。後一首矮鷄冠花。

收藏：

私人

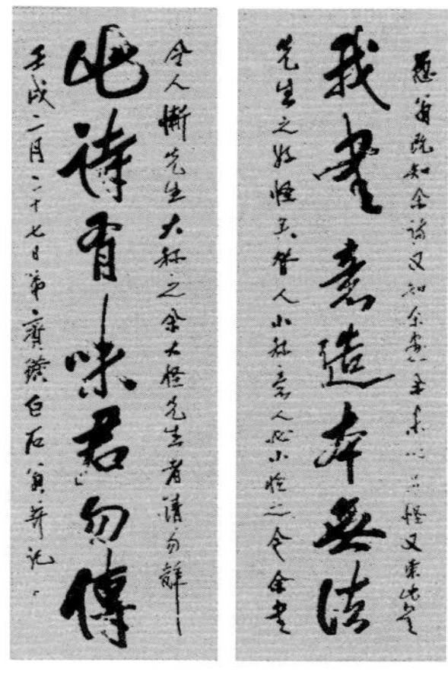

14. 行書聯

對聯

紙本

1922 年

釋文：

我書意造本無法。

此詩有味君勿傳。

愚翁既知余詩。又知余畫。余未以為怪。又索此。是先生之好怪矣。昔人小稱意。人必小怪之。今余書令人慚。先生大稱之。余大怪先生者請勿辭。

壬戌二月二十七日。弟齊璜白石翁并記。

收藏：

私人

15. 篆書聯

對聯

紙本

130.5×18.5cm

1923 年

釋文：

老樹著花偏有態。

春蠶食葉例抽絲。

紫丁香館主人論篆。

此龍山社弟王訓贈余句。癸亥冬十一月。白石山翁齊璜。

印章：

老齊(朱文) 木居士(白文)

白石翁(白文)

五十歲後字八(白文)

收藏：

陝西美術家協會

注釋：

王訓，字仲言，為龍山詩社成員，著有《退園詩文集》。

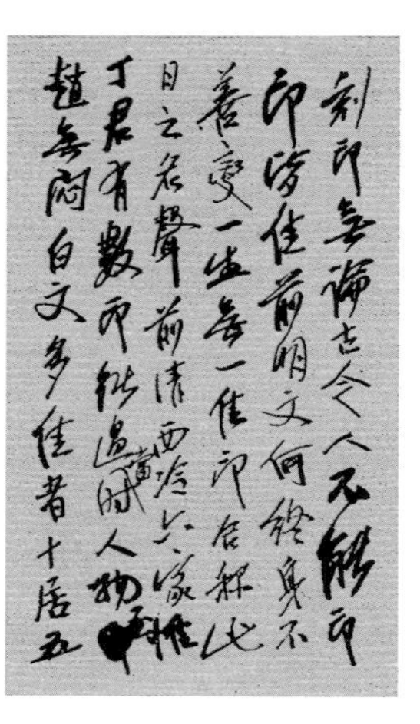

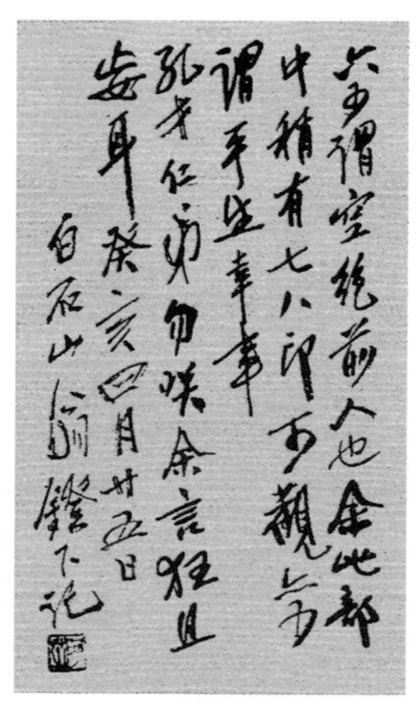

16. 行書題簽(之一)

17. 行書題簽(之二)

印譜

紙本

1923 年

釋文：

刻印無論古今人不能印印皆佳。前明文何終身不善變。一生無一佳印。合称(稱)此日之名聲。前清西泠六家惟丁君有數印能過當時人物。至趙無悶白文多佳者十居五六。可謂空絶前人也。余此部中稍有七八印可觀。亦可謂平生幸事。孔才仁弟勿笑余言狂且妄耳。癸亥四月廿五日。白石山翁鐙下記。

印章：

阿芝(朱文)

收藏：

私人

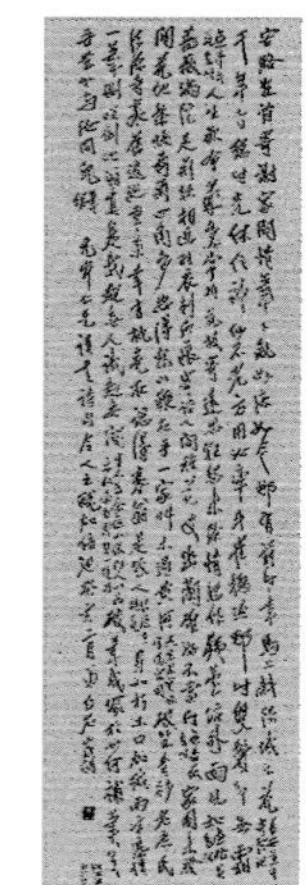

18. 行書立軸

立軸

紙本

139×34cm

1923 年

釋文：

客路題詩寄謝家。閒(闲)情筆下亂如麻。如今那(哪)有前時事。馬上斜陽城下花。長安道中寄阿珊。

千年七日總時光。休信神仙不老方。用汝牽牛雀橋過。那時雙鬢却無霜。畫牽牛花題詞。

人生歡會幾多時。常折花枝寄遠思。狂態未除情態作。鐵蘆塘外雨風知。畫梅花題詞。

薔薇滿院是荆棘。相近挂衣刺血痕。寄語人間種花叟。幽蘭雖好不當門。畫薔薇題詞。

家園未賸(剩)閒(闲)花地。梨橘葡萄四角多。安得趕山鞭在手。一家草木過黄河。燕京果實勝有懷家園。

破笠青衫老庶民。法源寺裏舊逡巡。重來幸有桃花在。認得衰翁是故人。法源寺桃花。

身如朽木口加緘。兩字塵情一筆删。笑倒此翁真是我。越無人識越安閒。有人為余畫小像。門人以為未似。(余自戲題一絶句)。

破筆成塜(冢)。於世何補。筆兮筆兮。吾豈甘与(與)汝同死。筆銘。

無近仁兄請書詩句。令人出醜加倍也。

癸亥二月。弟白石山翁。

印章：

白石翁(白文) 齊人(白文)

收藏印：湖南省博物館藏品章(朱文)

收藏：

湖南省博物館

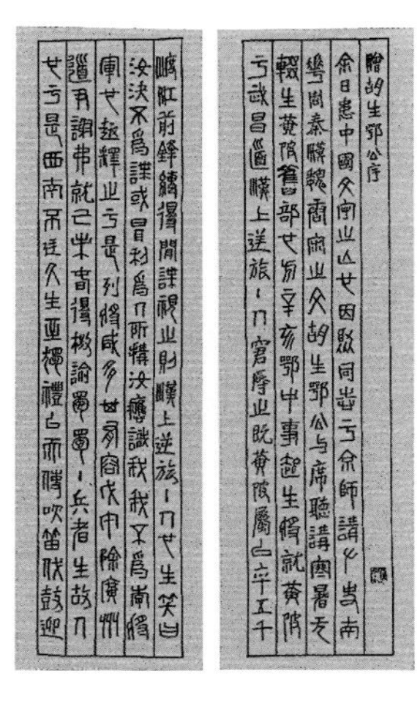

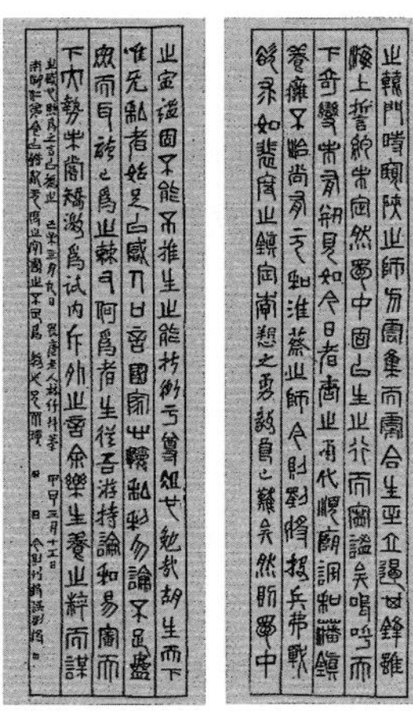

19. 篆書屏(之一)

20. 篆書屏(之二)

條屏

129×32cm

1924 年

釋文：

贈胡生鄂公序。

余日患中國文字之亡也。因聚同志于京師。講左史南華周秦漢魏唐宋之文。胡生鄂公与(與)席聽講。寒暑無輟。生黄陂舊部也。方辛亥。鄂中事起。生將就黄陂于武昌道。漢上逆旅主人窘辱之。既。黄陂屬以卒五千渡江。前鋒縛得間諜。視之。則漢上逆旅主人也。生笑曰。汝決不為諜。或冒利為人所構。汝應識我。我不為李將軍也。趣釋之。于是。列將咸多其有容。戊午。除廣州道尹。謝弗就。己未春。得檄諭蜀。蜀主兵者。生故人也。于是西南不廷久。生至。獨禮以天使。吹笛伐鼓迎之轅門。時窺陝之師方雲集而霧合。生至。立遏其鋒。雖海上誓約未定。然蜀中固以生之行而寧謐矣。嗚呼。天下奇變未有創見如今日者。唐之肅代順廟。調和藩鎮。養癰不治。尚有元和淮蔡之師。今則劉(列)將按兵弗戰。欲求如裴度之鎮定。李愬之勇毅。良已難矣。然則蜀中之寧謐。固不能不推生之能折衝于尊俎也。勉哉胡生。天下唯無私者始足以感人。口言國家。心懷私利。勿論不足蠱衆。而耳聽已為之棘。又何為者。生從吾游。持論和易。審天下大勢。未嘗矯激為詆内斥外之言。余槩生養之粹而謀之臧也。則為之言以振之。己未四月九日。畏廬老人林紓拜槀。甲子三月十五日。

南湖仁弟令以錯亂無度之字書之。不足為　教也。兄齊璜。

“今則列將”誤“劉將”。

印章：

木居士(白文)　老齊(朱文)

阿芝(朱文)

收藏：

北京榮寶齋

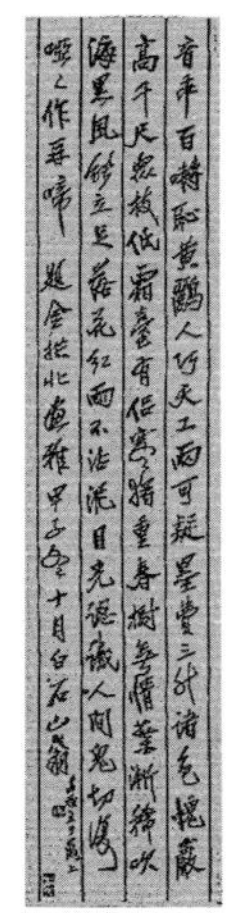

21. 行書立軸

立軸

紙本

120×24cm

1924 年

釋文：

音乖百囀恥(耻)黄鸝。人巧天工兩可疑。墨費三升諸色愧。巖(岩)高千尺衆枝低。霜臺有侶寒猶重。春樹無情葉漸稀。吹海黑風能立足。落花紅雨不沾泥。目光認識人間鬼。切復啞啞作再啼。題金拱北畫雅。甲子冬十月白石山翁。

其雅立于巖(岩)上。

印章：

木居士(白文)　白石翁(白文)

收藏印:湖南省博物館收藏(朱文)

收藏：

湖南省博物館

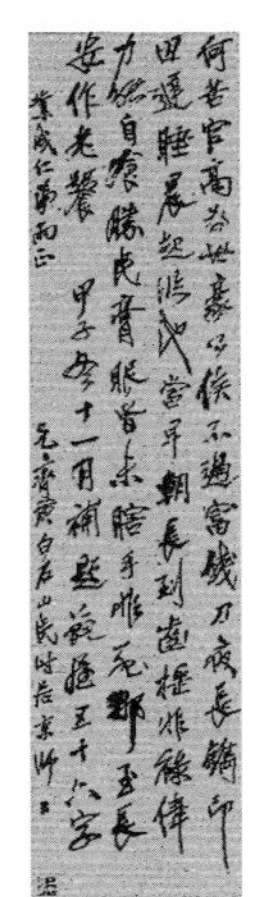

22. 行書立軸

立軸

紙本

130×32cm

1924 年

釋文：

何苦官高為世豪。公侯不過富錢刀。夜長鎸印因遲睡。晨起臨池當早朝。長到齒摇非禄俸。力能自食勝民膏。眼昏未瞎手非死。那(哪)至長安作老饕。甲子冬十一月。補題甑屋五十六字。業成仁弟兩正。兄齊璜白石山民時居京師。

印章：

白石(白文)

收藏印:湖南省博物館收藏印(朱文)

收藏：

湖南省博物館

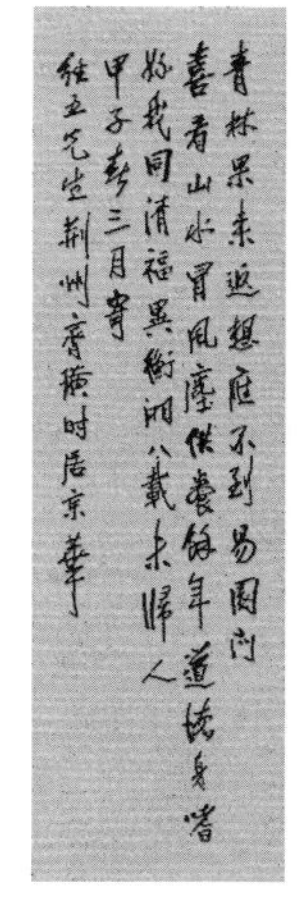

23. 行書屏

條屏

紙本

1924 年

釋文：

百家書卷先人跡(迹)。無用文章後嗣為。精舍夜深雷雨急。小鵝湖上有光輝。

遺言扶病尚天倫。笑倒斯時世上人。我獨哭公一揮泪(淚)。典型寥落失辰星。

舊時官廨東偏地。宦跡(迹)從來可斷魂。黑塞青林果來返。想應不到易園門。

喜看山水冒風塵。供養餘年道德身。嗜好我同清福異(异)。衡湘八載未歸人。

甲子春三月。寄經五先生荆州。齊璜時居京華。

印章：

木居士(白文)　白石翁(白文)

收藏：

私人

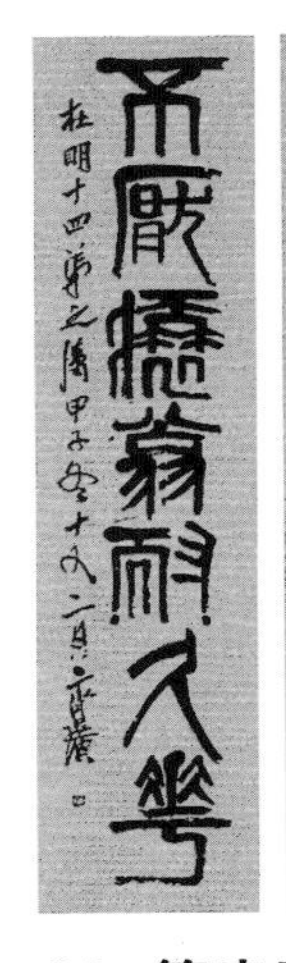

24. 篆書聯

對聯

紙本

1924 年

釋文：

喜看三徑長圓月。

不厭衰翁耐久花。

在明十四弟之屬。甲子冬十又二月。齊璜。

印章：

□

收藏：

私人

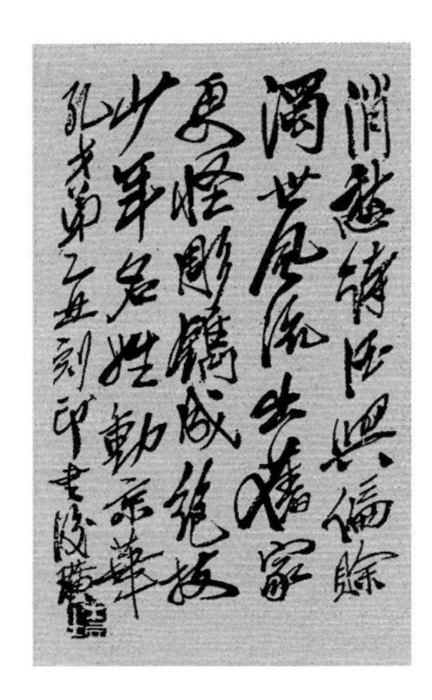

25. 行書題簽

印譜

紙本

1925 年

釋文：

消愁詩酒興偏賒。濁世風流出舊家。更怪彫(雕)鐫成絶技。少年名姓動京華。

孔才弟乙丑刻印書後。璜。

印章：

木居士(白文)

收藏：

私人

26. 篆書橫幅

橫幅

紙本

1925 年

釋文：

荷香圖

乙丑。齊璜。

印章：

老木(朱文)　白石翁(白文)

收藏：

炎黃藝術館藝術中心

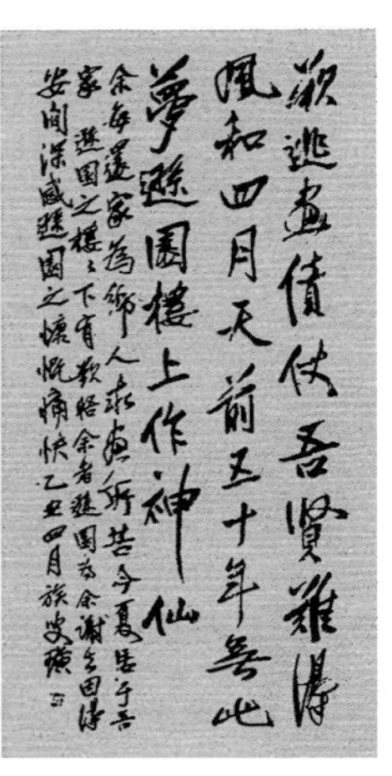

27. 行書立軸

立軸

紙本

1925 年

釋文：

欲逃畫債仗吾賢。難得風和四月天。前五十年無此夢。遜園樓上作神仙。

余每還家。為鄉人求畫所苦。今夏居于吾家遜園之樓。樓下有欲晤余者。遜園為余謝去。因得安閒。深感遜園之慷慨痛快。

乙丑四月。族叟璜。

印章：

白石翁(白文)

收藏：

私人

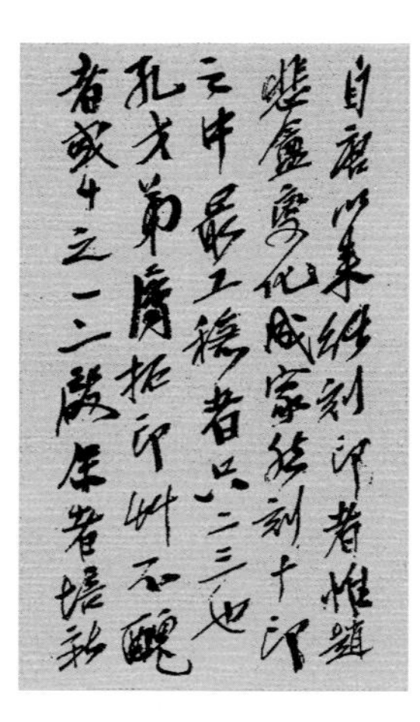

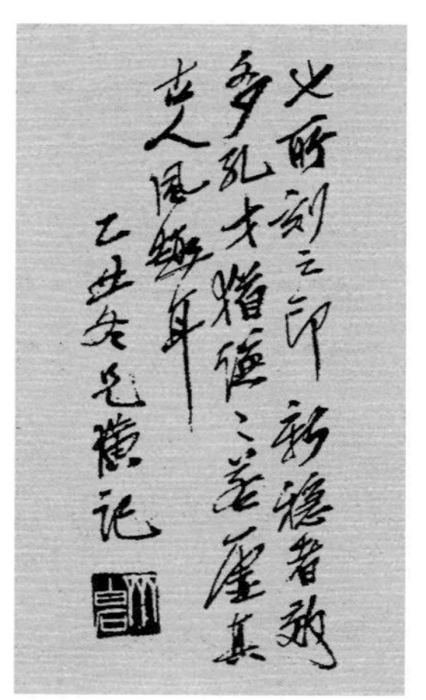

28. 行書題簽(之一)

29. 行書題簽(之二)

印譜

紙本

1925 年

釋文：

自唐以來能刻印者惟趙悲盦變化成家。然刻十印之中。最工穩者只(衹)二三也。孔才弟屬拓印草。不醜者或十之一二。啟余者培新也。所刻之印新穩者效多。孔才猶謙謙若虛。真古人風趣耳。乙丑冬。兄璜記。

印章：

齊白石(白文)

收藏：

私人

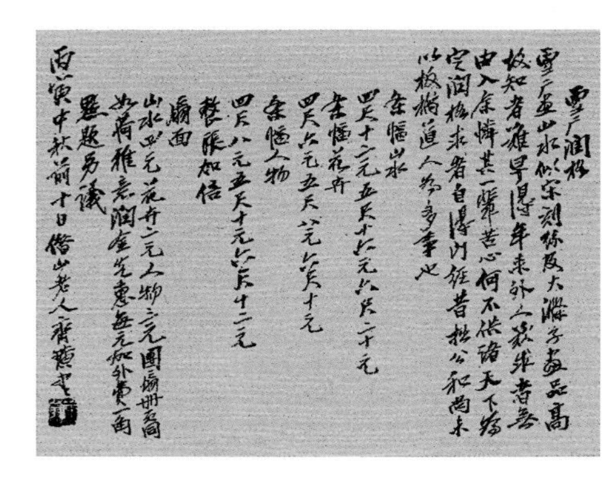

30. 行書手札

手札

紙本

33×41.5cm

1926 年

釋文：

雪厂(庵)潤格。

雪厂(庵)畫山水似宋刻絲及大滌子。畫品高。故知者難早得。年來外人欲求者無由入。余憐其一輩苦心。何不供諸天下。為定潤格。求者自得門徑。昔拙公和尚未以板橋道人為多事也。

條幅山水。

四尺十二元。五尺十六元。六尺二十元。

條幅花卉。

四尺六元。五尺八元。六尺十元。

條幅人物。

四尺八元。五尺十元。六尺十二元。

整張加倍。

扇面。

山水四元。花卉二元。人物三元。團扇册頁同。

如荷雅意。潤金先惠。每元加外費一角。

點題另議。

丙寅中秋前十日。借山老人齊璜書。

印章：

萍翁(白文)

收藏：

北京榮寶齋

31. 篆書聯

對聯

紙本

175.2×23.4cm

1926 年

釋文：

秋風上樹微微見。

山色入雲漸漸無。

季端四兄先生清正。丙寅春二月篆于京師。齊璜。

印章：

老齊(朱文)　白石翁(白文)　□

收藏：

夏衍原藏。現藏浙江省博物館。

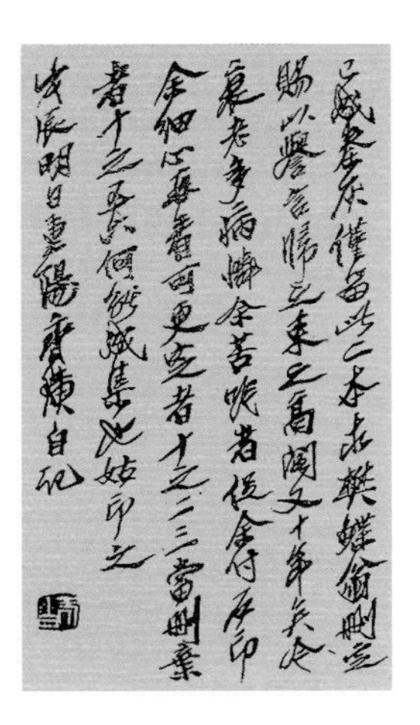

32. 行草手札(之一)

33. 行草手札(之二)

題記

紙本

1928 年

釋文：

余年四十至五十多感傷。故喜放翁詩。所作之詩。感傷而已。雖嬉笑怒罵。幸未傷風雅。十年得一千二百餘首。為兒輩背携出而失。余于友朋處搜還之詩箋。計詩四百二十餘首。親手寫為四本。以二本寄湘綺師删改。不數日。師没。其藁(稿)又失。搜還之詩箋已成秦灰。僅留此二本。求樊蝶翁删定。賜以譽言歸之。東之高閣又十年矣。今衰老多病。憐余苦吟者促余付石印。余細心再看。可更定者十之二三。當删弃者十之五六。何能成集也。姑印之。戊辰。明日重陽。齊璜自記。

印章：

老白(白文)

收藏：

私人

34. 行書扇面

扇面

紙本

1929 年

釋文：

今古公論幾絶倫。梅花神外寫來真。補之和伯缶廬去。有識梅花應斷魂。

金陽姓尹字和伯。潭州人。畫梅自言學楊補之未能似。余以為過之。己巳春。石坡仁兄再屬。璜。

印章：

老白(白文)

收藏：

天津人民美術出版社

35. 行書扇面

扇面

紙本

1929 年

釋文：

兩本新圖墨寶香。尊前獨唱小秦王。為君翻作歸來引。不學陽關空斷腸。醜石半蹲山下虎。長松倒卧水中龍。試君眼力看多少。數到雲山第幾重。

冷庵先生再正。己巳夏。齊璜。

印章：

木居士(白文)

收藏：

私人

36. 篆書聯

對聯

紙本

166×40cm

1930 年

釋文：

魯史别流稱(称)夾氏。

宋廷納士紀錢王。

无近先生法論。庚子春。齊璜。

印章：

甑屋(朱文)

收藏：

湖南省博物館

注釋：

夾氏：《漢書・藝文志》有夾氏春秋傳。

宋廷納士，為五代吳越王錢俶事。宋太祖立國後，錢俶入朝納士。國除。

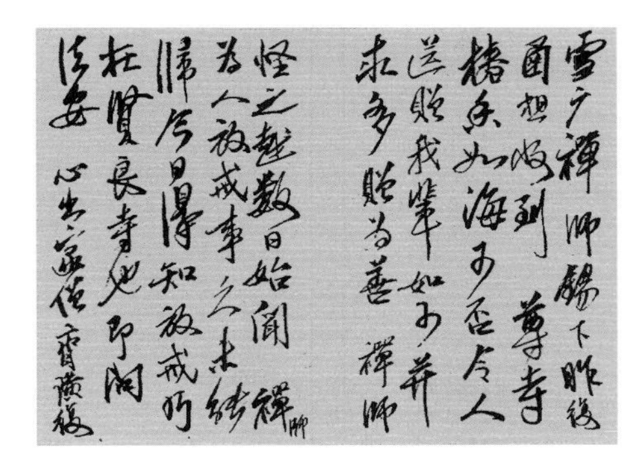

37. 行書信札

信札

紙本

25.5×16cm

20 年代

釋文：

雪厂(庵)禪師錫下。昨復函想收到。尊寺椿香如海。可否令人送贈我輩。如可。并求多贈為善。禪師怪之。越數日。始聞禪師為人放戒事久未能歸。今日得知放戒乃在賢良寺也。即問法安。

心出家僧齊璜復。

收藏：

私人

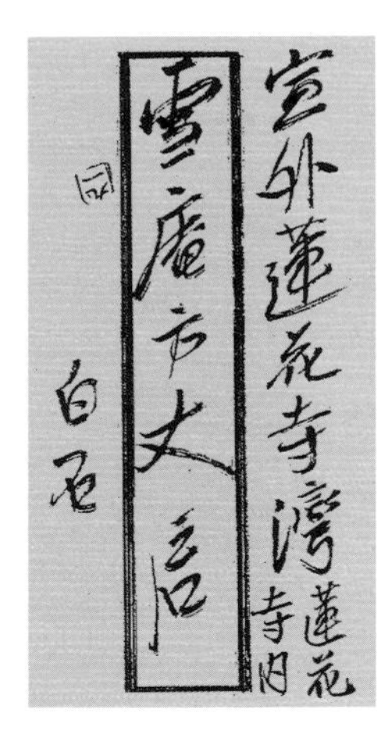

38. 行書信封

信封

紙本

20 年代

釋文：

宣外蓮花寺灣蓮花寺内

雪庵方丈　启(啓)

白石

收藏：

私人

注釋：

雪庵是齊白石二十年代後期友人,《西城三怪圖》(1926 年)中所畫“三怪”之一。

39. 楷書立軸

立軸

紙本

54×18cm

20 年代

釋文：

禿筆掃驊騮。韋侯畫馬之妙也。其紅韉覆背圖一軸。乾隆元年見之京師王侍郎宅。余曾題詩左方。侍郎逝後。此畫為厮養卒竊去。歸諸内城賣漿家矣。今拈毫追想其意。所謂頭一點尾一抹者。乃于素縑中摹得之。每逢上巳湔裙之日。不無有斜陽芳草。香輪漸遠之感。此幅原題。杏子塢老民齊璜。鐙昏鈎摹冬心先生驊騮圖并其款識百餘字。

印章：

齊璜(朱文)

收藏：

私人

40. 行書聯

對聯

紙本

約 20 年代

釋文：

乍看舞劍忙提筆。

恥(耻)共簪花笑倚門。

白石山翁齊璜題陳紉蘭女弟子畫蘭句。

印章：

□

收藏：

私人

41. 行書立軸

立軸

紙本

約 20 年代

釋文：

小樓殘月雪無聲

白石山翁書

印章：

木居士(白文)　齊大(白文)

收藏：

私人

42. 篆書聯

對聯

紙本

約 20 年代

釋文：

詩思夜深無厭苦。

画名年老不嫌低。

齊璜白石山翁。

印章：

□　白石翁(白文)

收藏：

私人

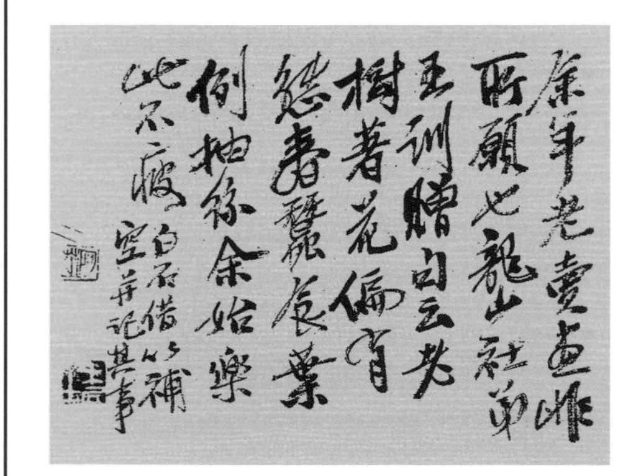

43. 行書題款

題跋

紙本

約 20 年代

釋文：

余年老賣畫非所願也。龍山社弟王訓贈句云。老樹著花偏有態。春蠶食葉例抽絲。余始樂此不疲。

白石借以補空并記其事。

印章：

阿芝(朱文)　木居士(白文)

收藏：

私人

44. 行書扇面

扇面

紙本

24×52cm

約 20 年代

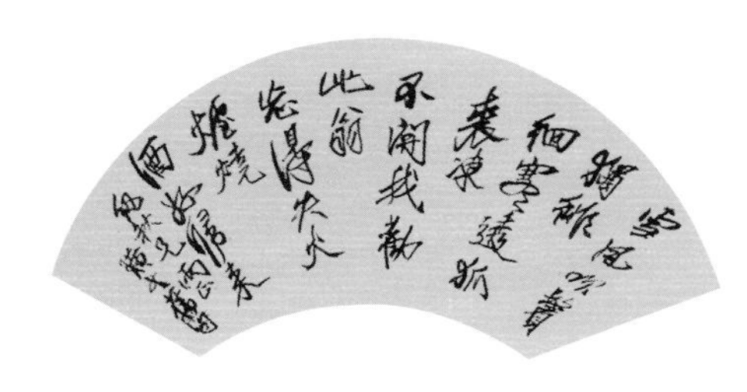

釋文：

雪風吹鬢獨徘徊。寒透狐裘凍不開。我勸此翁忘得失。火爐燒酒好歸來。

紉秋兄兩正。璜書舊句。

印章：

白石翁(白文)

收藏：

長沙市博物館

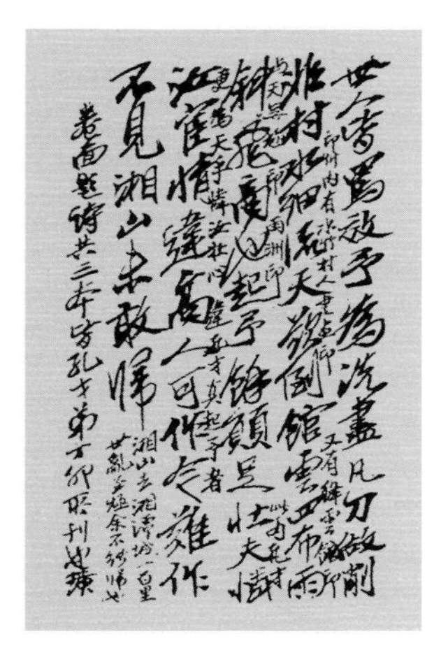

45. 行草手札

印譜

紙本

20 年代

釋文：

世人皆罵效予為。洗盡凡刀做削非。村水細流天欲倒。館雲四布雨斜飛。(印草內有水竹村人書畫印。又有絳雲館印。与(與)天無極印。雨洲印)。商也起予餘願足。壯夫憐汝宦情違。(此句孔才更為天乎憐汝壯心違。孔才真起予者。)高人可作今難作。不見湘山未敢歸。(湘山去湘潭城一百里。世亂至極。余不能歸也。)

卷面題詩共三本。皆孔才弟丁卯所刊也。璜。

收藏：

私人

46. 行草題簽

印譜

紙本

20 年代

釋文：

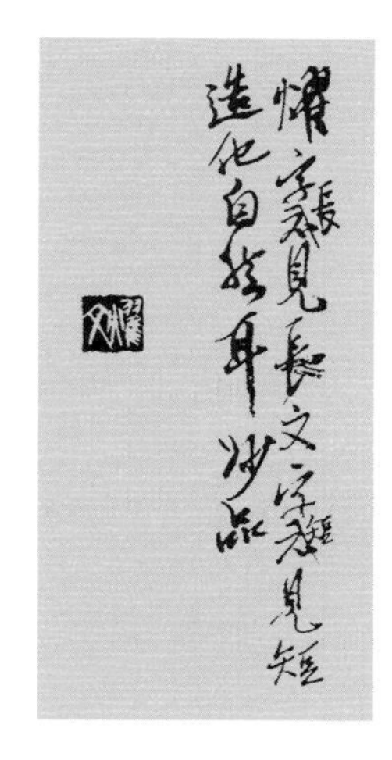

耀字長不見長。文字短不見短。造化自然耳。妙品。

印章：

他人印一方

收藏：

私人

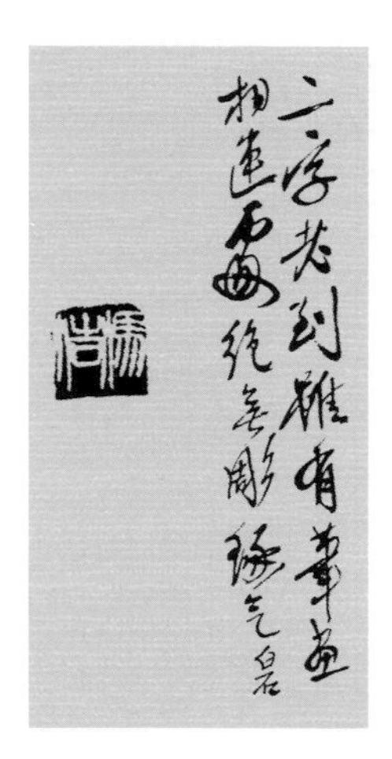

47. 行草題簽

印譜

紙本

20 年代

釋文：

二字老到。雖有筆畫相連處。絶無彫(雕)琢氣。白石。

印章：

他人印一方

收藏：

私人

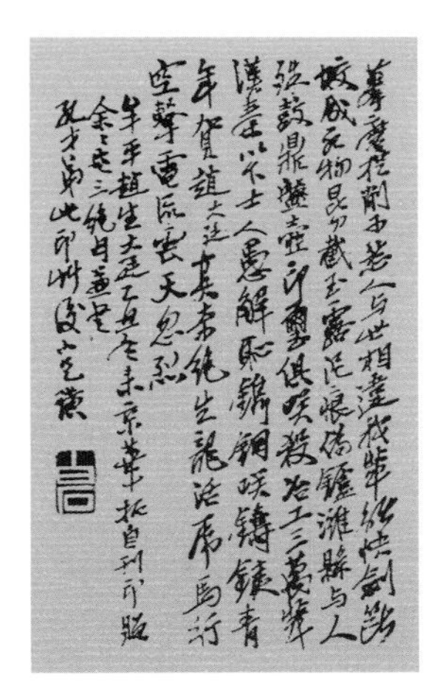

48. 行書手札

印譜

紙本

20 年代

釋文：

摹磨捉削可愁人。与(與)世相違我輩能。快劍斷蛟成死物。昆刀截玉露泥痕。偽爐漸縣与(與)人殊。鼓鼎盤壺印璽俱。笑殺冶工三萬輩。漢秦以下士人愚。解恥(耻)鎸銅笑鑄鐵。青年賀趙(大廷)真奇絶。生龍活虎馬行空。繫電流雲天忽烈。牟平趙生大廷乙丑冬來京華拓自刊印贈余。余題三絶句兼書孔才弟此印草後。小兄璜。

印章：

白石(白文)

收藏：

私人

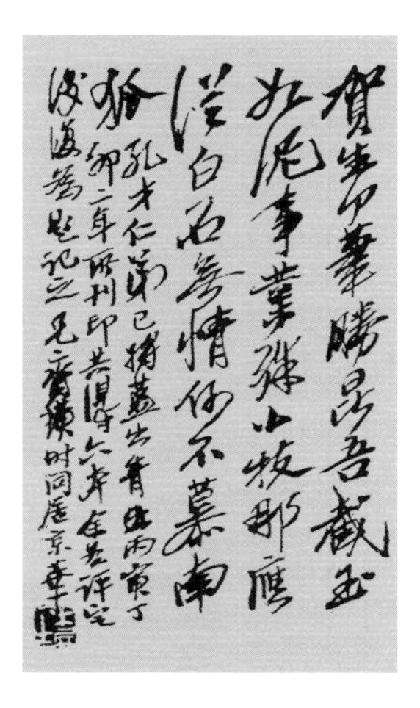

49. 行書手札

印譜

紙本

20 年代

釋文：

賀生刀筆勝昆吾。截玉如泥事業殊。小技那(哪)應從白石。無情何不慕南狐。孔才仁弟已將藍出青。丙寅丁卯二年所刊印共得六本。余為評定後復為題記之。兄齊璜時同居京華。

印章：

木居士(白文)

收藏：

私人

50. 行書題簽

印譜

紙本

20 年代

釋文：

四字古極雅極。此時之京華刻印家不能夢見。即吾輩亦不常有也。吾子刻石止乎此矣。白石山翁。

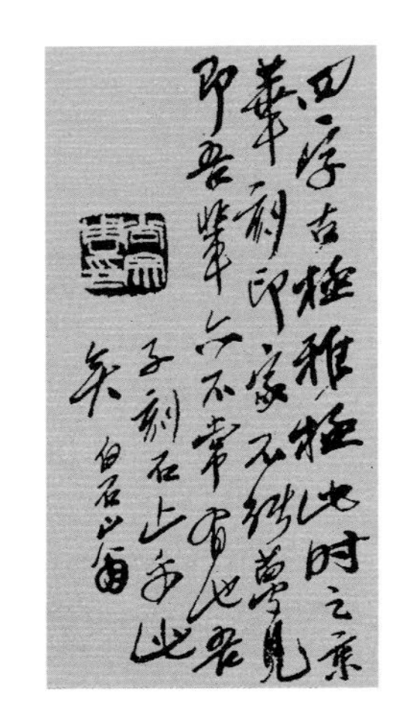

印章：

他人印一方

收藏：

私人

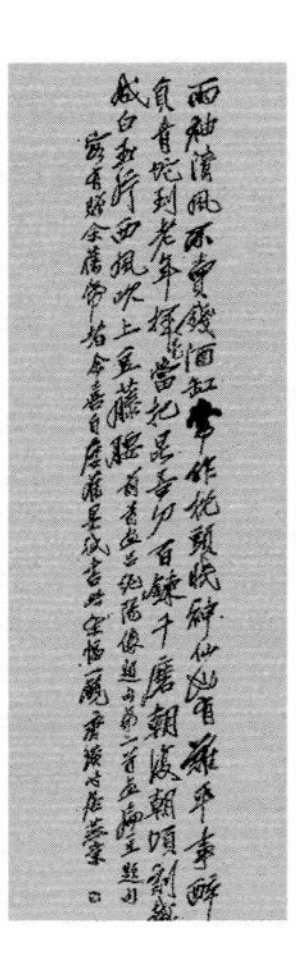

51. 行書立軸

立軸

紙本

150×25.3cm

20 年代

釋文：

兩袖清風不賣錢。酒缸常作枕頭眠。神仙也有難平事。醉負青蛇到老年。揮毫當把昆吾刀。百鍊(煉)千磨朝復朝。頃刻截成白玉片。西風吹上豆藤腰。

前首畫吕純陽像題句。第二首畫扁豆題句。

客有贈余舊帋(紙)者。余喜自磨舊墨試書此條幅一觀。齊璜時居燕京。

印章：

木人(朱文)　白石翁(白文)

收藏：

天津市藝術博物館

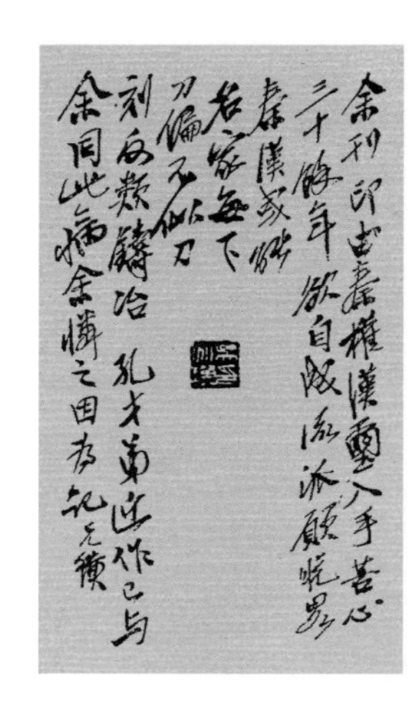

52. 行書題簽

印譜

紙本

20 年代

釋文：

余刊印由秦權漢璽入手。苦心三十餘年。欲自成流派。願脱略秦漢或能名家。每下刀偏不似刀刻。反類鑄冶。孔才弟近作已与(與)余同此病。余憐之。因為記。兄璜。

印章：

他人印一方

收藏：

私人

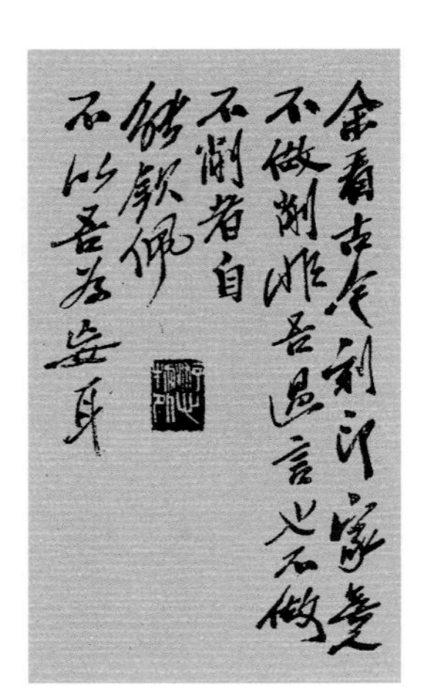

53. 行書題簽

印譜

紙本

20 年代

釋文：

余看古今刻印家。無人不做削。非吾過言也。不做不削者。自能欽佩。不以吾為妄耳。

印章：

他人印一方

收藏：

私人

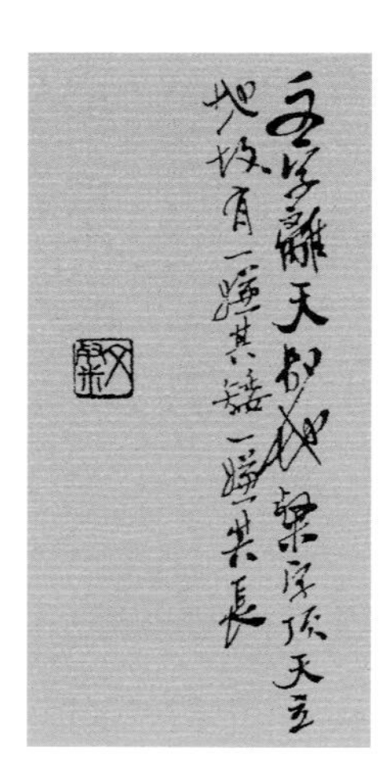

54. 行書題簽：

印譜

紙本

20 年代

釋文：

文字離天別地。粲字頂天立地。故有一嫌其矮。一嫌其長。

印章：

他人印一方

收藏：

私人

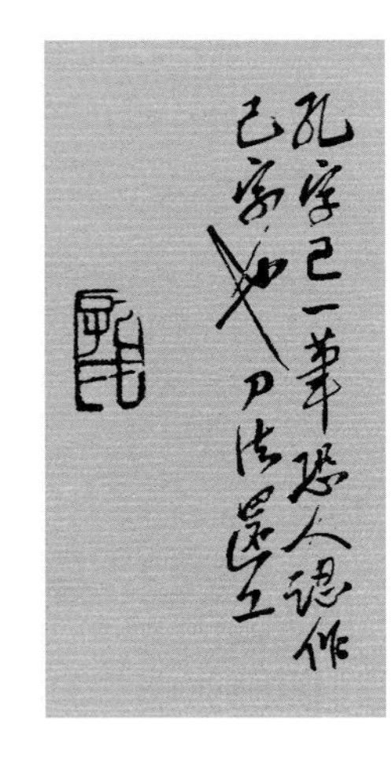

55. 行書題簽

印譜

紙本

20 年代

釋文：

孔字已(乚)一筆。恐人認作巳字也。刀法還工。

印章：

他人印一方

收藏：

私人

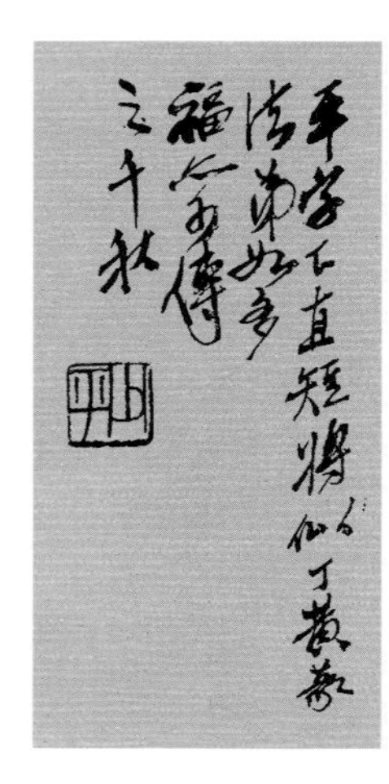

56. 行書題簽

印譜

紙本

20 年代

釋文：

平字下直短將似丁黄篆法。弟如多福。亦可傳之千秋。

印章：

他人印一方

收藏：

私人

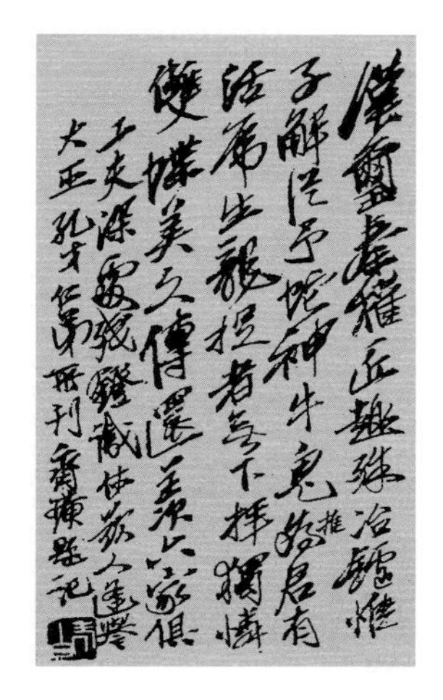

57. **行草題簽**

印譜

紙本

20年代

釋文：

漢璽秦權近趣殊。冶鑪(爐)惟子解從予。蛇神牛鬼推君有。活虎生龍捉者無。下拜獨憐雙蝶美。久傳還羨六家俱。工夫深處殘鐙識。休欲人逢譽大巫。孔才仁弟所刊。齊璜題記。

印章：

老白(白文)

收藏：

私人

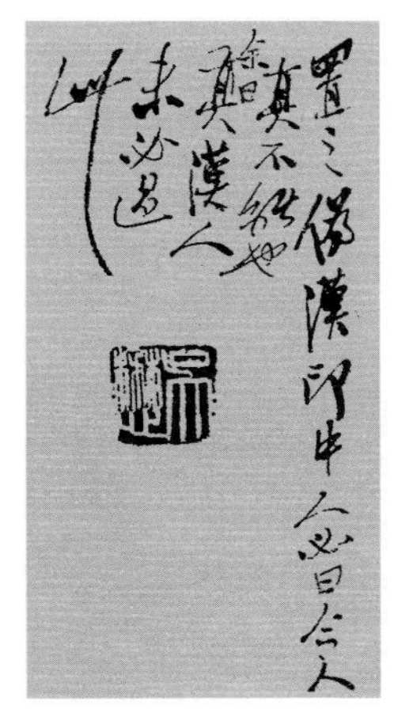

58. **行草題簽**

印譜

紙本

20年代

釋文：

置之偽漢印中。人必曰。令人真不能也。余曰。真漢人未必過此。

印章：

他人印一方

收藏：

私人

59. **行書册頁**

册頁

紙本

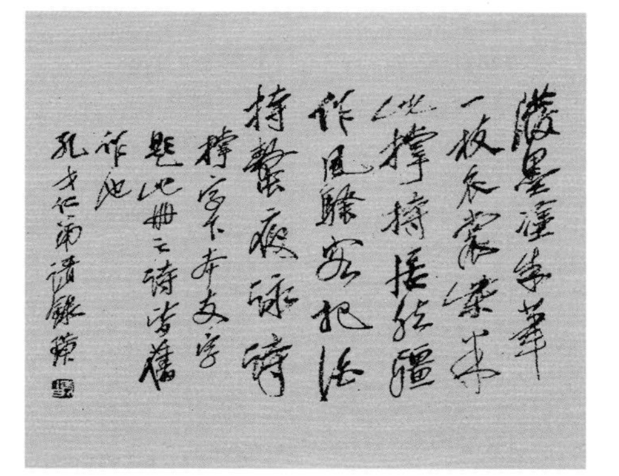

20年代

釋文：

潑墨塗朱筆一枝。衣裳柴米此撑持。居然彊(强)作風騷客。把酒持螯夜詠(咏)詩。撑字下本支字。題此册之詩皆舊作也。

孔才仁弟請録。璜。

印章：

老白(白文)

收藏：

私人

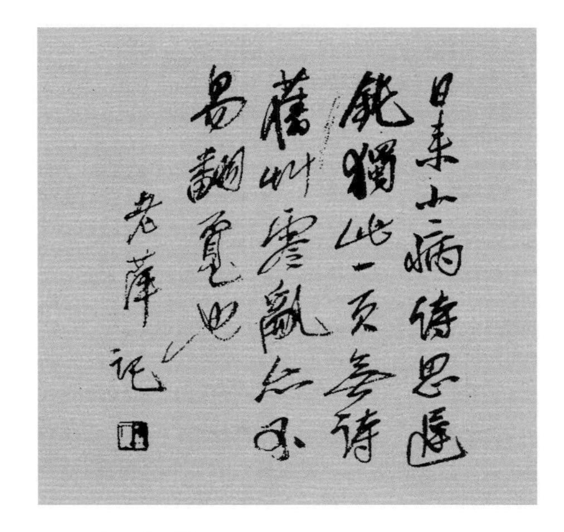

60. **行書册頁**

册頁

紙本

20年代

釋文：

日來小病。詩思遲鈍。獨此一頁無詩。舊草零亂亦不易翻覓也。老萍記。

印章：

木人(朱文)

收藏：

私人

61. **行書册頁**

册頁

紙本

20年代

釋文：

茅塘春漲碧波瀾。塘堪蘆茅青正繁。

不忘叮嚀牆角外。蘆蝦消息待君

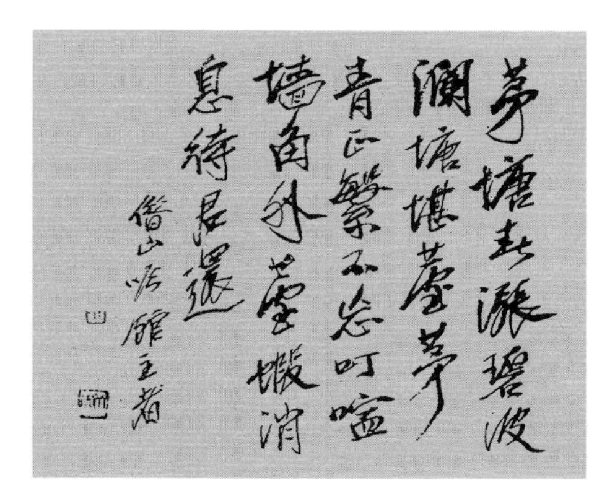

還。

借山吟館主者。

印章：

木人(朱文)　齊大(朱文)

收藏：

私人

62. **行書册頁**

册頁

紙本

20年代

釋文：

栩栩欲何之。秋風退時粉。吴娘衣共薄。凉(凉)透五銖絲。八硯樓老人。

印章：

白石(白文)

收藏：

私人

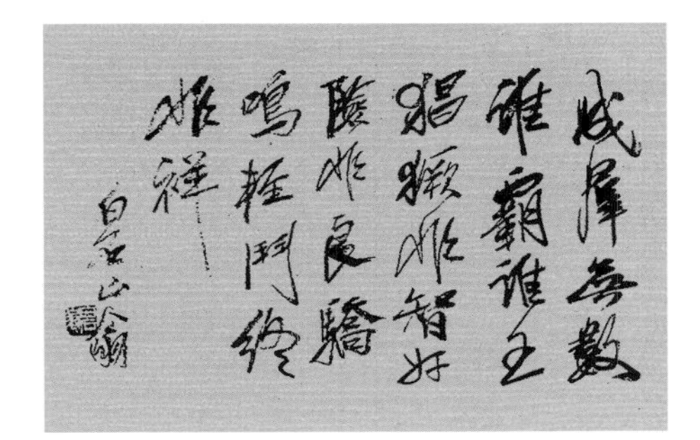

63. **行書册頁**

册頁

紙本

20年代

釋文：

成群無數。誰霸誰王。猖獗非智。奸險非良。驕鳴輕鬥終非祥。白石山翁。

印章：

白石翁(白文)

收藏：

私人

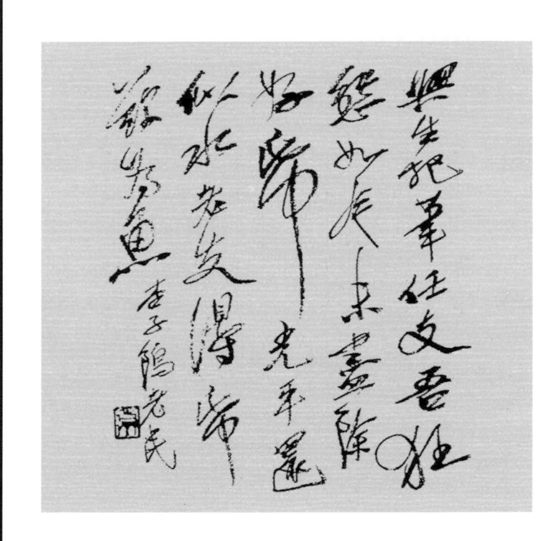

64. 行書册頁

册頁

紙本

20 年代

釋文：

興生把筆任支吾。

狂態如今未盡除。

好帋(紙)光平還似水。

老夫得帋(紙)欲為魚。

杏子隖(塢)老民。

印章：

老齊(朱文)

收藏：

私人

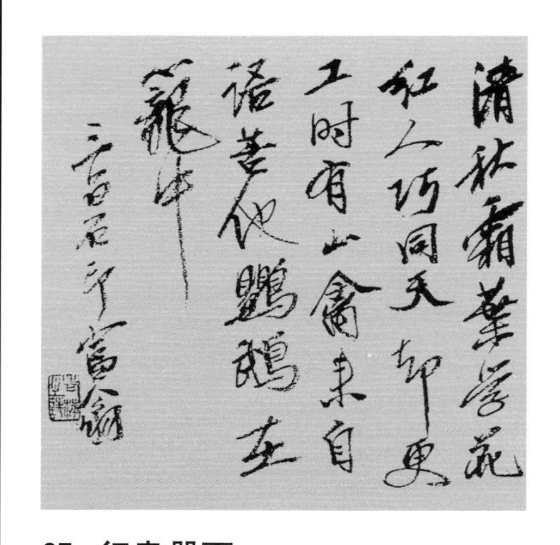

65. 行書册頁

册頁

紙本

20 年代

釋文：

清秋霜葉學花紅。

人巧同天却更工。

時有山禽來自語。

苦他鸚鵡在籠中。

三百石印富翁。

印章：

老萍之詩(朱文)

收藏：

私人

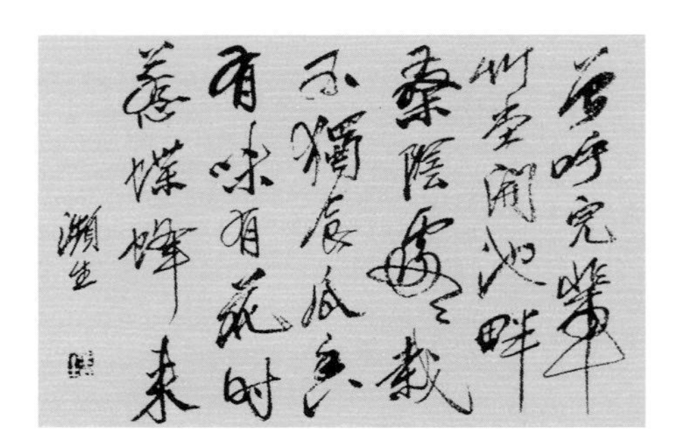

66. 行書册頁

册頁

紙本

20 年代初

釋文：

曾呼兒輩草堂開。

池畔桑陰處處栽。

不獨食瓜香有味。

有花時惹蝶蜂來。

瀕生。

印章：

木居士(白文)

收藏：

私人

67. 行書册頁

册頁

紙本

約 30 年代初

釋文：

聊以永日。

嶦農仁弟屬畫此册。戲題。璜。

印章：

□

收藏：

中國藝術研究院美術研究所

68. 篆書聯

對聯

紙本

1930 年

釋文：

受雨石膚響。

流雲山氣靈。

識五先生清屬。庚午冬十又一月。齊璜。

印章：

□□

收藏：

私人

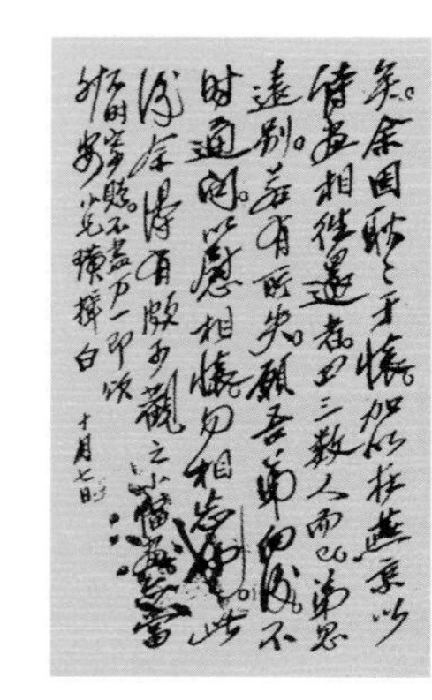

69. 行書信札

信札

紙本

22.5×12.5cm

約 30 年代初

釋文：

泊盧仁弟鑒。別後望來函不得。倩瑞光和尚代為探定。始知吾弟之居趾(址)。特此先問平安。弟來借山作別後。本欲來尊處贈行。因与(與)兒輩分給事。大生煩惱。以至忘却。一日事清。忽記憶之。弟已行矣。余固耿耿于懷。加以在燕京以詩畫相往還者。四三數人而已。弟忽遠別。若有所失。願吾弟向後。不時通問。以慰相懷。勿相忘也。此後余得有頗可觀之小幅畫。亦當不時寄贈。不盡萬一。即頌升安。小兄璜揖白。十月七日。

收藏：

私人

70. 篆書橫幅

橫幅

紙本

1930 年

釋文：

活色生香五百春。

龔定厂(庵)句。齊璜。

印章：

木居士(白文)　白石翁(白文)

收藏：

私人

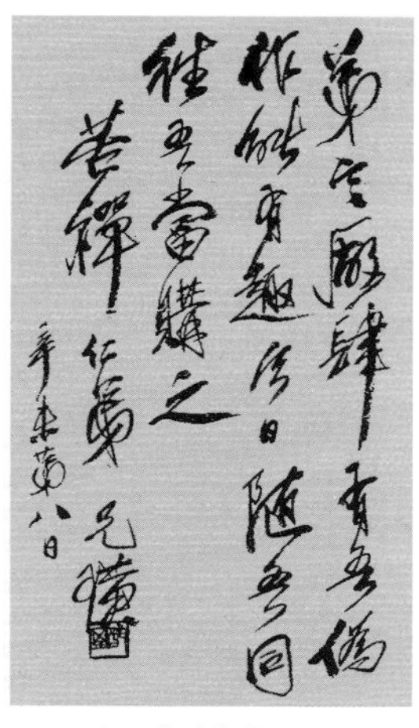

71. 行書信札

信札

紙本

52×28cm

1931 年

釋文：

弟言廠肆有吾僞作。能有趣。今日隨吾同往。吾當購之。

苦禪仁弟。兄璜。辛未第八日。

印章：

甑屋(朱文)

收藏：

私人

72. 篆書橫幅

橫披

紙本

1931 年

釋文：

漢雙洗室。

石倩仁弟雅屬。辛未。兄齊璜。

印章：

□

收藏：

私人

73. 行書橫幅

橫披

紙本

1931 年

釋文：

龍鱓軒。

辛未夏。石清仁弟屬。璜。

印章：

甑屋(朱文)

收藏：

私人

74. 行書立軸

立軸

紙本

1931 年

釋文：

湘亂求安作北游(遊)。穩携筆硯過蘆溝。也嘗草莽吞聲味。不獨家山有此愁。辛未冬將避亂。移家東郊(交)民巷。村書無角宿緣遲。廿七年華始有師。鐙草無油何害事。自燒松火讀唐詩。往事示兒輩。安詳(青藤)寂怪(雪个)意天開。一代新奇出衆才(吴缶廬)。我欲九原為走狗。三家門下轉輪來。板橋有印。其文曰。徐青藤門下走狗鄭燮。墨農先生兩正。辛未小年。齊璜。

此幅七十一歲時作。忽忽過去二十年。今歸麟廬弟。倩予題記之。辛卯端午前三日。觀予書者。可染。尚謙。秀儀。皆門人也。九十一白石。

印章：

白石翁(白文)　白石題跋(白文)

齊璜(朱文)　□

收藏：

私人

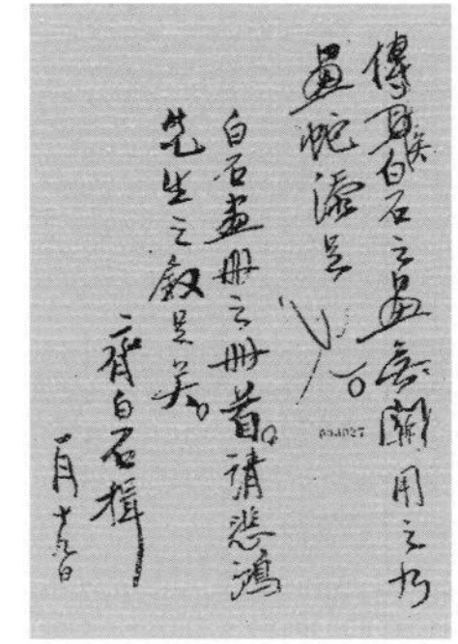

75. 行書信札

信札

紙本

28×19cm

1932 年

釋文：

廉銘先生鑒。王湘綺師作齊白石山人傳。其時。白石年方四十。畫名未遠。故湘綺師作傳。專言篆刻。未曾言及白石之畫。承代印白石畫册。不必用湘綺師所作之傳矣。與白石之畫無關。用之乃畫蛇添足也。

白石畫册之册首。請悲鴻先生之叙足矣。

齊白石揖。一月十九日。

收藏：

中華書局

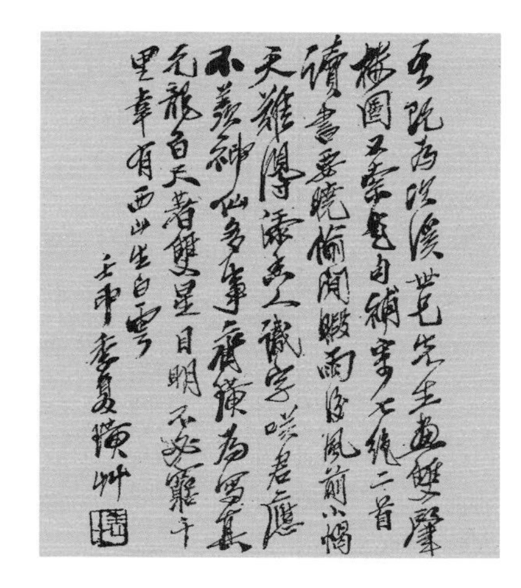

76. 行書信札

信札

紙本

1932 年

釋文：

吾既為次溪世兄先生畫雙箠樓圖。又索題句。補寄七絶二首。讀書要曉偷閒(閑)暇。雨後風前小愒天。難得添香人識字。笑君應不羨神仙。多事齊璜為寫真。元龍百尺著雙星。目明不必窮千里。幸有西山生白雲。壬申季夏。璜草。

印章：

老木(朱文)

收藏：

私人

77. 行書題簽

手卷

紙本

36.5×26cm

1932 年

釋文：

此中華書局代印寄來之樣。初印最精。良遲兄弟如有變化可師也。乃翁

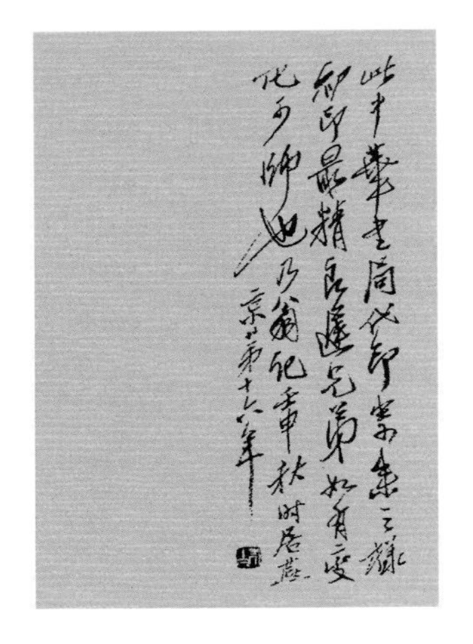

記。壬申秋。時居燕京第十六年。

印章：

老白(白文)

收藏：

私人

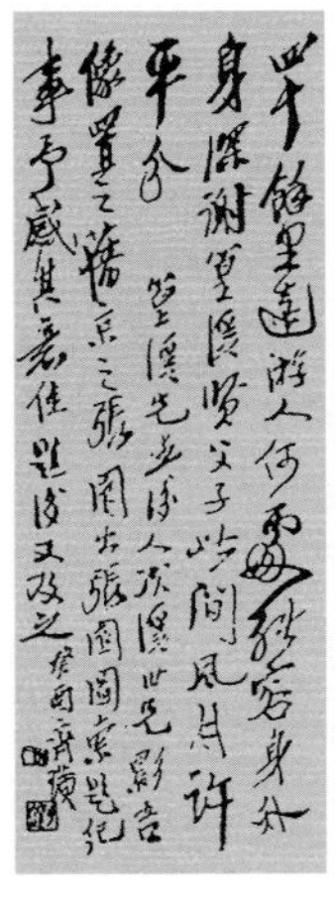

78. 行書立軸

立軸

紙本

1933 年

釋文：

四千餘里遠游人。何處能容身外身。深謝篁溪賢父子。此間風月許平分。篁溪先生後人次溪世兄影吾像。置之舊京之張園。出張園圖索題紀事。予感其意佳。題後又及之。癸酉。齊璜。

印章：

木人(朱文)　阿芝(朱文)

收藏：

私人

79. 行書手札

手札

紙本

1933 年

釋文：

刻印一事。隱僻者自能工。聊以自娛。不求稱譽。吾邑王湘綺師之妻母舅李雲根先生。畫入逸品。遠勝前清諸老。刻印能駕無悶而上之。足不出柴門。未肯供諸世。一代精神殊可惜也。門人姚石倩前丁巳年始從予游。庚午重來京華。見其所刻印。古今融化冶為一鑪(爐)。刪除一切窠臼。今年常將所刻拓寄予題數語於前。願吾賢勿效隱僻之一流。姓名不出邑城也。若成印集。以此為序可矣。癸酉五日。白石山翁齊璜。

印章：

白石翁(朱文)

收藏：

私人

80. 行書題跋

題跋

紙本

1934 年

釋文：

門人羅生祥止小時乃邱太夫人教讀。稍違教必令跪而責之。當時祥止能解怪其嚴。今太夫人逝矣。祥止追憶往事。且言且泣。求余畫憶母圖以紀母恩。余亦有感焉。圖成并題二絶句。願子成龍自古今。此心不獨老夫人。世間養育人人有。難得從嚴母外恩。當年却怪非慈母。今日方知泣憶親。我亦爺娘千載逝。因君圖畫更傷心。甲戌冬十一月二十二日。酒闌客去之醉腕也。時居故都西城之西太平橋外。白石山翁齊璜。

印章：

木人(朱文)　阿芝(朱文)

老齊(朱文)

收藏：

中國美術館

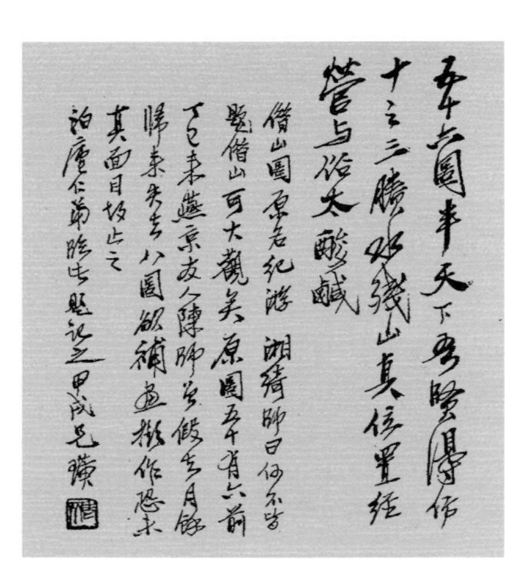

81. 行書題款

册頁

紙本

25×20cm

1934 年

釋文：

五十六圖半天下。吾賢得仿十之三。賸(剩)水殘山真位置。經營与(與)俗太酸鹹。

借山圖原名紀游。湘綺師曰。何不皆題借山。可大觀矣。原圖五十有六。前丁巳來燕京。友人陳師曾假去月餘。歸來失去八圖。欲補畫擬作。恐未真面目。故止之。

泊廬仁弟臨此。題記之。甲戌。兄璜。

印章：

老齊(朱文)

收藏：

中國藝術研究院美術研究所

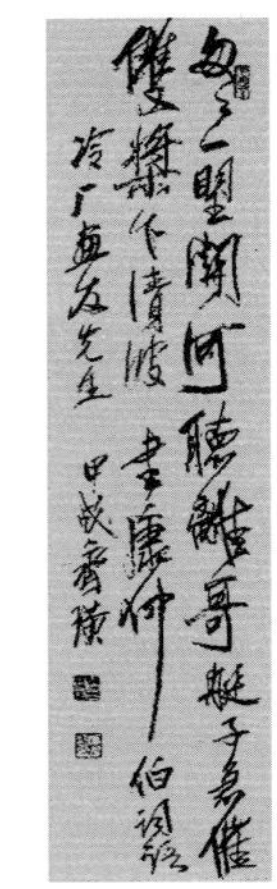

82. 行書立軸

立幅

紙本

1934 年

釋文：

匆匆一望關河。聽離哥(歌)。艇子急催雙槳下清波。書康仲伯詞語。

冷厂(庵)畫友先生。甲戌。齊璜。

印章：

悔烏堂(朱文)

白石山翁(白文)

人長壽(朱文)

收藏：

私人

83. 篆書聯

立軸

紙本

138×34cm

1934 年

釋文：

芳腴絶勝仙林杏。

甘脃(脆)全過太谷梨。

冷盦畫友先生。甲戌秋月。齊璜。

印章：

齊大(朱文)　老白(白文)

收藏：

胡冷庵原藏，梁穗現藏。

84. 篆書橫幅

橫幅

紙本

29.9×125.7cm

1934 年

釋文：

多福壽男。

甲戌春三月。墨池宿積太多。隨意撿此帋(紙)戲書之。齊璜。

印章：

阿芝(白文)

收藏：

楊永德

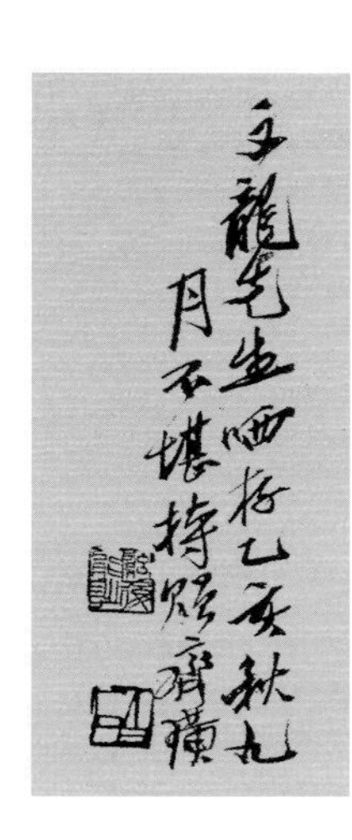

85. 行書題簽

封面題記

紙本

27×17.5cm

1935 年

釋文：

文龍先生哂存。乙亥秋九月。不堪持贈。齊璜。

印章：

窮後能詩(朱文)

白石(朱文)

收藏：

王文農

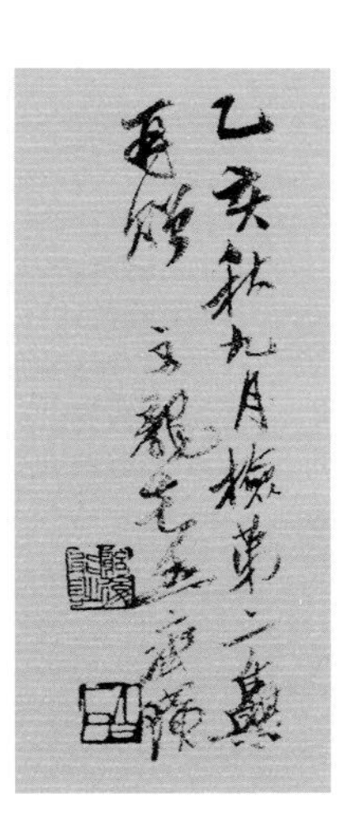

86. 行書題簽

封面題記

紙本

27×17.8cm

1935 年

釋文：

乙亥秋九月。檢第二集再贈文龍先生。齊璜。

印章：

窮後能詩(朱文)

白石(朱文)

收藏：

王文農

87. 篆書聯

立軸

紙本

137×47cm

1936 年

釋文：

舉不傷仁因永壽。

丙子二月贈言為秋薑五兄壽。

印章：

悔烏堂(朱文)

餘年離亂(白文)

年高身健不肯作神仙(朱文)

人長壽(朱文)

收藏：

中央美術學院附屬中學

88. 篆書聯

對聯

紙本

1936 年

釋文：

知足者長樂。

能忍者自安。

七十四翁齊璜。

印章：

阿芝(白文，倒鈐)

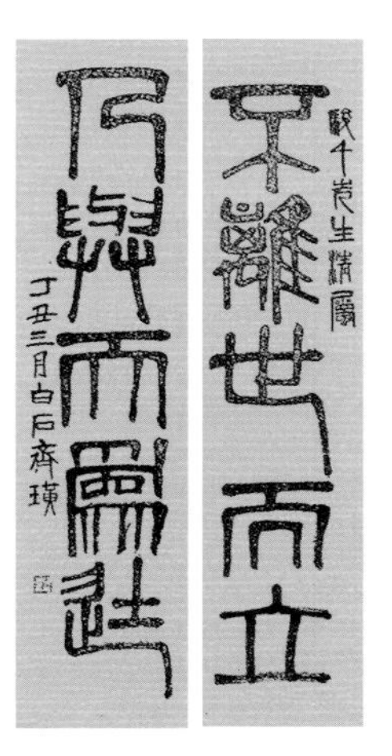

89. 篆書聯

對聯

紙本

1937 年

釋文：

不離世而立。

乃與天為徒。

駿千先生清屬。丁丑三月。白石齊璜。

印章：

齊大(朱文)

白石(朱文)

收藏：

私人

90. 行書橫幅

題記

紙本

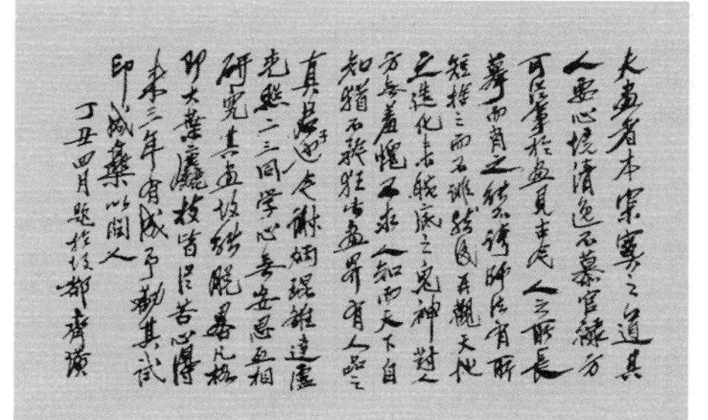

1937 年

釋文：

夫畫者。本寂寞之道。其人要心境清逸。不慕官祿。方可從事於畫。見古今人之所長。摹而肖之能不誇。師法有所短。捨之而不誹。然後再觀天地之造化。來腕底之鬼神。對人方無羞愧。不求人知而天下自知。猶不矜狂。此畫界有人品之真君子也。今謝炳琨。雒達。盧光照二三同學。心無妄思。互相研究。其畫故能脱略凡格。即大葉麤(粗)枝皆從苦心得來。三年有成。予勸其試印成集以問人。丁丑四月題於故都。齊璜。

印章：

白石(白文)　木人(朱文)

收藏：

私人

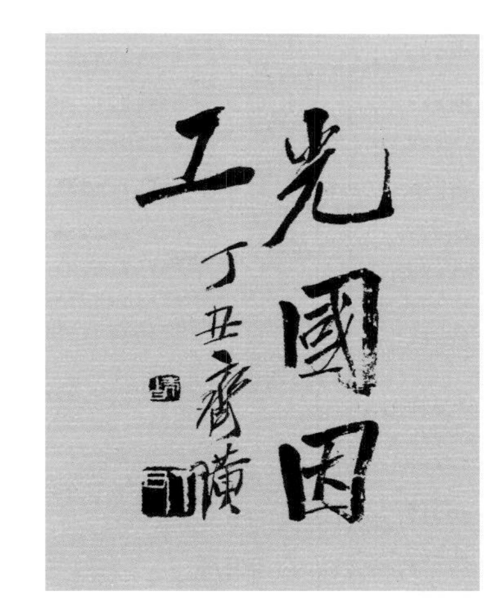

91. 行書册頁

册頁

紙本

27.5×16.5cm

1937 年

釋文：

光國因工。

丁丑。齊璜。

印章：

老白(白文)　丁丑(白文)

收藏：

王文農

92. 行書題記

直幅

紙本

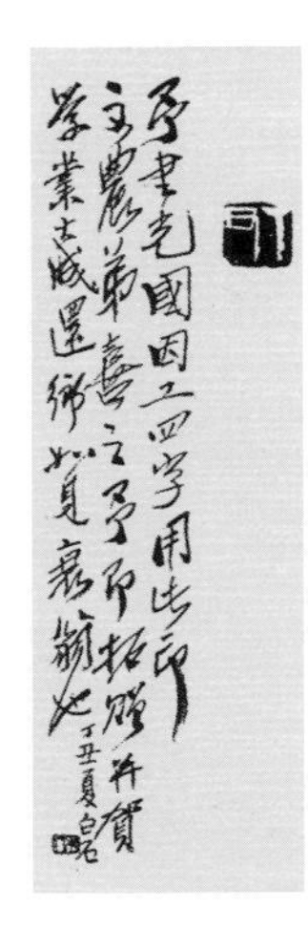

32×11cm
1937年
釋文：
予書光國因工四字用此印。文農弟喜之。予即拓贈并賀學業大成。還鄉如見衰翁也。丁丑夏。白石。
印章：
丁丑(白文)
木人(朱文)
收藏：
王文農

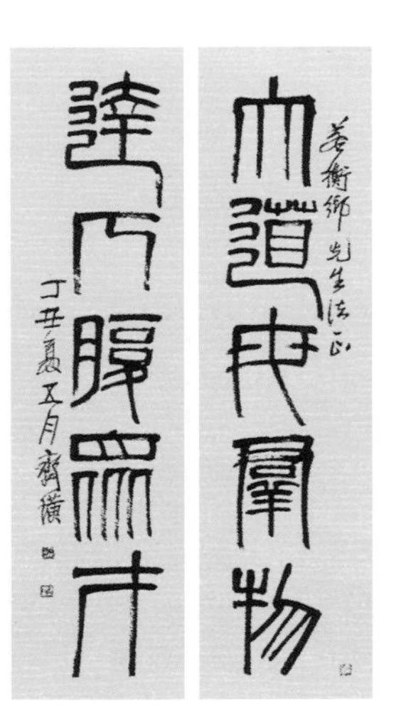

93. 篆書聯
對聯
紙本
179×47cm
1937年
釋文：
大道母群物。
達人腹衆才。
若衡鄉先生法正。丁丑夏五月。齊璜。
印章：
齊璜之印(白文)　白石(朱文)
收藏：
湖南省博物館

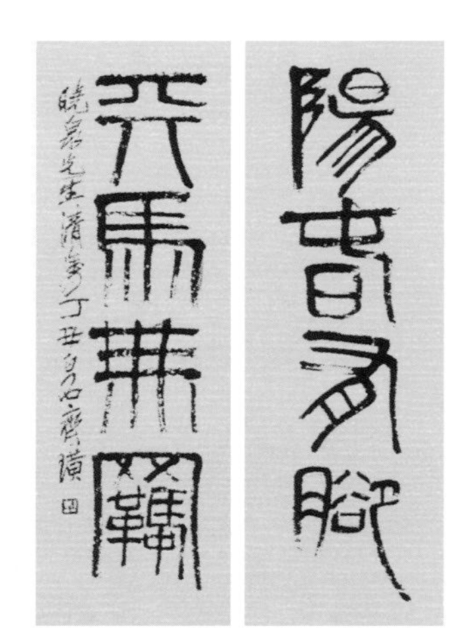

94. 篆書聯
對聯
紙本
91.5×27.8cm
1937年
釋文：
陽春有脚。
天馬無羈。
曉泉先生清屬。丁丑。白石齊璜。
印章：
白石(朱文)
收藏：
楊永德

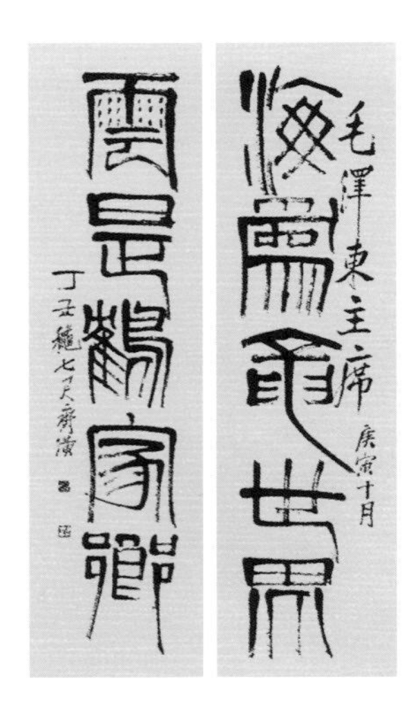

95. 篆書聯
對聯
紙本
1937年(1950年補題)
釋文：
海為龍世界。
雲是鶴家鄉。
丁丑秋七月。齊璜。
毛澤東主席。庚寅十月。
印章：
齊璜之印(白文)　白石(朱文)
收藏：
北京中南海

96. 篆書立軸
立幅
紙本
67×34cm
1937年
釋文：
福壽。
壽山先生屬。丁丑冬。齊璜。
印章：
齊大(朱文)　白石(朱文)
收藏：
中央美術學院

97. 篆書立軸
立軸
紙本
137×47cm
1937年
釋文：
名偏傳世為填詞。
丁丑七月寄由故都。弟璜。
印章：
齊璜之印(白文)
白石(朱文)
收藏：
中央美術學院屬附中學

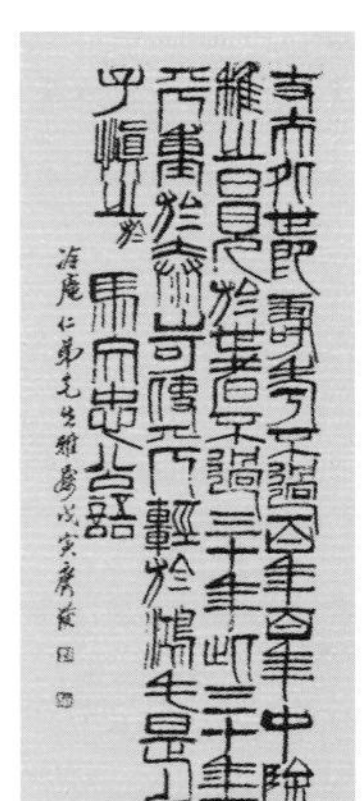

98. 篆書立軸
立軸
紙本
1938年
釋文：
丈夫處世。即壽考不過百年。百年中除老稚之日。見於世者不過三十年。此三十年。可使其人重於泰山。可使其人輕於鴻毛。是以君子慎之。(於)馬文忠公語。冷庵仁弟先生雅屬。戊寅。齊璜。
印章：
白石(朱文)　芊翁(朱文)
收藏：
炎黄藝術館藝術中心

99. 篆書聯
對聯
紙本

1938年

釋文：

芳腴絶勝仙林杏。

甘脆(脆)全過太谷梨。

千頭木奴先生植頻(苹)果于西山。因索書曾衆詠(咏)頻婆句。戊寅秋七月。白石齊璜時居古燕京。

印章：

悔烏堂(朱文)　齊璜之印(白文)

白石(朱文)

收藏：

私人

100. 篆書聯

對聯

紙本

85×22cm

1938年

釋文：

保民德乃大。

道國行維艱。

子良世先生。戊寅冬。白石齊璜。

印章：

白石(朱文)

收藏：

私人

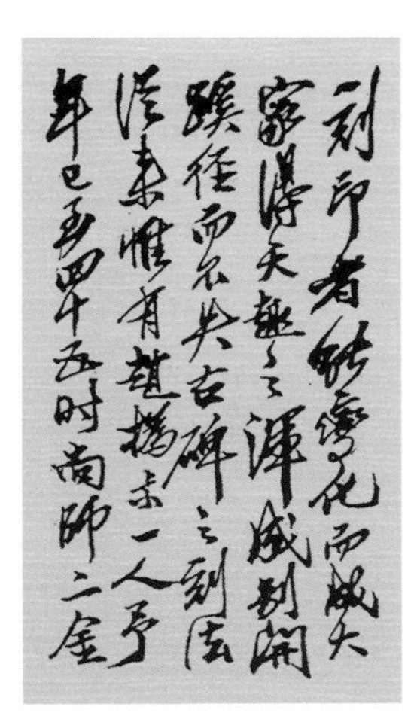

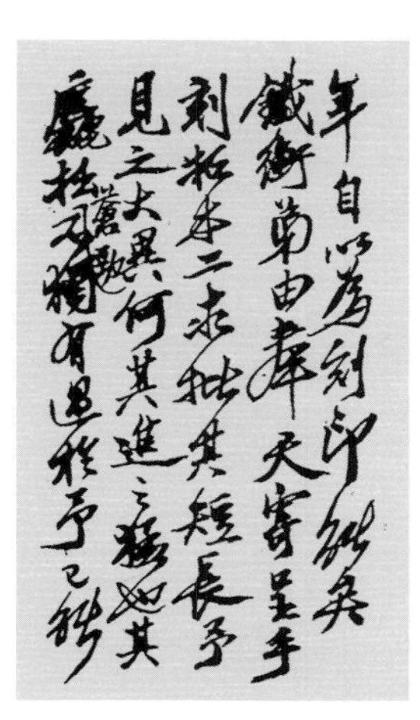

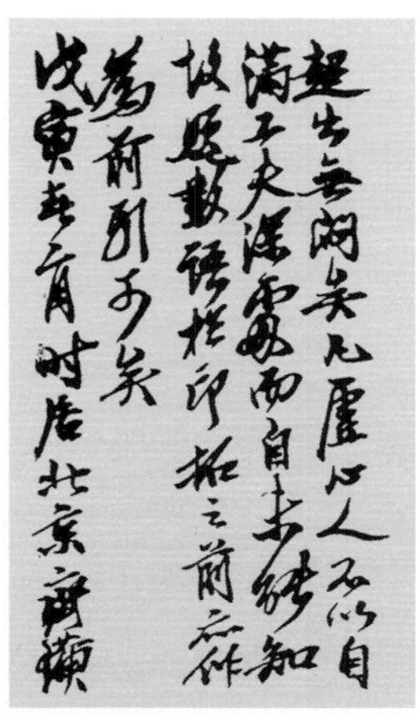

101. 行書手札(之一)

102. 行書手札(之二)

103. 行書手札(之三)

104. 行書手札(之四)

印譜

紙本

1938年

釋文：

刻印者能變化而成大家。得天趣之渾成。别開蹊徑而不失古碑之刻法。從來惟有趙撝朩(菽)一人。予年已至四十五時尚師二金蝶堂印譜。趙之朱文近娟秀。與白文之篆法異(异)。故予稍稍變為剛健超縱。入刀不削不作。絶摹仿。惡整理。再觀古名碑刻法。皆如是。苦工十年。自以為刻印能矣。鐵衡弟由奉天寄呈手刻拓本二。求批其短長。予見之大異(异)。何其進之猛也。其麤(粗)拙蒼勁。不獨有過於予。已能超出無悶矣。凡虚心人不以自滿。工夫深處而自未能知。故題數語於印拓之前。亦作為前引可矣。

戊寅春二月時居北京。齊璜。

收藏：

私人

105. 行書題跋

扇面

紙本

1938年

釋文：

星塘老屋在杏子隖(塢)之南。予第五子良遲半歲時。其母抱之視王父王母。今良遲年十七矣。王父王母辭世已十又三年。畫此吾兒須知毋忘。王父王母皆葬于杏子隖(塢)。戊寅秋。乃翁。

印章：

木人(朱文)

收藏：

齊良遲

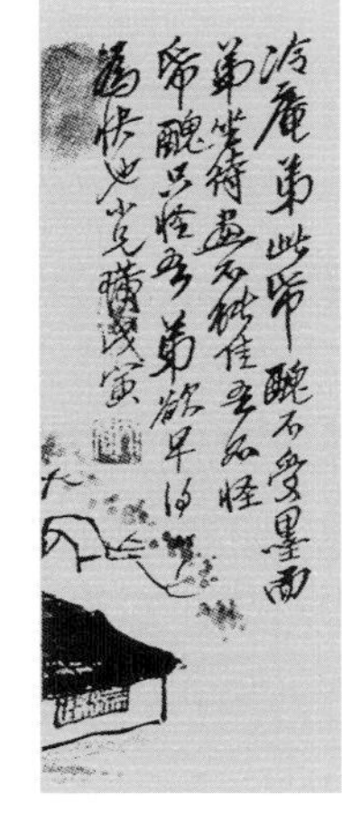

106. 行書題跋

册頁

紙本

1938年

釋文：

冷庵弟此帋(紙)醜不受墨。而弟坐待。畫不能佳。吾不怪紙醜。只(衹)怪吾弟欲早得為快也。小兄璜。戊寅。

印章：

木居士(白文)

齊大(白文)

收藏：

炎黃藝術館藝術中心

107. 行書題跋

立軸

紙本

1939年

釋文：

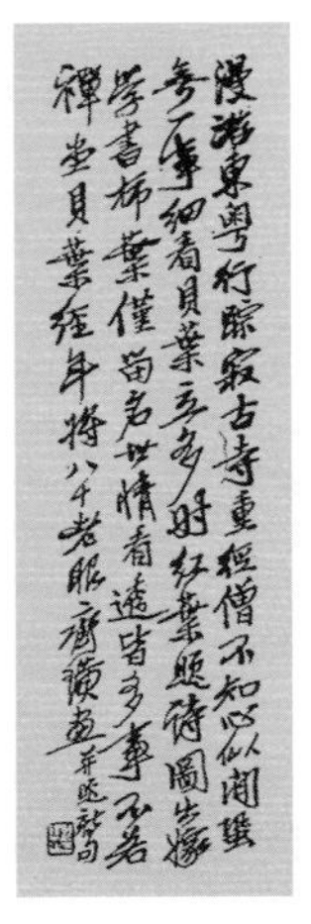

漫游東粤行踪寂。古寺重徑僧不知。心似閒(閑)蛩無一事。細看貝葉立多時。紅葉題詩圖出嫁。學書柿葉僅留名。世情看透皆多事。不若禪堂貝葉經。年將八十。老眼齊璜畫并題新句。

印章:

白石山翁(朱文)

收藏:

天津楊柳青書畫社

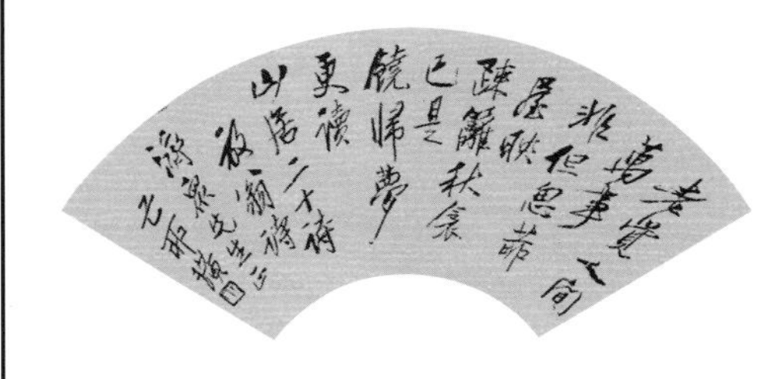

108. 行書扇面

扇面

紙本

18×50cm

1939年

釋文:

老覺人間萬事非。但思茆屋映疏籬。秋衾已是饒歸夢。更讀山居二十詩。

放翁詩。濟衆先生正。己卯。璜。(背面)

印章:

木人(朱文)

收藏:

中國藝術研究院美術研究所

109. 篆書聯

對聯

紙本

1939年

釋文:

官禮立馮相氏。

本紀起太史公。

子彬仁兄世先生正。己卯冬。白石齊璜。

印章:

齊璜之印(白文)　白石(朱文)

收藏:

首都博物館

注釋:

馮相氏:古官名。掌歲時天位,以辨四時之叙。見《周禮·春官·馮相氏》。

太史公:漢司馬遷,《史記》作者。

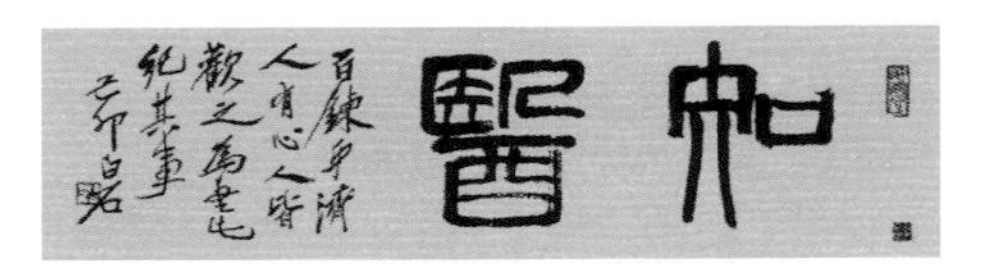

110. 篆書橫幅

橫幅

紙本

32×133cm

1939年

釋文:

知醫。

百錬(煉)弟濟人有心。人皆歡之。為書此紀其事。己卯。白石。

印章:

悔烏堂(朱文)　白石(朱文)

收藏印:湖南省博物館收藏印(朱文)

收藏:

湖南省博物館

111. 行書扇面

扇面

紙本

15×45cm

1939年

釋文:

中年種竹早成林。

緑遍餘霞(峰名)雨露深。

一夜凍雷閒(閑)數笋。

天涯還有荷鋤人。

數字在閒(閑)字下。荷鋤人謂貞兒。每逢數笋時必念予當年荷鋤種竹。長兒求書。

己卯。乃翁。

印章:

木人(朱文)

收藏:

齊白石故居

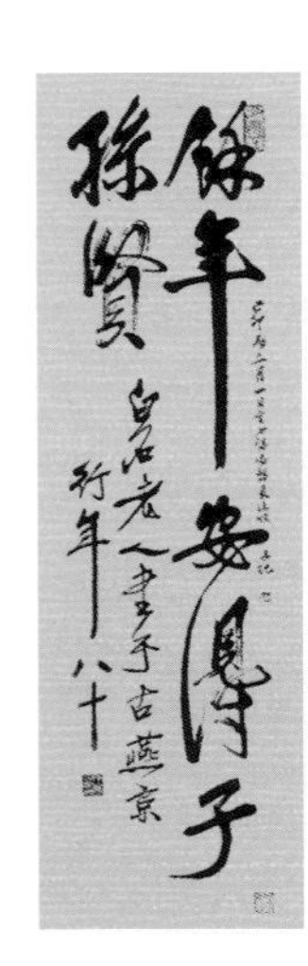

112. 行書立軸

立軸

紙本

136×34cm

1939年

釋文:

餘年安得子孫賢。

白石老人書于古燕京。行年八十。

己卯春三月一日書七幅。此幅良止收。又記。

印章:

悔烏堂(朱文)

齊璜之印(白文)

齊大(白文,倒鈐)

收藏印:湖南省博物館藏品章(朱文)

收藏:

湖南省博物館

113. 篆書橫幅

橫披

紙本

31.5×82cm

1939年

釋文:

惟吾德馨。

己卯。白石。

印章:

齊大(朱文)

收藏:

北京榮寶齋

114. 篆書聯

對聯

紙本

1939年

釋文:

禮稱王史氏。
治紀大凴君。
子彬世先生雅屬。己卯春正月。齊璜。

印章：
齊大(朱文)　木人(朱文)

收藏：
私人

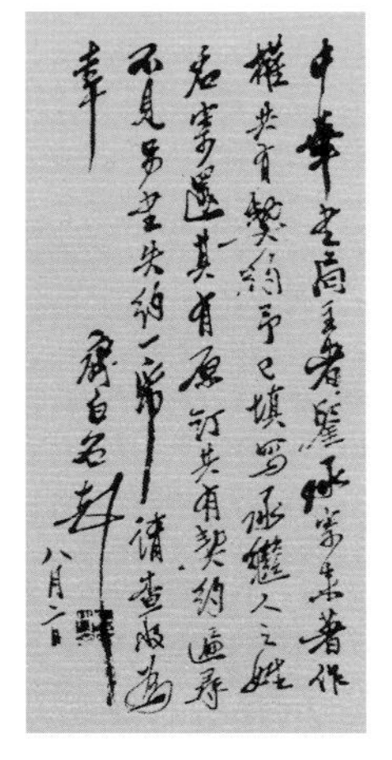

115. 行書信札
信札
紙本
26×18cm
約 30 年代初

釋文：
中華書局主者鑒。承寄來著作權共有契約。予已填寫承繼人之姓名。寄還。其有原訂共有契約。遍尋不見。另書失約一帋(紙)。請查收為幸。
齊白石頓首。八月二日。

印章：
白石草衣(白文)

收藏：
中華書局

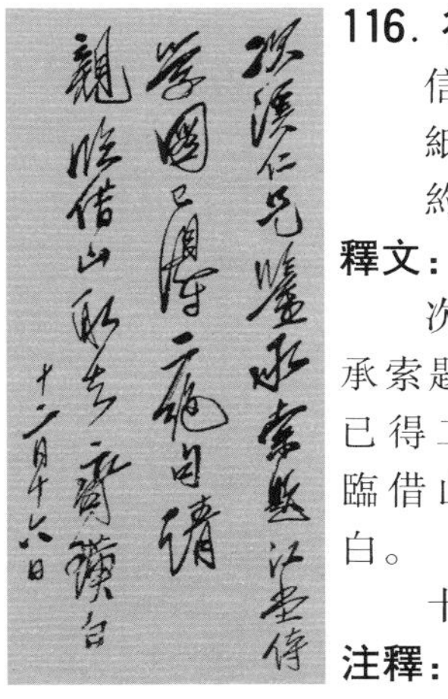

116. 行書信札
信札
紙本
約 30 年代

釋文：
次溪仁兄鑒。承索題江堂侍學圖已得二絶句。請親臨借山取去。齊璜白。
十二月十六日。

注釋：
《江堂侍學圖》作於 1930 年，畫的是張次溪從學吴北江的事。《齊白石的一生》第 125 頁記："他知道我是桐城吴北江（闓生）夫子的學生，畫了一幅《江堂侍學圖》送給我，畫上面題了兩首詩……"所説乃 1930 年事，正與此信相符。

收藏：
私人

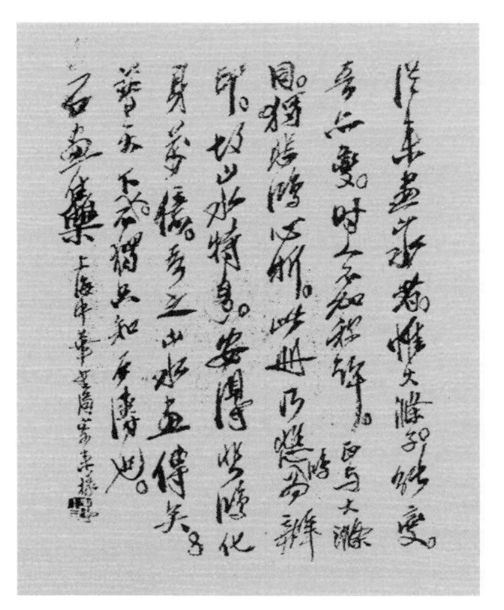

117. 行書題簽
題簽
紙本
36.5×26cm
約 30 年代

釋文：
白石畫集。上海中華書局寄來樣本。
從來畫山水者。惟大滌子能變。吾亦變。時人不加稱許。正與大滌子同。獨悲鴻心折。此册乃悲鴻為辦印。故山水特多。安得悲鴻化身萬億。吾之山水畫傳矣。普天下人不獨只(衹)知石濤也。

印章：
老白(白文)

收藏：
齊良遲

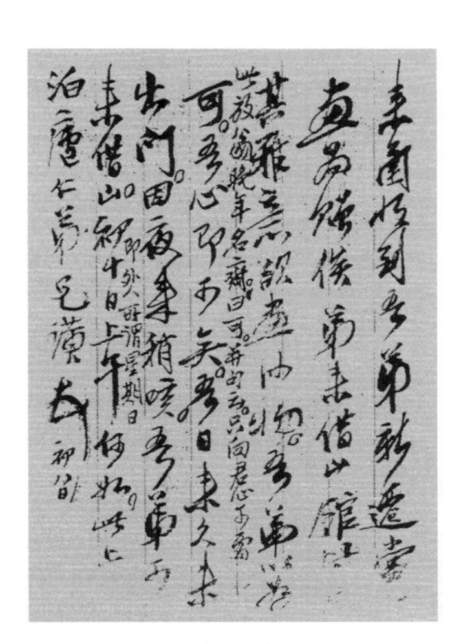

118. 行書信札
信札
紙本
28×18cm
約 30 年代

釋文：
來函收到。吾弟新遷。當以畫為贈。俟弟來借山館時。徵其雅意。欲畫何物。吾弟以為可。吾心即可矣。此放翁晚年名齊曰可。并句云。只(衹)向君心可處行。吾日來久未出門。因夜來稍咳。吾弟可來借山。初十日上午。即外人所謂星期日。何如。此上泊廬仁弟。
兄璜頓首。初八日。

收藏：
私人

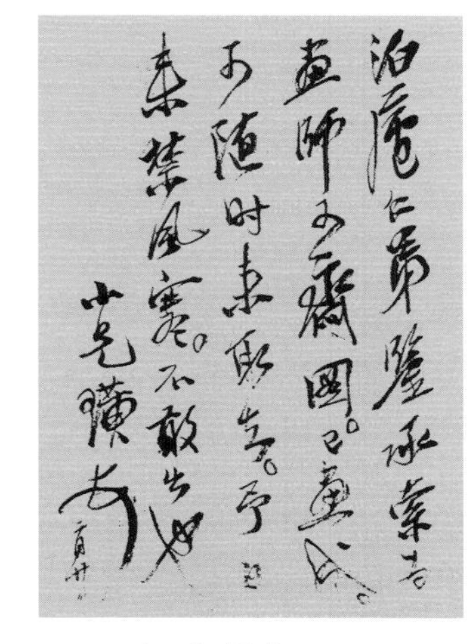

119. 行書信札
信札
紙本
28×18cm
約 30 年代

釋文：
泊廬仁弟鑒。承索為畫師可齋圖。已畫成。可隨時來取去。予日來禁風寒。不敢出也。
小兄璜頓首。二月廿日。

收藏：
私人

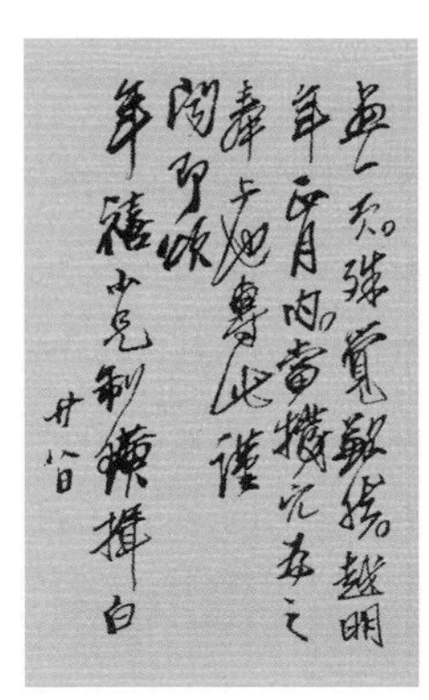
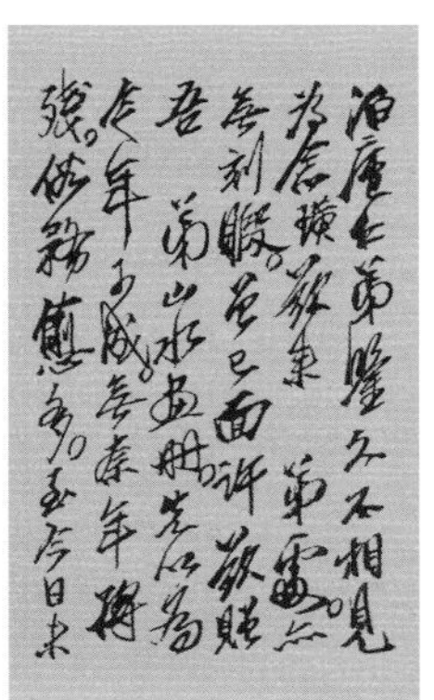

120. 行書信札
信札
紙本
26×15.5cm
約 30 年代

釋文：
泊廬仁弟鑒。久不相見為念。璜欲來弟處。亦無刻暇。曾已面許欲贈吾弟山水畫册。先以為今年可成。無奈年將殘。俗務愈多。至今日未畫一頁。殊覺歉然。越明年正月內。當撥冗為之奉上也。專此謹問。即頌年禧。
小兄制璜揖白。廿八日。

收藏：
私人

121. 行書信札
信札
紙本

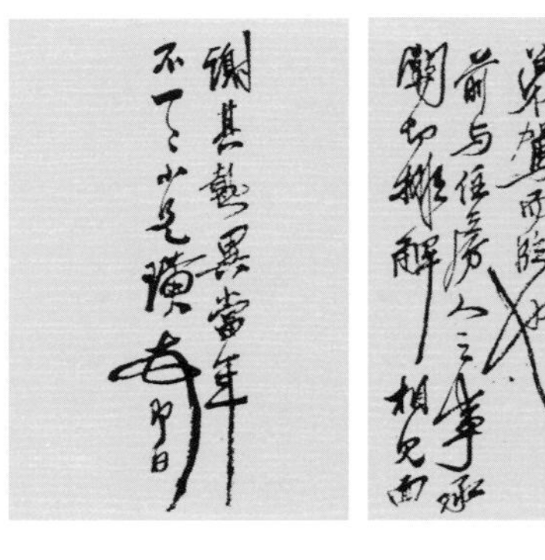

27×16.5cm

約 30 年代

釋文：

箋悉。明早八時。天日尚未酷熱。予待弟駕而臨也。

前与(與)住房人之事。承關切排解。相見面謝。其熱異(异)當年。不一一。小兄璜頓首。即日。

收藏：

私人

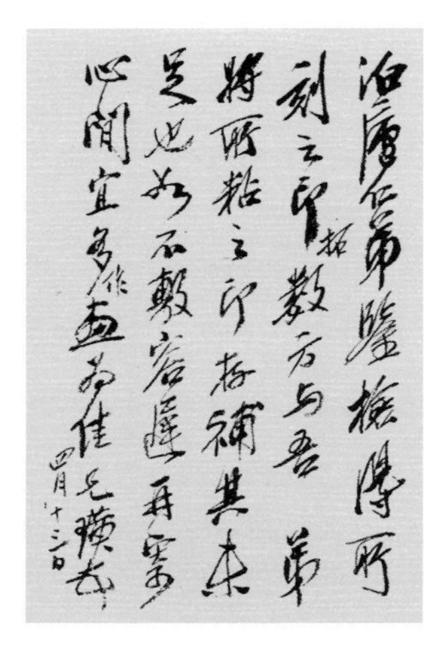

122. 行書信札

信札

紙本

27×16.5cm

約 30 年代

釋文：

泊廬仁弟鑒。撿得所刻之印拓數方与(與)吾弟。將所粘之印存補其未足也。如不敷。容遲再寄。心閒(閑)宜多作畫為佳。

兄璜頓首。四月十三日。

收藏：

私人

123. 行書信札

信札

紙本

25.5×16cm

約 30 年代

釋文：

今日有友人需錢應用。欲与(與)白石借新買房屋之老契六帋(紙)。與他人作抵押品。吾弟歸時。此契想已交去投登記。若未交去。請今夜帶來借山

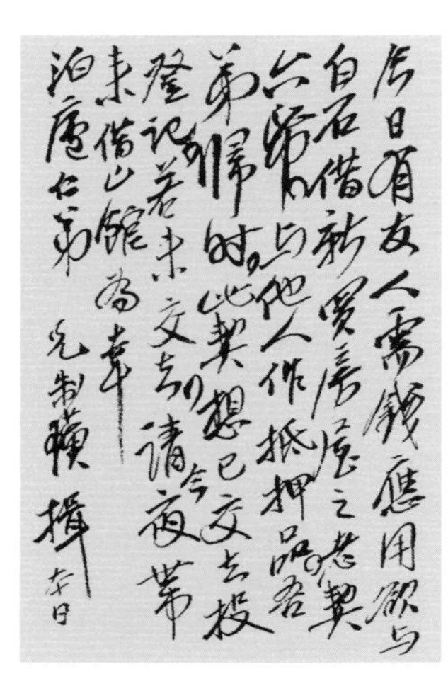

館為幸。

泊廬仁弟。

兄制璜揖。本日。

收藏：

私人

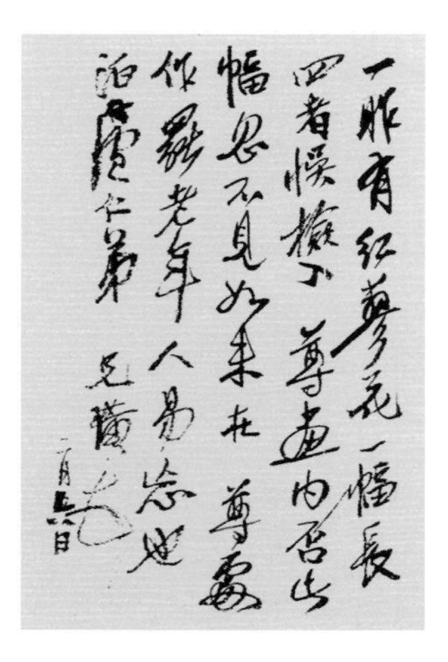

124. 行書信札

信札

紙本

27×16.5cm

約 30 年代

釋文：

一昨有紅蓼花一幅。長四者。悮(誤)檢入尊畫內否。此幅忽不見。如未在尊處作罷。老年人易忘也。

泊廬仁弟。

兄璜頓首。二月六日。

收藏：

私人

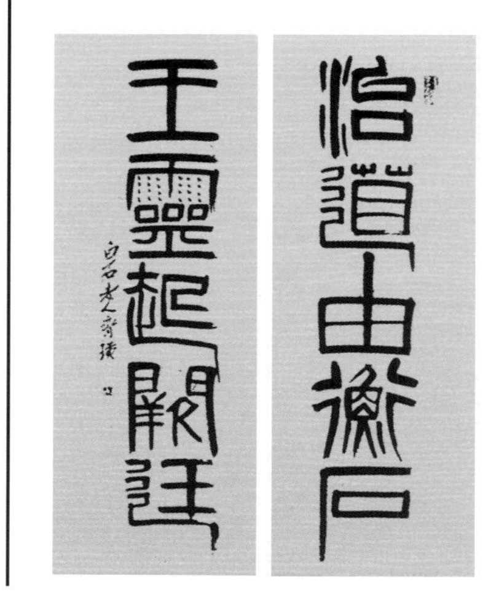

125. 篆書聯

對聯

紙本

約 30 年代

釋文：

治道由衡石。

王靈起闕廷。

白石老人齊璜。

印章：

悔烏堂(朱文)

牽牛飲水圖(肖形印)

白石(朱文)

收藏：

私人

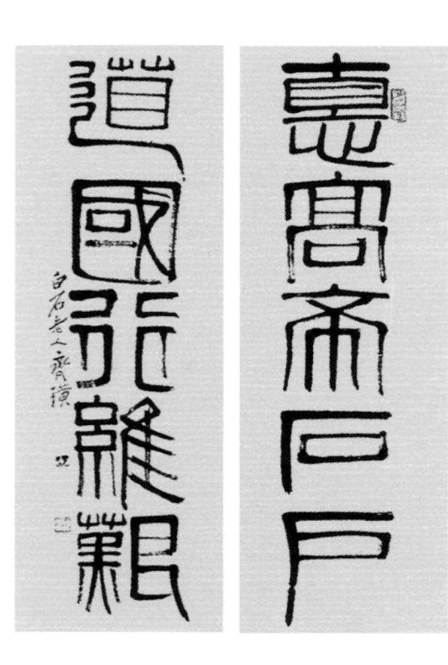

126. 篆書聯

對聯

紙本

134×33.5cm

約 30 年代

釋文：

德高希石户。

道國行維艱。

白石老人齊璜。

印章：

悔烏堂(朱文)

牽牛飲水圖(肖形印)

白石(朱文)

收藏：

天津楊柳青書畫社

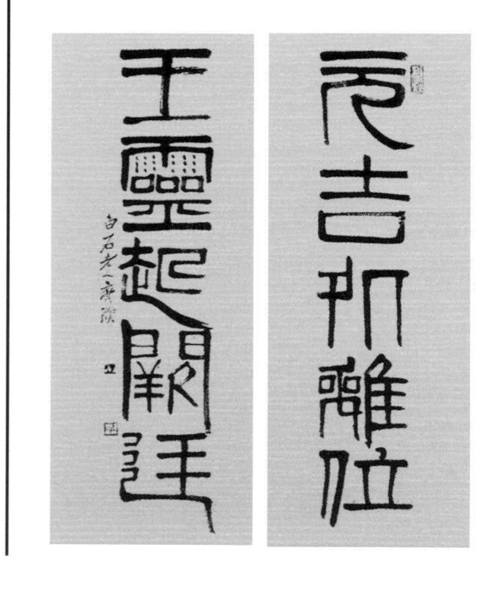

127. 篆書聯

對聯

紙本

135×34cm

約 30 年代

釋文：

元吉處離位。

王靈起闕廷。

白石老人齊璜。

印章：

悔鳥堂(朱文)　白石(朱文)

牽牛飲水圖(肖形印)

收藏：

北京市文物公司

注釋：

語出漢・張衡《東京賦》："祚靈主以元吉"。

"元，大也；吉，福也。言天神睹人主之明肅，顧饗其馨香之祭，故報之"人大德"。(《文選》)

離：卦名。《周易・離》"六二：黃離、元吉。象曰：黃離元吉，得中道也"是大吉之卦象。

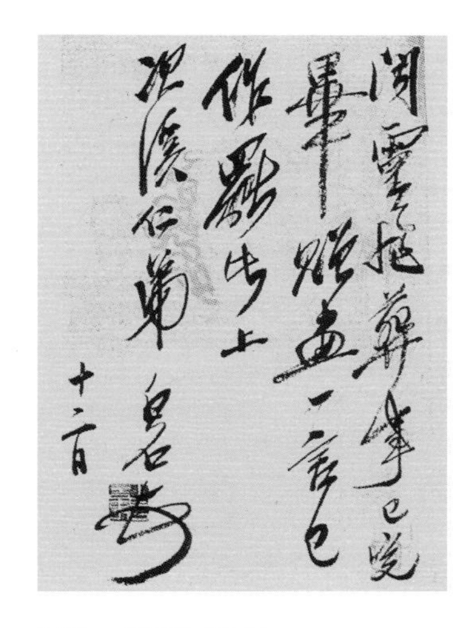

128. 行書信札

信札

紙本

約 30 年代

釋文：

聞靈飛葬事已完畢。贈畫一言已作罷。此上次溪仁弟。

白石頓首。十二日。

印章：

白石言事(白文)

收藏：

私人

129. 行書手札

手札

紙本

約 30 年代

釋文：

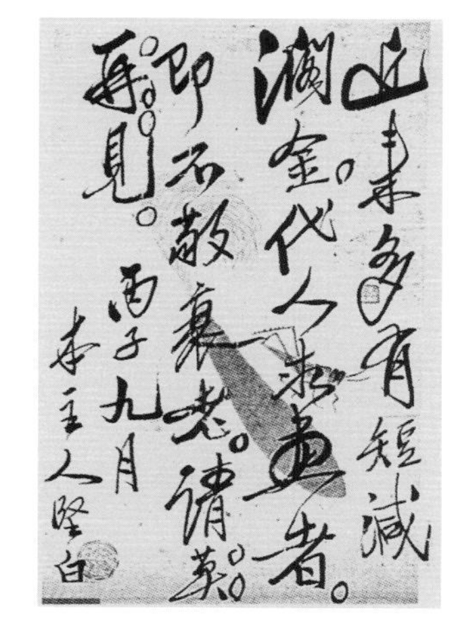

近來多有短減(減)潤金。代人求畫者。即不敬衰老。請莫再見。丙子九月。本主人堅白。

收藏：

私人

130. 篆書聯

立軸

紙本

133.3×32cm

約 30 年代

釋文：

詩思夜深无厭苦。

画名年老不嫌低。

齊璜白石山翁。

印章：

木居士(白文)　白石翁(白文)

收藏：

楊永德

131. 篆書題簽

題簽

紙本

約 30 年代

釋文：

半聾樓印草。

白石題。

印章：

阿芝(朱文)

收藏：

私人

132. 篆書橫幅

橫披

紙本

約 30 年代

釋文：

春風大雅之堂。

冷庵仁弟雅正。

兄璜。

印章：

悔鳥堂(朱文)　人長壽(朱文)

齊大(朱文)　白石(朱文)

收藏：

私人

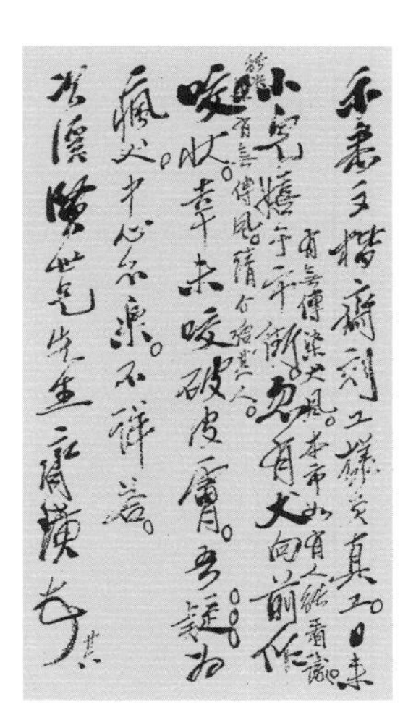

133. 行書手札

手札

紙本

約 30 年代

釋文：

示悉文楷齋刻工樣頁真工。日來小兒嬉于市街。忽有犬向前作咬狀。幸未咬破皮膚。吾疑為瘋犬。中心不樂。不詳答。有無傳染犬風。本市如有人能看識。能決有無傳風。請介紹其人。

次溪賢世兄先生。齊璜頓首。廿六。

收藏：

私人

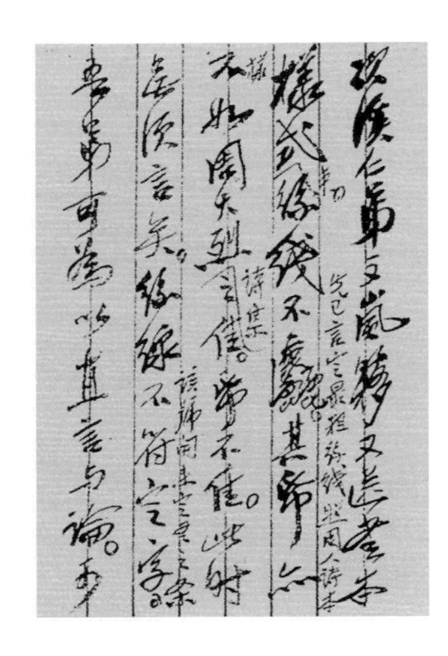

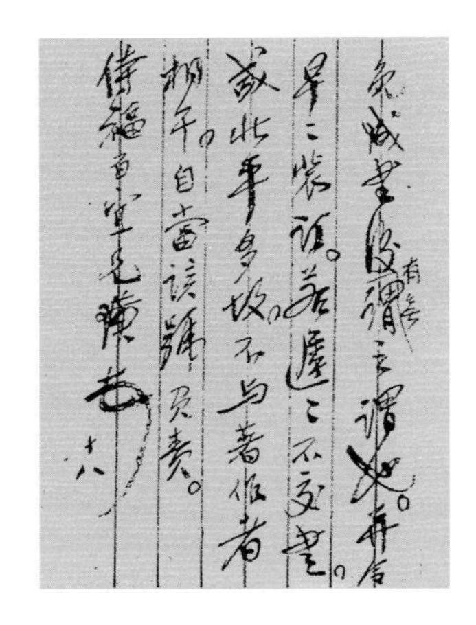

134. 行書信札(之一)

135. 行書信札(之二)

信札

紙本

約 30 年代

釋文：

次溪仁弟。文嵐簃又送書本樣式來。絲綫不麤(粗)(先已言定最粗絲綫照周人詩本樣)。其紙亦不如周大烈詩集之佳。紙不佳。此時無須言矣。絲線(綫)不符定字(該號開來定書之條)。吾弟可為以直言與論。可免成書後有無謂之謂也。并令早早裝訂。若遲遲不交書。或北平多故。不与(與)著作者相干。自當該號負責。

侍福百宜。兄璜頓首。十八。

收藏：

私人

136. 行書信札

信札

紙本

約 30 年代

釋文：

承代蔓雲索題畫册。昨夜枕上得

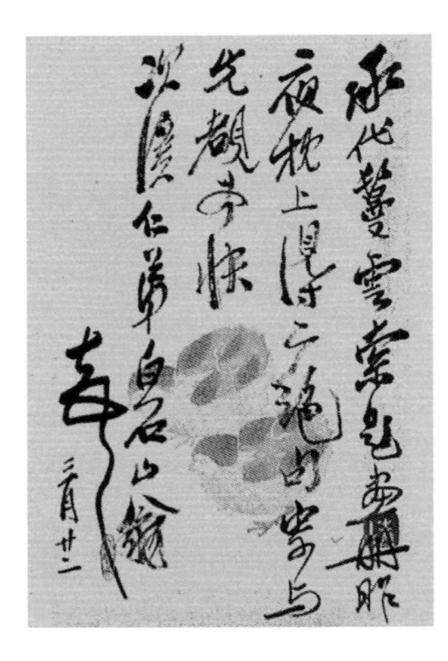

二絶句。寄与(與)先覩(睹)為快。次溪仁弟。白石山翁頓首。三月廿二。

印章：

木居士(白文)

收藏印：榮寶齋(朱文)

收藏：

北京榮寶齋

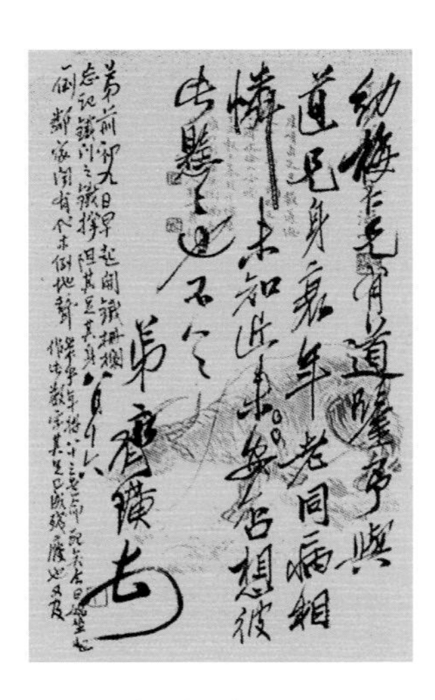

137. 行書信札

信札

紙本

約 30 年代

釋文：

幼梅仁兄有道鑒。予與道兄身衰年老。同病相憐。未知近來安否。想彼此懸懸也。不一一。

弟齊璜頓首。八月十六。

弟前初九日早起開鐵栅欄。忘記鐵門之鐵撑阻其足。其身一倒。鄰家聞有代(伐)木倒地聲。幾乎年將八十之老命死矣。今日始坐起作此數字。其足已成殘廢也。又及。

印章：

□ □ □ □

收藏：

私人

138. 行書信札

信札

紙本

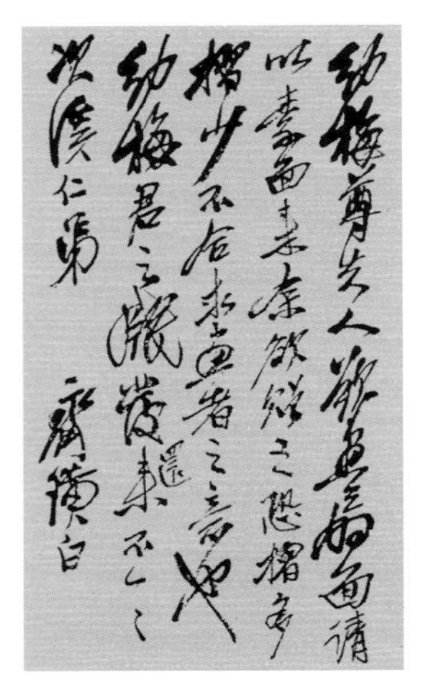

約 30 年代

釋文：

幼梅尊夫人欲畫扇面。請以素面來。余欲贈之。恐摺多摺少。不合求畫者之意也。幼梅君之箋發還來。不一一。次溪仁弟。弟璜白。

收藏：

北京榮寶齋

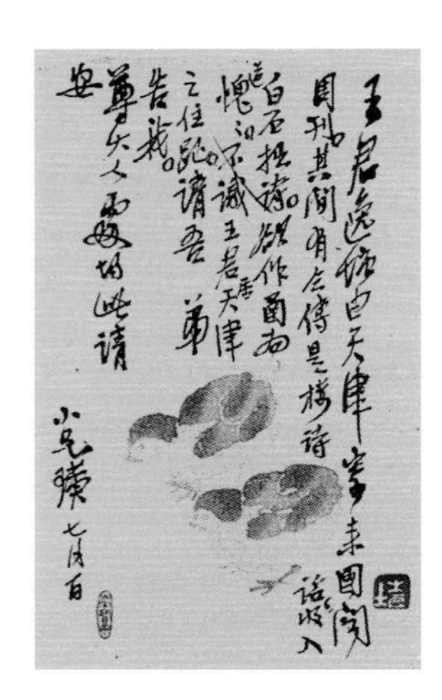

139. 行書信札

信札

紙本

約 30 年代

釋文：

王君逸塘由天津寄來國問周刊。其間有今傳是樓詩話。收入白石拙詩。欲作函為道愧之。不識王君居天津之住趾(址)。請吾弟告我。

尊大人處均此請安。

小兄璜。七月一日。

印章：

木居士(白文)

收藏印：榮寶齋(朱文)

收藏：

北京榮寶齋

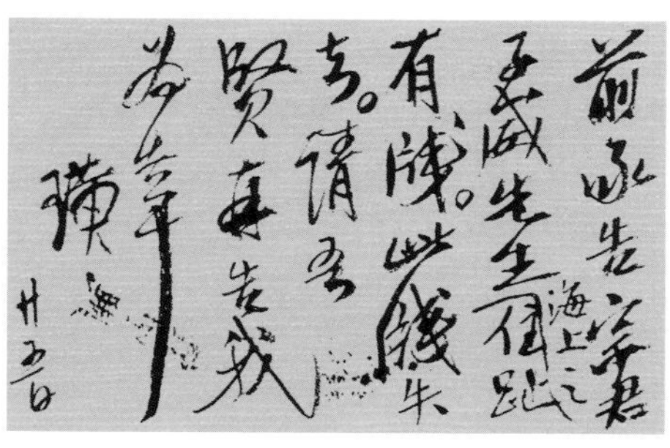

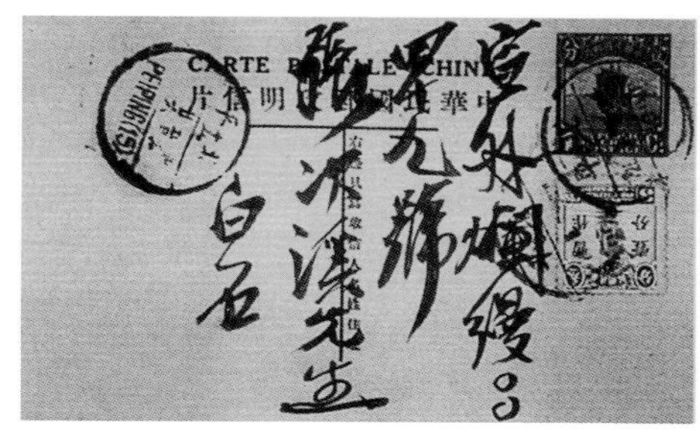

140. 行書信札
141. 行書信封

信札
紙本
約 30 年代

釋文：

信封：宣外爛縵〇〇四十九號。張次溪先生。白石。

信札：前承告宗君子威先生海上之住趾(址)有箋。此箋失去。請吾賢再告我为幸。璜。廿五日。

收藏：

私人

142. 篆書聯

對聯
紙本
約 30 年代

釋文：

漏曳造化秘。
奪取鬼神功。
齊璜。

印章：

悔烏堂(朱文)
老白(白文)
尋思百計不如閒(閑)(朱文)
餘年離亂(白文)

收藏：

私人

143. 行書信札

信札
紙本
約 30 年代

釋文：

次溪弟悉。賽金花之墓碑已為書好。可來取去。且有一畫為贈。作為奠資也。亦欲請轉交去。聞靈飛得葬陶然亭側。乃弟等為辦到。吾久欲營生壙。弟可為代辦一穴否。如辦到則感甚。有友人說。死鄰香塚(冢)。恐人笑罵。予曰。予願只(衹)在此。惟恐辦不到。説長論短。吾不聞也。即頌。侍福百宜。白石璜頓首。十日。

印章：

白石言事(白文)

收藏：

私人

注釋：

賽金花逝世於 1936 年冬。北京的一些文化人如張次溪、王文農等為其辦喪葬事。次溪請白石為他在陶然亭覓一塊生礦，即此函所言之事。見《齊白石的一生》第 209 頁。

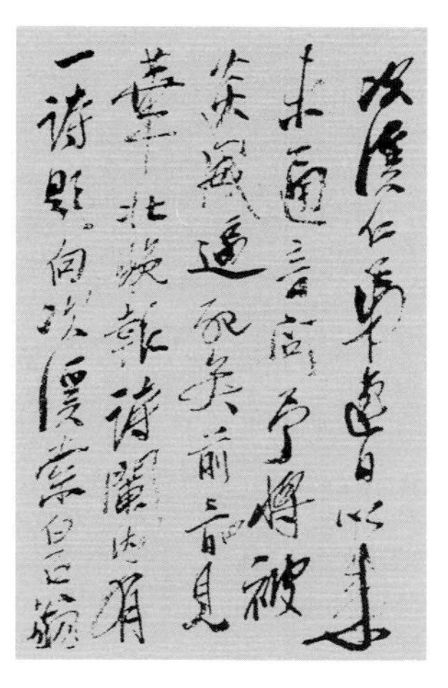

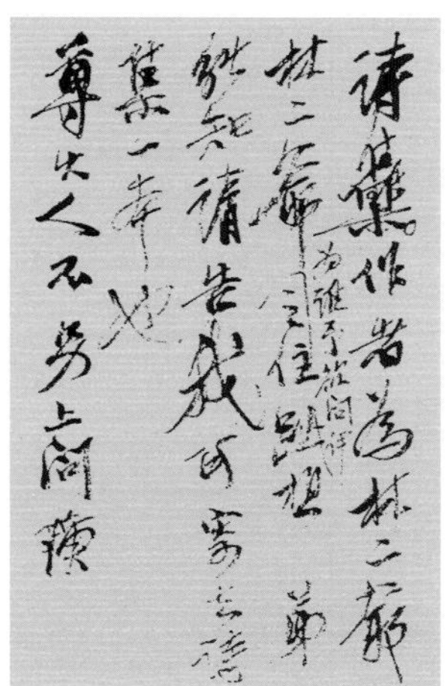

144. 行書信札(之一)
145. 行書信札(之二)

信札
紙本
約 30 年代

釋文：

次溪仁弟。連日以來未通音問。予將被炎威逼死矣。前三四日。見華北晚報詩闌(欄)内有一詩題向次溪索白石翁詩集。作者為林二爺。林二爺為誰。予欲問伊之住趾(址)。想弟能知。請告我。可寄去詩集一本也。尊大人不另上問。璜。

收藏：

私人

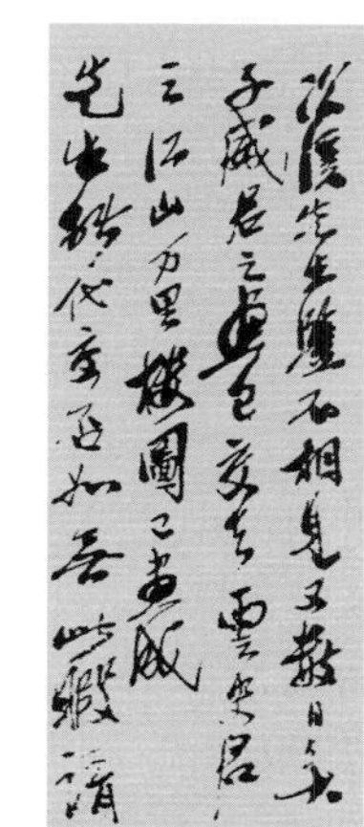

146. 行書信札(之一)
147. 行書信札(之二)

信札
紙本
約 30 年代

釋文：

次溪先生鑒。不相見又數日矣。子威君之畫已交去。雲史君之江山萬里樓圖已畫成。先生能代交否。如無此暇。請告我楊君住趾(址)。吾雖去過一次。早亡(忘)之矣。即頌著述興清。齊璜頓首。廿三日。

收藏：

私人

注釋：

“子威”即宗子威，“雲史”即楊雲史，都曾為《白石詩集》題詩題辭。

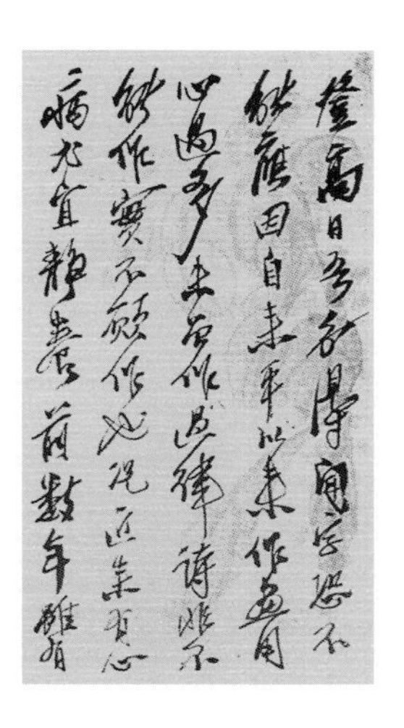

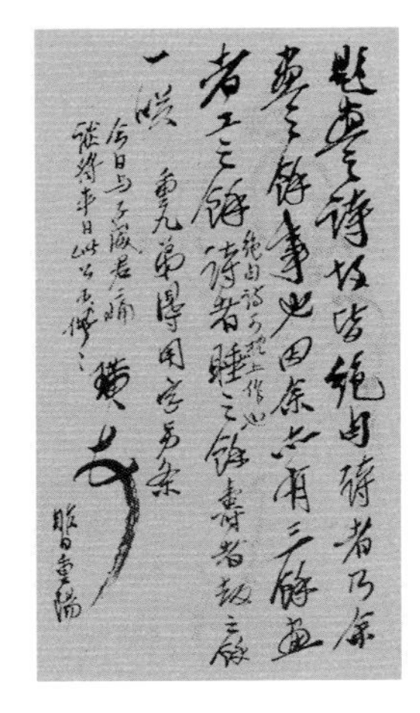

148. 行書信札(之一)
149. 行書信札(之二)
信札
紙本
約 30 年代
釋文：
登高日。吾分得聞字。恐不能應。因自來平以來。作畫用心過多。未曾作過律詩。非不能作。實不願作也。況近來有心病。尤宜静養。前數年。雖有題畫之詩。故皆絶句。詩者。乃余畫之餘事也。因余亦有三餘。畫者工之餘。詩者睡之餘(絶句詩可枕上作也)。壽者劫之餘。一笑。重九弟得用字。另條。今日與子威君痛談將半日。此公可佩可佩。璜頓首。昨日重陽。
收藏：
私人

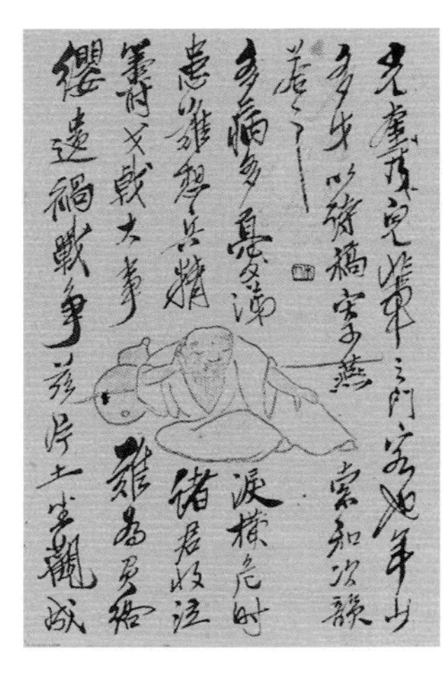

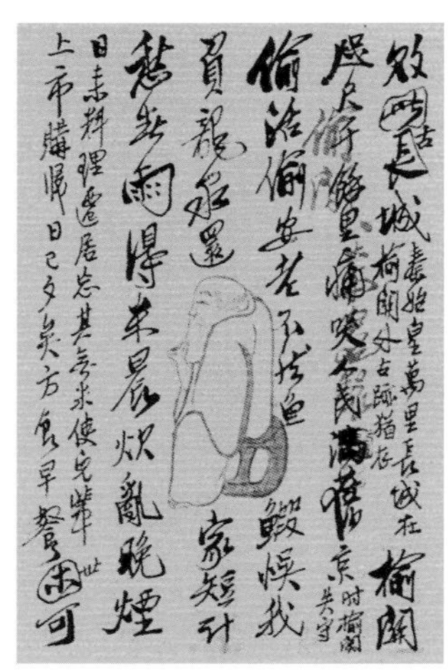

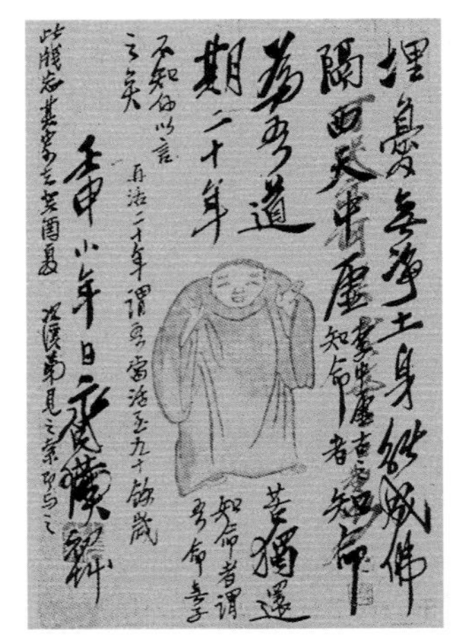

150. 行書信札(之一)
151. 行書信札(之二)
152. 行書信札(之三)
信札
紙本
約 30 年代
釋文：
光奎乃兒輩之門客也。年少多才。以詩稿寄燕索和。次韵答之。多病多憂涕淚(泪)横。危時患難想兵精。諸君收泣籌戈戟。大事難為負絡纓。遺禍戰爭兹片土。坐觀成敗古長城。秦始皇萬里長城在榆關外。古跡(迹)猶存。榆關咫尺千餘里。痛哭人民滿舊京。時榆關失守。偷活偷安老不然。魚蝦誤我負龍泉。還家短計愁春雨。得米晨炊亂晚煙(烟)。日來料理遷居。忘其無米。使兒輩上市購歸。日已夕矣。方食早餐。世可埋憂無浄土。身能成佛隔西天。中虚(李中虚。古之知命者。)知命為吾道。苦獨還期二十年。(知命者謂吾命無子。不知何以言之矣。再活二十年。謂吾當活至九十餘歲。)
壬申小年日。齊璜初草。
此箋忘其寄去。癸酉夏。次溪弟見之索。即与(與)之。
印章：
木人(朱文)　白石翁(白文)
收藏：
私人
注釋：
光奎,即馬璧,白石弟子。湘潭人。40 年代去臺灣,80 年代回大陸定居。

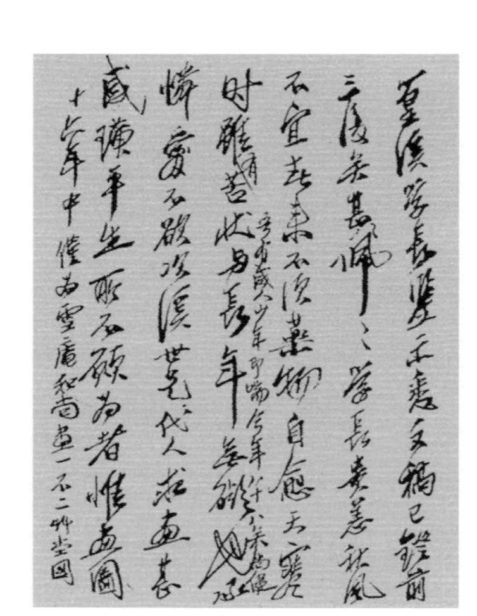

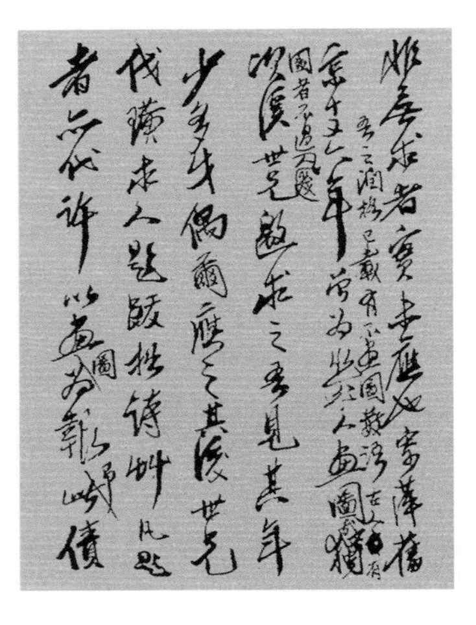

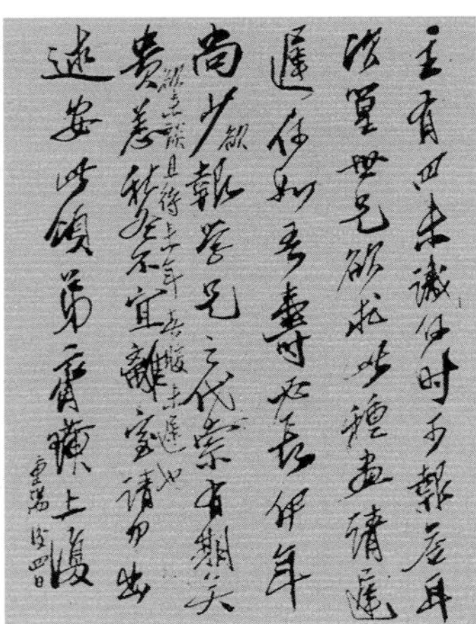

153. 行書信札(之一)
154. 行書信札(之二)
155. 行書信札(之三)
信札
紙本
約 30 年代
釋文：
篁溪學長鑒。示悉。文稿已鐙(燈)前三復矣。甚佩甚佩。學長貴恙。秋風不宜。春來不須藥物自愈。天寒時雖有苦狀。與長年無礙也。(吾有戚人。少年即喘。今年八十八矣。尚健。)承憐愛。不欲次溪世兄代人求畫。甚感。璜平生所不願為者。惟畫圖。十六年中。僅為雪庵和尚畫一不二草堂圖。非無求者。實未應也。寄萍舊京十又六年。曾為幾人畫圖哉。(吾之潤格已載有不畫圖數語。古人有圖者不過幾人。)獨次溪世兄邀求之。吾見其年少多才。偶爾應之。其後世兄代璜求人題跋拙詩草。凡題者亦代許以畫圖為報。即此債主有四。未識何時可報答耳。次篁(溪)世兄欲求此種畫。請遲遲何如。吾壽必長。伊年尚少。欲報學兄之代索有期矣。貴恙秋冬不宜離室。請勿出。欲來談。且待來年春暖未遲也。述安。此頌。弟齊璜上復。重陽後四日。
收藏：
私人

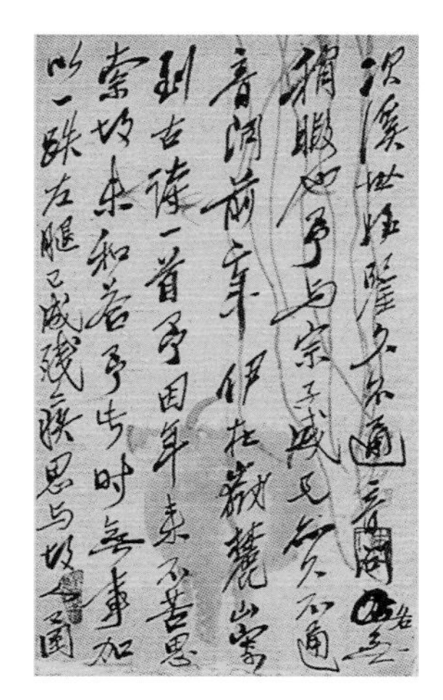

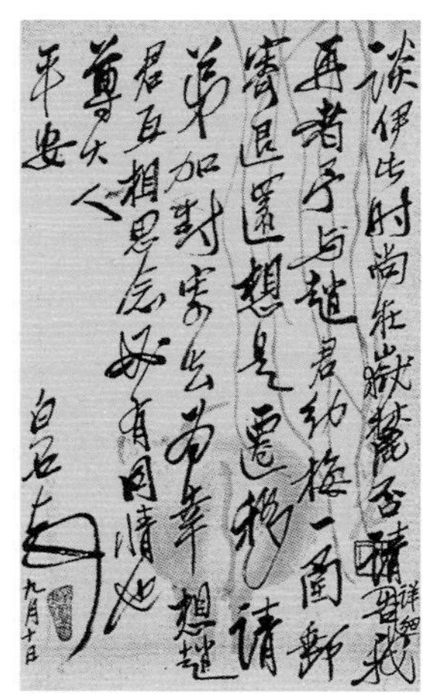

156. 行書信札(之一)
157. 行書信札(之二)

信札
紙本
約 30 年代

釋文：

次溪世姪(侄)鑒。久不通音問。各無稍暇也。予与(與)宗子威兄亦久不通音問。前二年。伊在嶽(岳)麓山寄到古詩一首。予因年來不苦思索。故未和答。予此時無事。加以一跌左腿已成殘疾。思与(與)故人函談。伊此時尚在嶽(岳)麓否。請詳細告我。再者。予与(與)趙君幼梅一函。郵寄退還。想是遷移。請弟加封寄去為幸。想趙君互相思念。必有同情也。尊大人平安。白石頓首。九月十日。

印章：

木人(朱文)

收藏：

北京榮寶齋

注釋：

白石 1935 年 7 月，因逐犬被鐵柵拌倒跌傷，三月後方愈。此函所言"左腿已成殘疾"云云，即指此。張次溪《齊白石的一生》第 185 頁曾談及此信中提及宗子威在何處諸事。

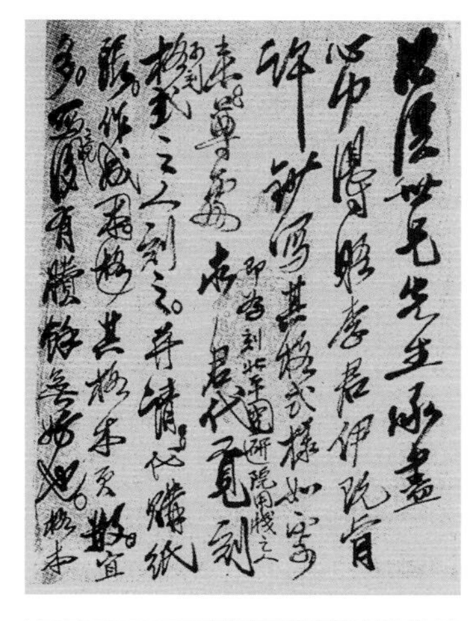

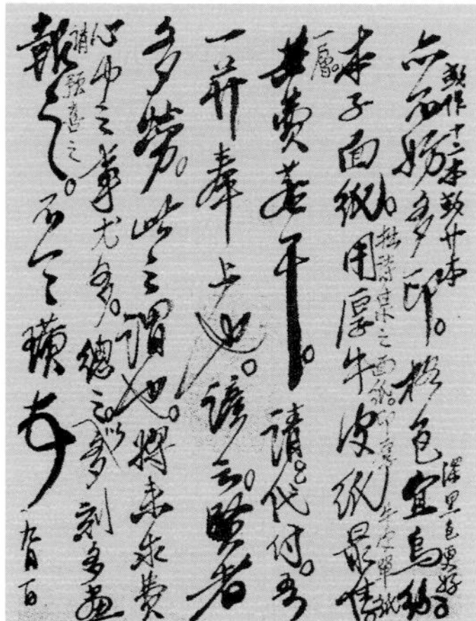

158. 行書信札(之一)
159. 行書信札(之二)

信札
紙本
約 30 年代

釋文：

次溪世兄先生。承盡心力。得晤李君。伊既肯許鈔寫。其格式樣如寄來尊處。求君代覓刻格式之人刻之(即為刻北平研究院用箋之人可刻)。并請代購紙張。作成格本。其格本頁數宜多。寫竟後有賸(剩)餘無妨也。格本亦不妨多印(或作十二本或廿本)。格色宜烏絲(深黑色更好)。本子面紙用厚牛皮紙最佳(拙詩集之面紙。印厚牛皮單紙一層)。其費若干。請代付。吾一并奉上也。諺云。賢者多勞。此之謂也。將來求費心力之事尤多。總之。以多刻多畫報之(請預喜之)。不一一。璜頓首。九月一日。

收藏：

私人

注釋：

此函所言覓鈔寫、刻字、購紙張事，均是 1932 年出版《白石詩草》過程中，由張次溪代辦者。故應斷為癸酉九月。

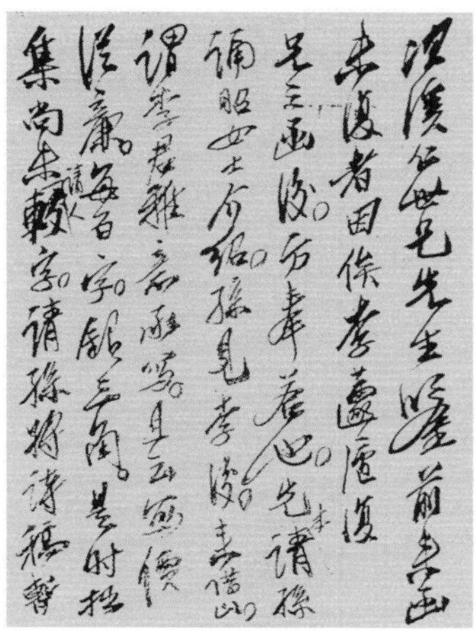

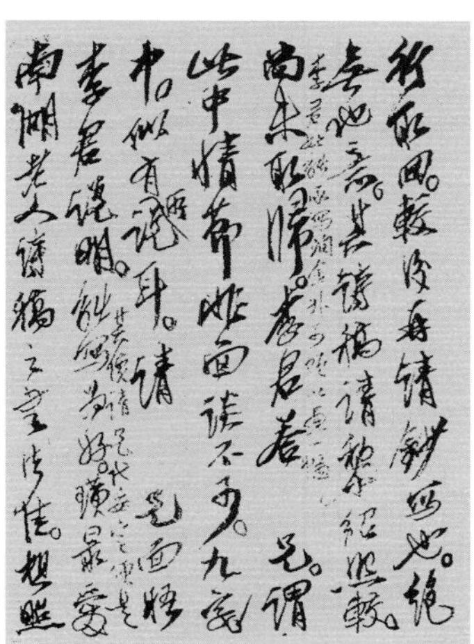

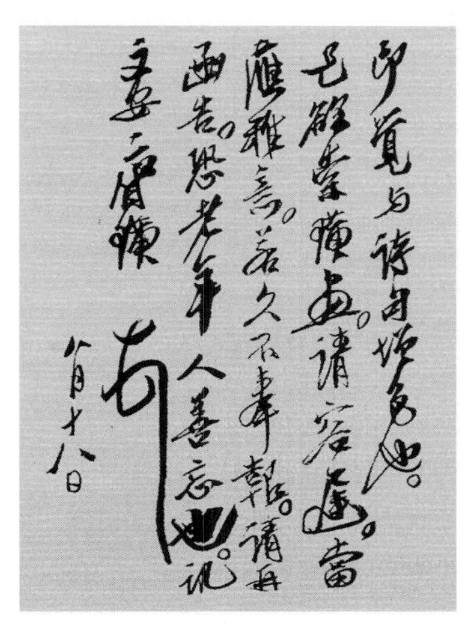

160. 行書信札(之一)
161. 行書信札(之二)
162. 行書信札(之三)

信札
紙本
約 30 年代

釋文：

次溪仁世兄先生鑒。前來函未復者。因俟李蓮廬復兄之函後。方奉答也。先本請孫誦昭女士介紹。孫見李後來借山。謂李君雅意承寫。且云寫價從廉。每百字。銀三角。是時拙集尚未請人較(校)字。請孫將詩稿暫行取回。較(校)後再請鈔寫也。絕無他意。其詩稿請黎紹熙較(校)。尚未取歸。(李君如能承寫。潤金外可贈以畫一幅。)李君答兄。謂此中情節非面談不可。九字中。似有所說耳。請兄面晤李君說明。能寫為好(其價請兄代妥定便是)。璜最愛南湖老人詩稿之書法佳。想照印。覺与(與)詩句增色也。兄欲索璜畫。請容遲。當應雅意。若久不奉報。請再函告。恐老年人善忘也。祝文安。齊璜頓首。八月十八日。

收藏：

私人

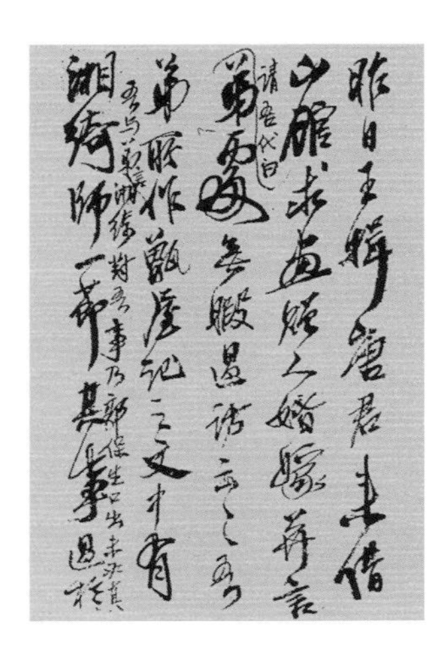

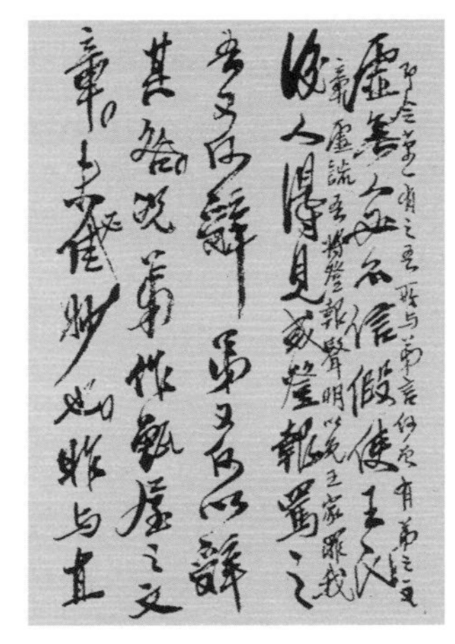

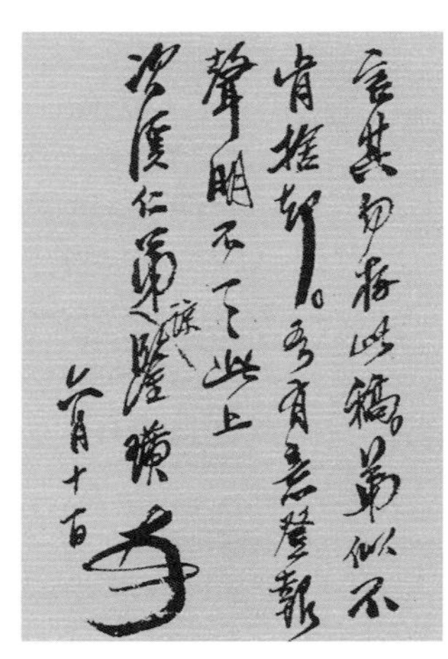

163. 行書信札(之一)
164. 行書信札(之二)
165. 行書信札(之三)

信札

紙本

約 30 年代

釋文：

昨日王揖唐君來借山館求畫。贈人婚嫁。并言請吾代白弟處無暇過話云云。吾弟所作甑屋記之文中有湘綺師一節。其事過於虛無。人必不信。(吾與弟言湘綺對吾事乃郭保生口出。未必真。即令萬一有之。吾所與弟言。何曾有弟之文章虛謊。吾將登報聲明。以免王家罪我。)假使王氏後人得見。或登報罵之。吾又何辭。弟又何以辭其咎。況弟作甑屋之文章未必佳妙也。昨与(與)直言其勿存此稿。弟似不肯捨却。吾有意登報聲明。不一一。此上。次溪仁弟諒鑒。璜頓首。六月十一日。

收藏：

私人

注釋：

齊白石 61 歲（1923 年）曾在“甑屋”匾額題記。70 歲時(1932 年)，為張次溪題詞，曰“吾有《甑屋記》，次溪弟聞之。欲求一觀。吾與之共讀。記中多祖母傷貧之言，不覺感痛中心，泪潸潸然……”張次溪作《甑屋記》文，應在此後。信中所述該文涉及王湘綺之事，亦應是此次白石對次溪所言。

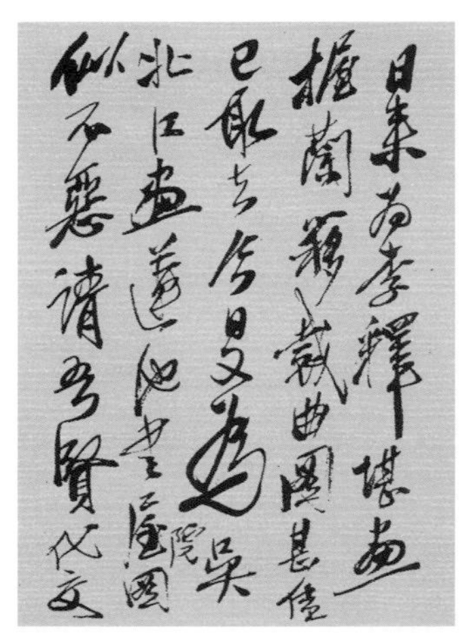

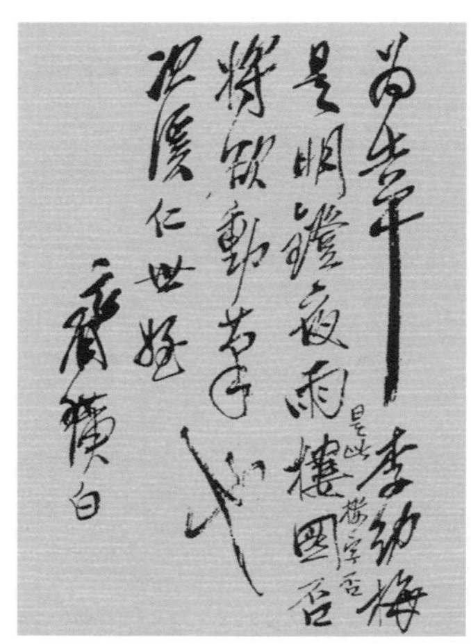

166. 行書信札(之一)
167. 行書信札(之二)

信札

紙本

約 30 年代

釋文：

日來為李釋堪畫握蘭簃裁曲圖。甚佳。已取去。今日又為吴北江畫蓮池書屋(院)圖。似不惡。請吾賢代交為幸。李幼梅是明鐙夜雨樓（是此樓字否）圖否。將欲動筆也。次溪仁世姪(侄)。齊璜白。

收藏：

私人

注釋：

《蓮池書院圖》作於癸酉春二月。此信曰“今日又為吴北江畫蓮池書院圖”云云，當為癸酉春之事。

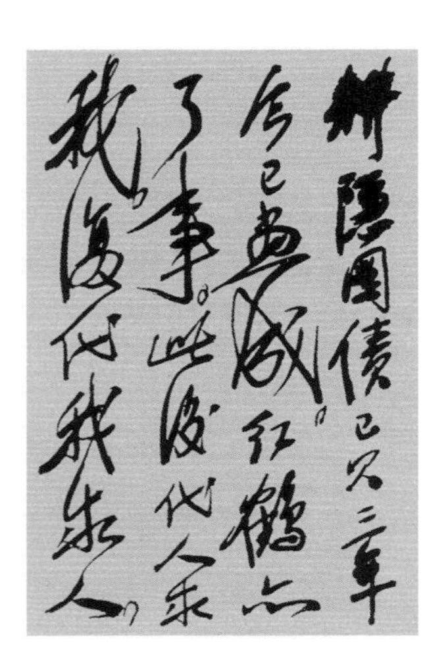

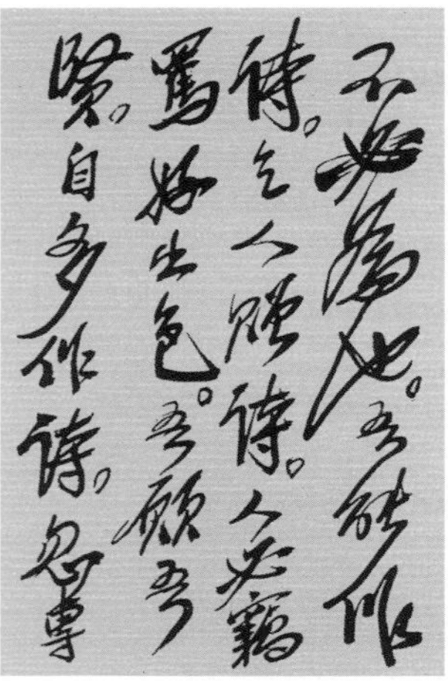

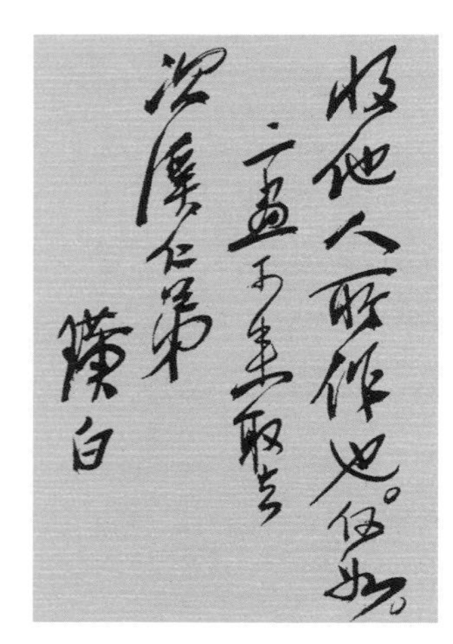

168. 行書信札(之一)
169. 行書信札(之二)
170. 行書信札(之三)

信札

紙本

約 30 年代

釋文：

耕隱圖債已欠三年。今已畫成。紅鶴亦了事。此後代人求我。復代我求人。不必為也。吾能作詩。乞人贈詩。

人必竊罵好出色。吾願吾賢。自多作詩。忽(毋)專收他人所作也。何如。二畫可來取去。次溪仁弟。璜白。

收藏：

廣東省博物館

注釋：

《耕隱圖》即《葛園耕隱圖》。是齊白石為張次溪之弟張仲葛所畫，今藏廣東省博物館。

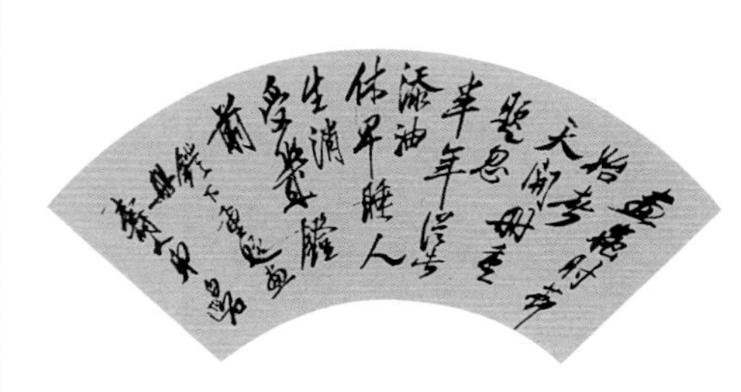

171. 行書扇面

扇面

紙本

約 30 年代

釋文：

畫蟲時節始春天。開册重題忽半年。從此添油休早睡。人生消受幾鐙前。鐙下重題畫册。壽人弟。白石。

印章：

木人(朱文)

收藏：

私人

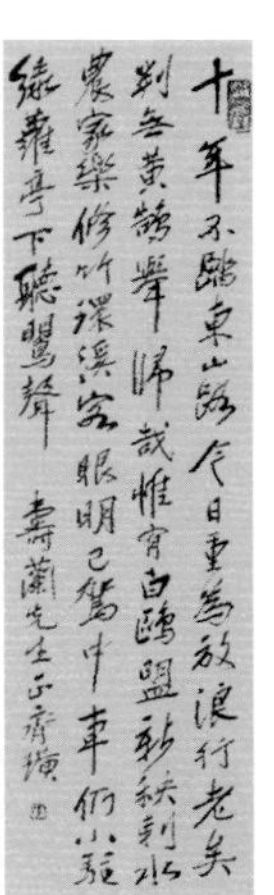

172. 行書立軸

立軸

紙本

約 1940 年

釋文：

十年不踏東山路。今日重為放浪行。老矣判無黄鵠舉。歸哉惟有白鷗盟。新秧剌水農家樂。修竹環溪客眼明。已駕中車仍小駐。綠蘿亭下聽鸎(鶯)聲。

壽蘭先生正。齊璜。

印章：

悔烏堂(朱文)　齊大(朱文)

收藏：

人民美術出版社

173. 行書信封

信封

紙本

約 1941 年

釋文：

宣外香爐營頭条(條)五十号(號)。

黄濟國先生启(啟)。

白石。

收藏：

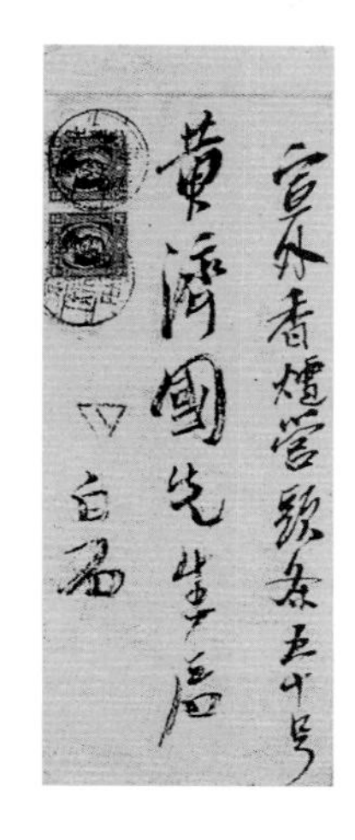

湖南省博物館

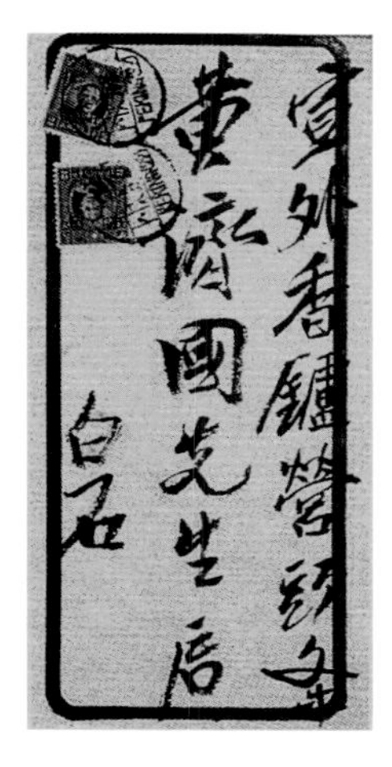

174. 行書信封

直幅

紙本

21×10cm

約 1941 年

釋文：

宣外香鑪(爐)營頭条(條)。

黄濟國先生啟。

白石。

收藏：

湖南省博物館

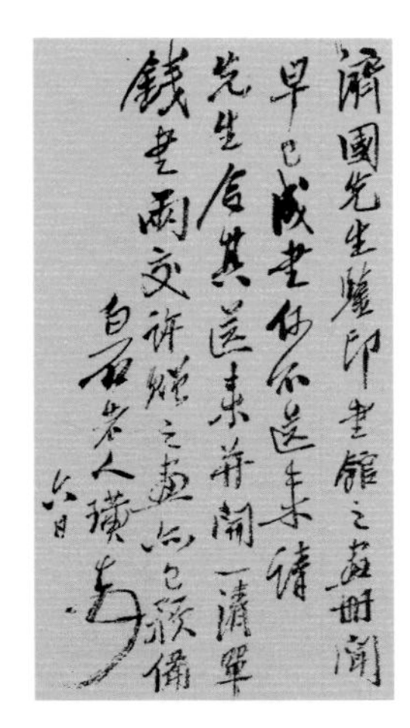

175. 行書信札

信札

毛邊紙

29×18cm

約 1941 年

釋文：

濟國先生鑒。印書館之畫册。聞早已成書。何不送來。請先生令其送來。并開一清單。錢書兩交。許贈之畫亦已預備。

白石老人璜頓首。六日。

收藏：

湖南省博物館

176. 行書信札

信札

毛邊紙

26×16cm

約 1941 年

釋文：

濟國先生有道。承助言泊廬印畫册事。錢書兩交。只(衹)有原畫十二幅尚未交還。求先生完其事。親往該印書館。立即促其交出。求先生便道帶來借山為幸。璜待原畫。方將畫册一并送交楊宅。以完滿其事也。泊廬有知。當感謝無量。即頌賢安。

齊璜頓首。九月十七日。

收藏：

湖南省博物館

177. 篆書聯

對聯

紙本

178×46cm

1941 年

釋文：

群持山作壽。

常與鶴同儕。

子才仁弟大人雅屬。辛巳。九九翁白石齊璜。

印章：

悔烏堂(朱文)　人長壽(朱文)
齊璜之印(白文)　白石(朱文)

收藏：

首都博物館

178. 篆書立軸

立軸
紙本
1941 年

釋文：

年高身健不肯作神仙。
九九翁。白石。

印章：

九九翁(白文)
白石(朱文)

收藏：

人民美術出版社

179. 篆書橫幅

橫披
紙本
33×132.2cm
1942 年

釋文：

陶然亭。
壬午秋八月。陶然亭住持雅屬。白石。

印章：

悔烏堂(朱文)　白石(朱文)

收藏：

首都博物館

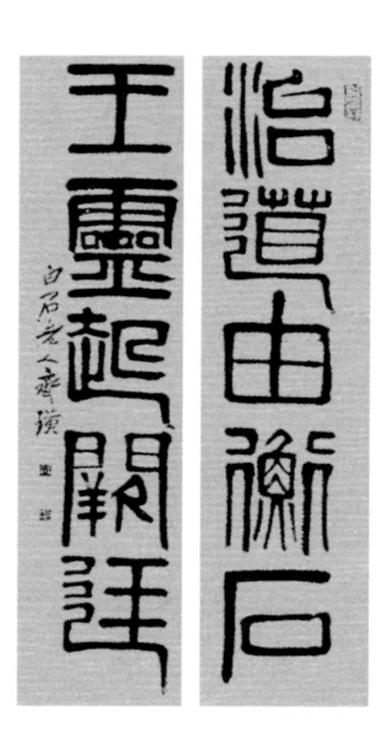

180. 篆書聯

對聯
紙本墨筆
135.5×33.3cm
約 1942 年

釋文：

治道由衡石。
王靈起闕廷。
白石老人齊璜。

印章：

悔烏堂(朱文)
吾年八十二矣(白文)
白石草衣(白文)

收藏：

楊永德藏

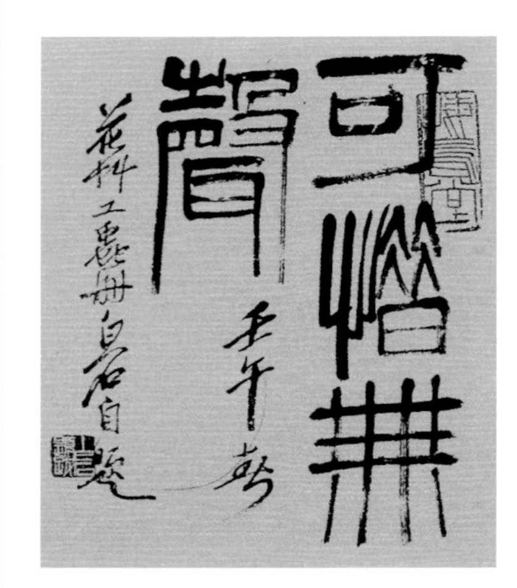

181. 篆書題簽

册頁
紙本
1942 年

釋文：

可惜無聲。
壬午春。
花草工蟲册。白石自題。

印章：

悔烏堂(朱文)　白石題跋(白文)

收藏：

私人

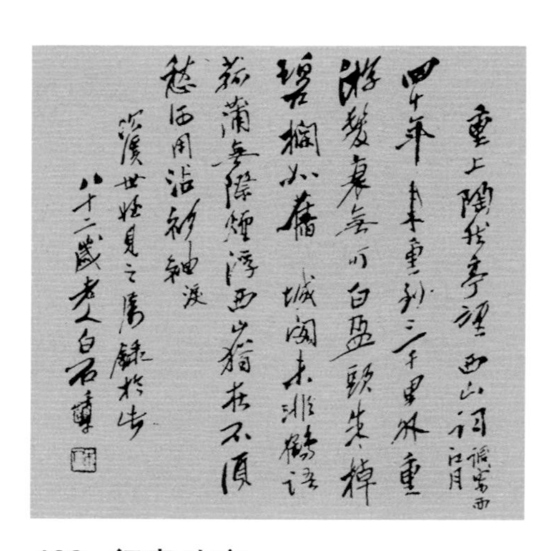

182. 行書斗方

斗方
紙本
1942 年

釋文：

重上陶然亭望西山詞。調寄西江月。

四十年來重到。三千里外重游。髮衰無可白盈頭。朱棹碧欄如舊。城閣未非鶴語。菰蒲無際煙(烟)浮。西山猶在不須愁。何用淚(泪)沾衫袖。

次溪世姪(侄)見之。屬録於此。
八十二歲老人白石。壬午。

印章：

木人(朱文)　□

收藏：

私人

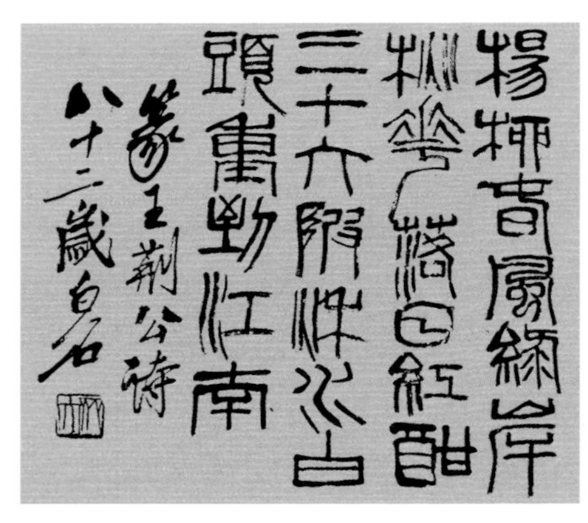

183. 篆書斗方

斗方
紙本
1942 年

釋文：

楊柳春風緑岸。
桃花落日紅酣。
三十六陂秋水。
白頭重到江南。
篆王荆公詩。八十二歲白石。

印章：

齊大(朱文)

收藏：

私人

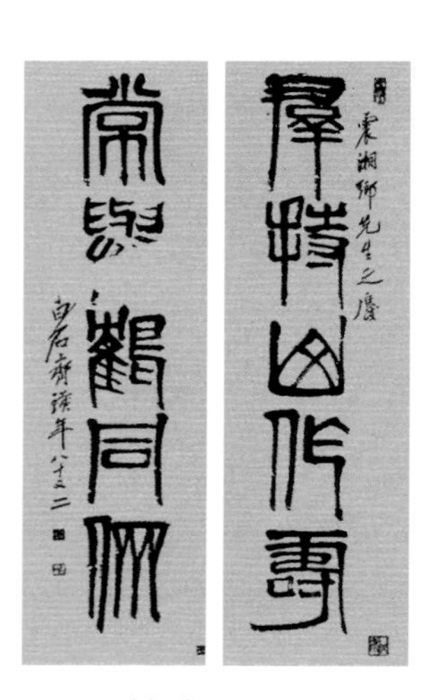

184. 篆書聯

對聯
紙本
179×46cm
1942 年

釋文：

群持山作壽。
常與鶴同儕。
震湘鄉先生之慶。
白石齊璜年八十又二。

印章：

悔烏堂(朱文)　人長壽(朱文)
齊璜之印(白文)　白石(朱文)
收藏印:湖南省博物館收藏(朱文)

收藏:

湖南省博物館

185. 篆書横幅

横幅

紙本

32×114cm

1942 年

釋文:

雁雙飛館。

冰庵仁弟知雁有節。因名其齋。

壬午冬。八十二歲白石。

印章:

悔烏堂(朱文)　白石(朱文)

接木移花手段(白文)

收藏印:湖南省博物館收藏(朱文)

收藏:

湖南省博物館

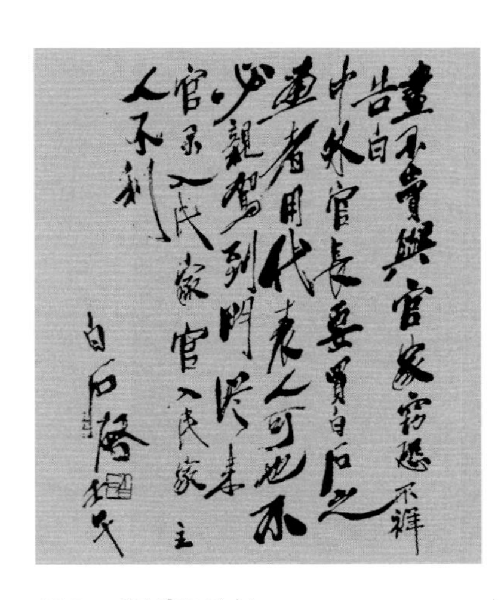

186. 行書手札

直幅

紙本

69.5×48cm

1942 年

釋文:

畫不賣與官家。窃(竊)恐不祥。告白。

中外官長要買白石之畫者。用代表人可也。不必親駕到門。從來官不入民家。官入民家。主人不利。

白石啟。壬午。

印章:

白石(朱文)

收藏:

上海市文物商店

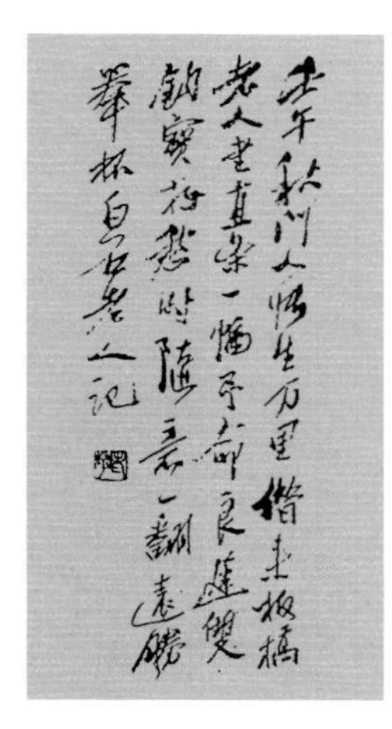

187. 行書題記

題記

紙本

25.5×23.5cm

1942 年

釋文:

壬午秋。門人張生万(萬)里借來板橋老人書直条(條)一幅。予命良遲雙鉤寶(保)存。愁時隨意一翻。遠勝舉杯。白石老人記。

印章:

老苹(朱文)

收藏:

齊良遲

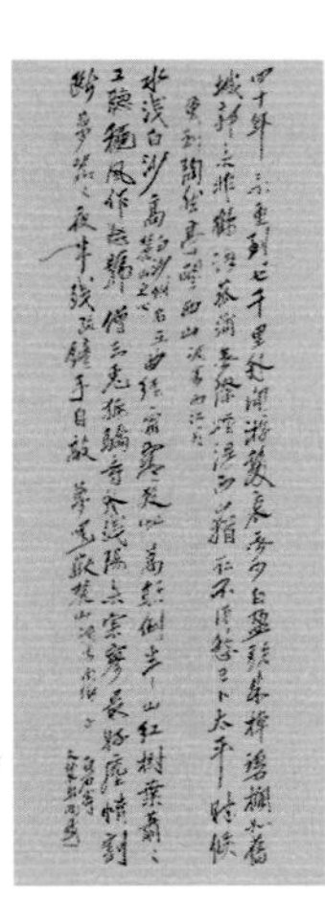

188. 行書立軸

立軸

紙本書法

130×32.5cm

約 1943 年

釋文:

四十年來重到。七千里外閒(閑)游。髮衰無可白盈頭。朱棹碧欄如舊。城郭未非鶴語。菰蒲無際煙(烟)浮。西山猶在不須愁。已卜太平時候。

重到陶然亭望西山。調寄西江月。

水淺白沙高。(白沙。州名。在麓山之下。)曲徑霜寒殺草蒿。顛倒半山紅樹葉。蕭蕭。又聽秋風作怒號。

僧去兔狐驕。寺外殘陽未寂寥。最好塵情割斷夢。囂囂。夜半殘疏鐘手自敲。夢還嶽(岳)麓山。調寄南鄉子。

白石寄。文藤(農)弟兩屬。

印章:

齊大(朱文)

收藏:

王文農

注釋:

“州”,應作“洲”。

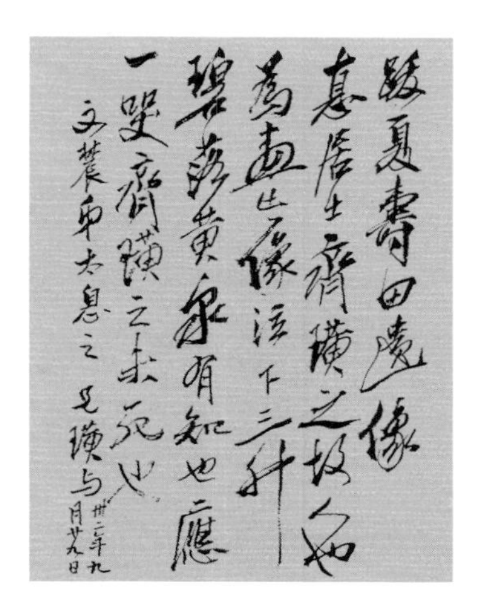

189. 行書題跋

題記

紙本書法

28.3×18cm

1943 年

釋文:

跋夏壽田遺像。

德居士。齊璜之故人也。為畫此像。泣下三升。碧落黃泉有知。也應一哭齊璜之未死也。文藤(農)弟太息之。兄璜与(與)。卅二年九月廿九日。

收藏:

王文農

190. 篆書横幅

横幅

紙本

32×59cm

1943 年

釋文:

墨緣。

八十三歲白石。

印章:

悔烏堂(朱文)　齊大(朱文)

行年八十三矣(白文)

收藏:

私人

191. 篆書立軸

立軸

紙本書法

90×46cm

1943 年

釋文:

胸無塵土自女(心)安。詩画娱情意更閒(閑)。羡汝漢陽高隱者。開窗隔水對龜山。(詩字上是安字)。癸未九月畢。寄懷七絶一首。文藤(農)仁弟兩

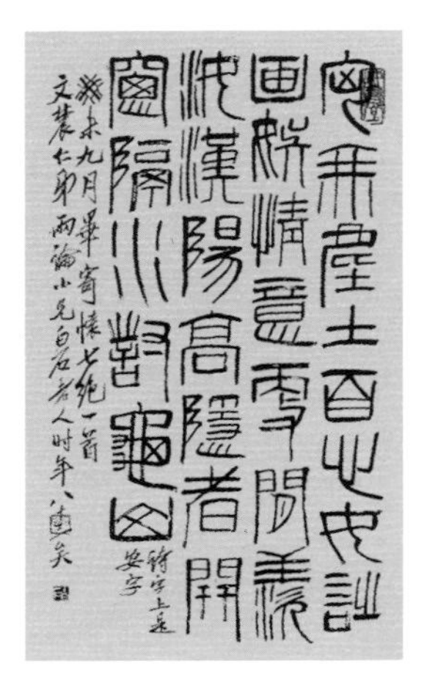

論。小兄白石老人時年八十三矣。

印章：

悔烏堂(朱文)　借山翁(朱文)

白石(白文)

收藏：

王文農

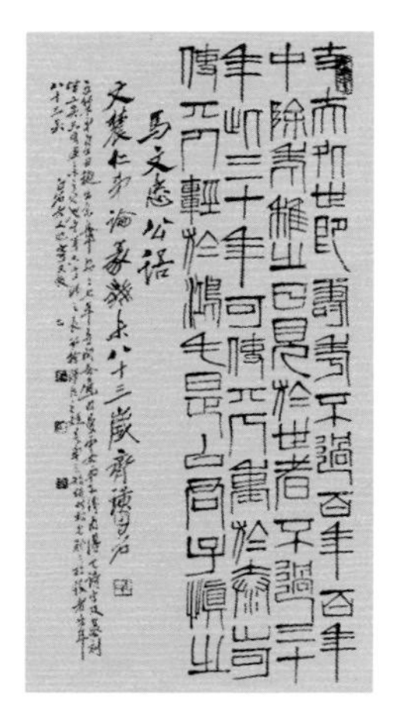

192. 篆書立軸

立軸

紙本書法

137×59cm

約 1943 年

釋文：

丈夫處世。即壽考不過百年。百年中除老稚之日。見於世者不過三十年。此三十年。可使其人重於泰山。可使其人輕於鴻毛。是以君子慎之。

馬文忠公語。文檂(農)仁弟論篆。癸未。八十三歲齊璜白石。

文檂(農)弟自丁丑秋出京華。忽忽七年。音問無通。因曼雲女弟子轉函。得見詩字及篆刻皆工矣。只(衹)有畫未之見也。書箋只(衹)言師之長。不捨師法之短。是弟之短。何時相見。耿耿於懷者。吾年八十三矣。白石老人臨寄又及。

印章：

悔烏堂(朱文)　甑屋(朱文)

白石(朱文)　老白(白文)

知我還在(白文)　知己有恩(朱文)

心耿耿(白文)

收藏：

王文農

注釋：

馬文忠公：明人馬世奇，字君常，無錫人。崇禎四年進士。為左庶子。崇禎十七年三月城陷，自縊死，贈禮部右侍郎，謚文忠。

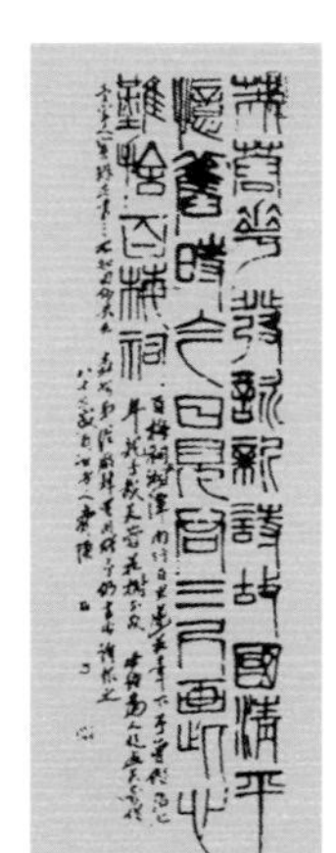

193. 篆書立軸

立軸

紙本

1944 年

釋文：

芙蓉花發咏新詩。故國清平憶舊時。

今日見君三尺画(畫)。此心難捨百梅祠。

百梅祠在湘潭南行百里蓮花峰下。予曾借居七年。親手栽芙蓉花樹甚茂。此詩為人題畫芙蓉作。予室人寶珠求書之。不知因何失去。森然弟從廠肆買回贈予。仍書此詩報之。

八十三(四)歲白石老人齊璜。

印章：

悔烏堂(朱文)　□　□　□

收藏：

私人

194. 篆書聯

對聯

紙本

1944 年

釋文：

德高希石户。

道大語雲將。

白石齊璜。甲申八十三(四)歲。

印章：

悔烏堂(朱文)　借山翁(朱文)

白石(朱文)

收藏：

私人

注釋：

石户：語出《莊子・讓王》：“舜以天下讓其友石户之農。石户之農曰：捲捲乎後之為人葆力之士也。以舜之德為未至也。於是夫負妻戴携子以入於海，終身不反也。”

雲將：語出《莊子・在宥》，借神人鴻蒙與雲將的一段對話，闡述“無為而物自化”的道理。

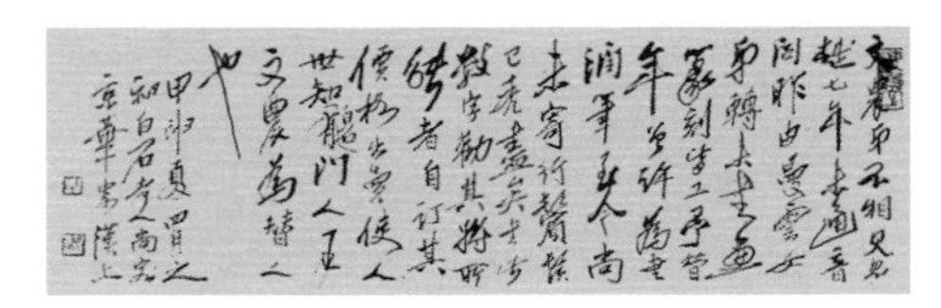

195. 行書橫幅

橫幅

紙本

32.5×103cm

1944 年

釋文：

文農弟。不相見忽越七年。未通音問。昨由曼雲女弟轉來書畫篆刻。皆工。予昔年曾許為書潤筆。至今尚未寄。行鬢鬚已禿盡矣。書此數字。勸其將所能者自訂其價格出賣。使人世知白石有門人王文農為替人也。

甲申夏四月之初。白石老人尚客京華。寄漢上。

印章：

悔烏堂(朱文)　白石(朱文)

甑屋(朱文)

收藏：

王文農

196. 篆書聯

對聯

紙本

135×32cm

1945 年

釋文：

禮稱王史氏。

治紀大馮君。

八十五歲白石齊璜。乙酉。

印章：

借山翁(朱文)　白石(朱文)

悔烏堂(朱文)

收藏印：湖南省博物館收藏印

收藏：

湖南省博物館

197. 行書扇面

扇面

紙本

1945 年

釋文:

鐵栅三間屋。筆如農器忙。硯田牛未歇。落日照東厢。自嘲詩。冷厂(庵)仁弟一笑。乙酉。八十五歲璜。

印章:

木人(朱文)

收藏:

私人

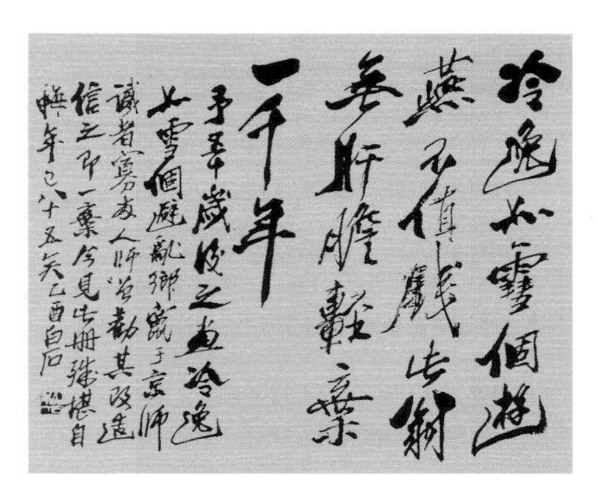

198. 行書斗方

斗方

紙本

27.5×29cm

1945 年

釋文:

冷逸如雪個(个)。遊燕不值錢。此翁無肝膽。輕棄(弃)一千年。

予五十歲後之畫冷逸如雪個(个)。避鄉亂。竄于京師。識者寡。友人師曾勸其改造。信之。即一棄(弃)。今見此册。殊堪自悔。年已八十五矣。乙酉。白石。

印章:

白石老人(白文)

收藏:

齊良遲

199. 行書立軸

立軸

紙本

1946 年

釋文:

藝術之道。要能謙。謙受益。不欲眼高手低。議論闊大。本事卑俗。有識如此數則。自然成器。

穎中公子之屬。白石老人八十六

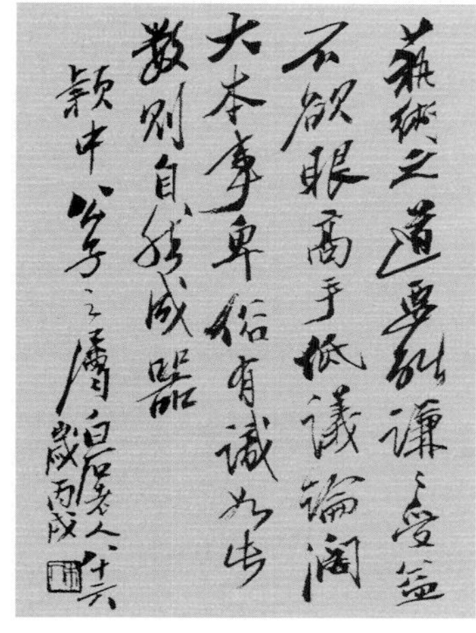

歲。丙戌。

印章:

木人(朱文)

收藏:

人民美術出版社

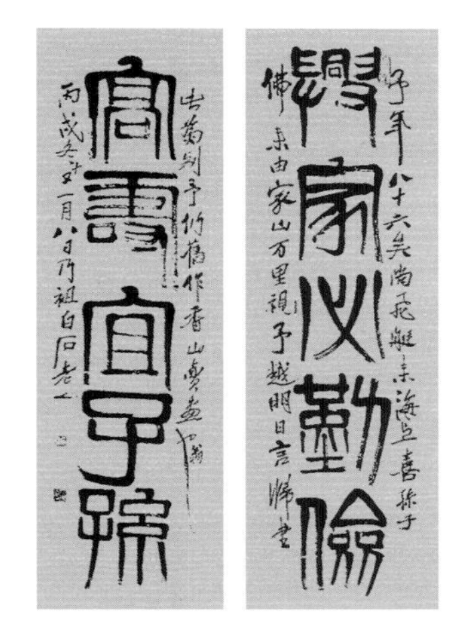

200. 篆書聯

對聯

紙本

154×41cm

1946 年

釋文:

興家必勤儉。高壽宜子孫。

予年八十六矣。尚飛艇來海上。喜孫子佛來由家山万(萬)里視予。越明日言歸。書此為別。予仍舊作香山賣畫翁也。

丙戌冬十又一月八日。乃祖白石老人。

印章:

悔烏堂(朱文)　借山翁(朱文)

齊璜之印(白文)

收藏:

齊佛來

201. 篆書横幅

横幅

紙本

31×148cm

1947 年

釋文:

李可染國畫展。

丁亥。八十七歲白石。

印章:

悔烏堂(朱文)　白石(朱文)

收藏:

李可染

202. 行書題跋

題跋

紙本

1948 年

釋文:

門人苦禪不長畫鮎魚。竟得如此之神奇。予所不料。惜懊道人李晴江不見此幅也。八十八歲白石老人喜之題記。戊子二月。同在京華。

印章:

白石老人(白文)

收藏:

李可染

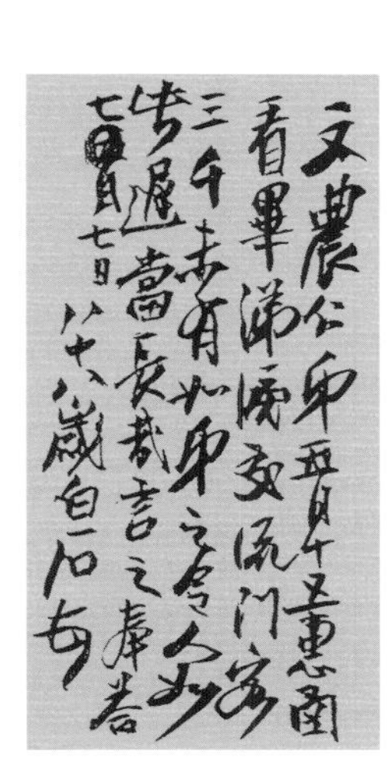

203. 行書信札

直幅

紙本

11.3×5.3cm

約 1948 年

釋文:

文農仁弟。五月十五惠函看畢。涕淚(泪)交流。門客三千。未有如弟之令人如此遲當長哉。言之奉答。七月七日。八十八歲白石頓首。

收藏:

王文農

204. 篆書聯

對聯

紙本

68×21cm

1948 年

釋文:

仁者長壽。
老矣加餐。
戊子。八十八歲。白石老人。

印章:

悔烏堂(朱文)　白石翁(朱文)
吾年八十八(朱文)

收藏:

中央美術學院

205. 篆書聯

對聯
紙本
1948 年

釋文:

持山作壽。
與佛同龕。
戊子。齊璜白石書于京華城西鐵屋。

印章:

悔烏堂(朱文)　□

收藏:

私人

206. 篆書聯

對聯
紙本
133×32cm
1949 年

釋文:

海為龍世界。
雲是雀(鶴)家鄉。
佩珠女弟清屬。八十九歲白石老人。

印章:

君子之量容人(朱文)
年八十九(白文)
齊璜老手(白文)
白石(朱文)

收藏:

鄒佩珠

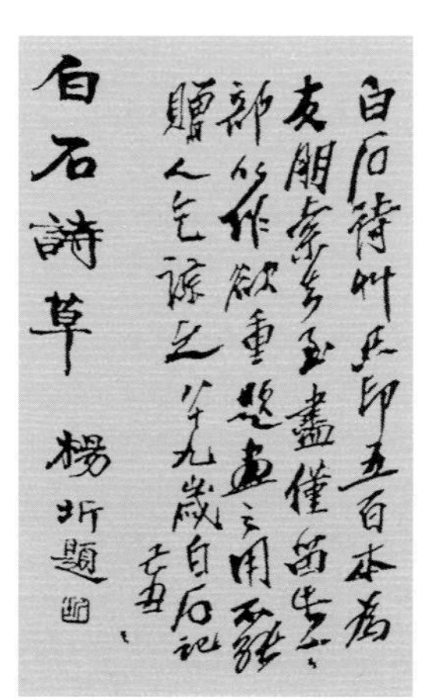

207. 行書題記

封面
紙本
27×18cm
1949 年

釋文:

白石詩草只(衹)印五百本。為友朋索去至盡。僅留此一部。以作欲重題畫之用。不能贈人。乞諒之。八十九歲白石記。己丑。

收藏:

齊良遲

208. 篆書立軸

立軸
紙本
約 1949 年

釋文:

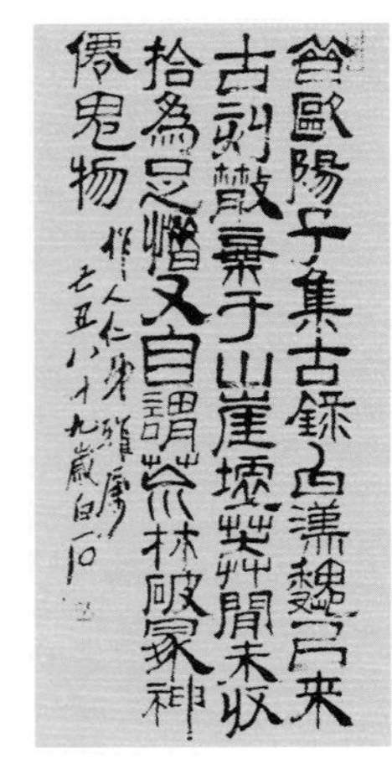

昔歐陽子集古録。自漢魏以來古刻散棄(弃)于山崖墟莽間。未收拾為足惜。又自謂。荒林破冢。神仙鬼物。作人仁弟雅屬。己丑。八十九歲白石。

印章:

悔烏堂(朱文)
白石(朱文)

收藏:

人民美術出版社

209. 篆書聯

對聯
紙本
約 1949 年

釋文:

群持山作壽。
常与(與)鶴同儔。
八十九歲白石老人。

印章:

齊璜之印(白文)

收藏:

私人

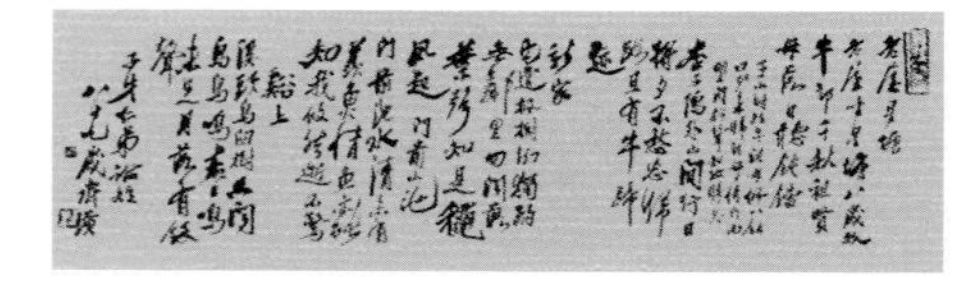

210. 行書橫幅

橫幅
紙本
27.8×107cm
1949 年

釋文:

老屋星塘。

老屋坐星塘。八歲牧牛郎。千秋祖賢母。落日聽鈴鐺。

予小時牧牛。祖母佩以鈴。曰。日夕未歸。祖母倚門而望。聞鈴聲知汝歸矣。

杏子隖(塢)外山。閒(閑)行日將夕。不愁忘歸路。且有牛蹄迹。

新家。

宅邊楓樹坳。獨酌無鄰里。匆(忽)聞落葉聲。知是秋風起。

門前小池。門前池水清。未有羨魚情。魚亦能知我。攸然逝不驚。

谿(溪)上。

溪頭烏臼樹。只(衹)聞烏烏鳴。盡日鳴未足。月落有餘聲。

子才仁弟論短。八十九歲齊璜。

印章:

君子之量容人(朱文)

苹翁(白文)　白石(朱文)

收藏:

首都博物館

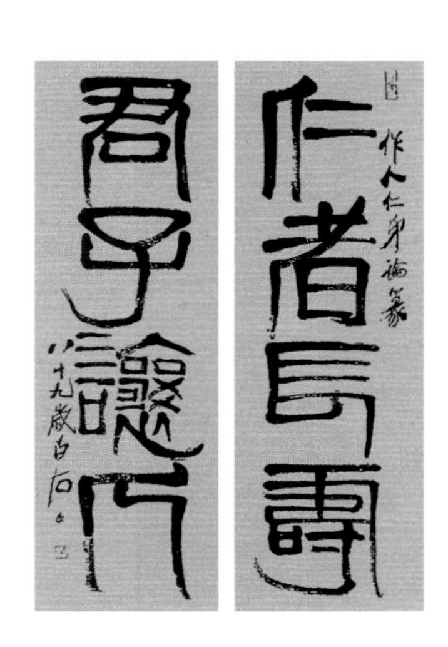

211. 篆書聯

對聯

紙本

149×46.5cm

1949年

釋文:

仁者長壽。

君子讓人。

作人仁弟論篆。

八十九歲白石。

印章:

君子之量容人(朱文)

齊璜老手(白文)　白石(朱文)

收藏:

吴作人

212. 隸書立軸

立軸

紙本

1949年

釋文:

宅邊楓樹坳。獨坐無鄰里。忽聞落

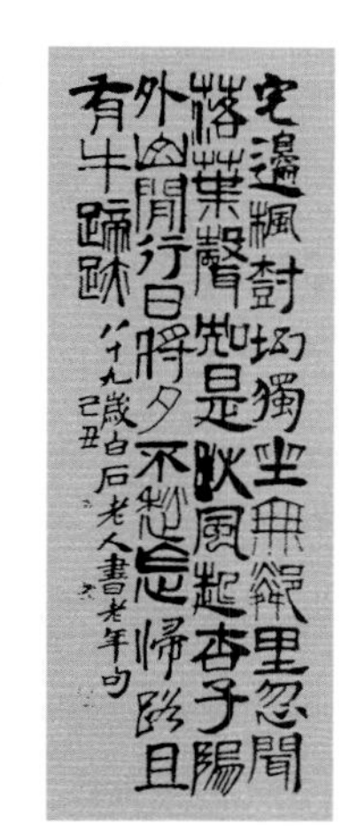

葉聲。知是秋風起。杏子隖(塢)外山。閒(閑)行日將夕。不愁忘歸路。且有牛蹄跡(迹)。

八十九歲白石老人書老年句。己丑。

印章:

□

齊璜之印(白文)

白石(朱文)

收藏:

私人

213. 篆書扇面

扇面

紙本

20×55cm

約40年代

釋文:

楊柳西風緑岸。桃花落日紅酣。

三十六陂秋水。白頭重到江南。

王荆公詩。寶君屬。老夫白石。

印章:

木人(朱文)

收藏:

齊良遲

214. 篆書扇面

扇面

紙本

約40年代

釋文:

楊柳春風緑岸。

桃花落日紅酣。

三十六陂秋水。

白頭重見(到)江南。

(見字當是到字) 竹泉四先生雅正。齊璜。

印章:

□

收藏:

私人

215. 行書扇面

扇面

紙本

23×67cm

約40年代

釋文:

終日尋春不見春。

芒鞋踏破嶺頭雲。

歸來笑撚梅花嗅。

春在枝頭已十分。

梅花尼所作梅花詩也。齊璜為瘦梅仁兄書。

印章:

老白(朱文)

收藏:

中國藝術研究院美術研究所

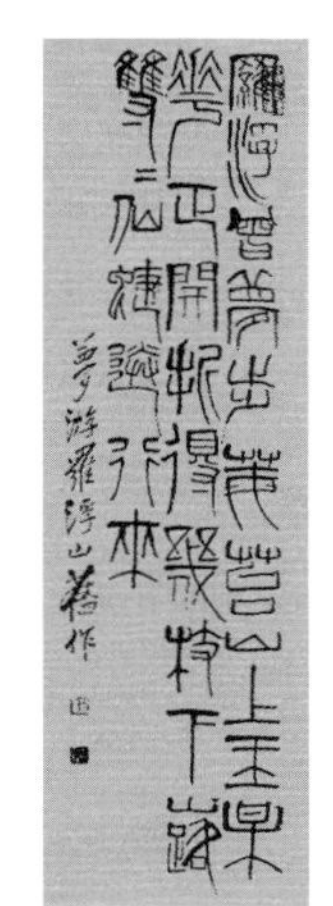

216. 篆書立軸

立軸

紙本

135.5×33.5cm

約40年代

釋文:

羅浮曾夢步莓苔。山上玉梅花正開。折得幾枝下山路。雙雙仙蝶送行來。

夢游羅浮山舊作。

印章:

木人(朱文)

悔烏堂(朱文)

七九衰翁(白文)

收藏:

北京市文物公司

217. 行書立軸

立軸

紙本

109×14cm

約40年代

釋文:

每思搔背憶麻姑。

白石老人。

印章:

白石(朱文)

收藏:

上海市文物商店

218. 篆書立軸

立幅

紙本

約 40 年代

釋文：

試劍岩疑削。栽瓜石未迷。霞光標樹迴。風韵拂山齊。

何日尋津去。桃花滿一谿(溪)。

白石老人。

印章：

白石(朱文)

收藏：

私人

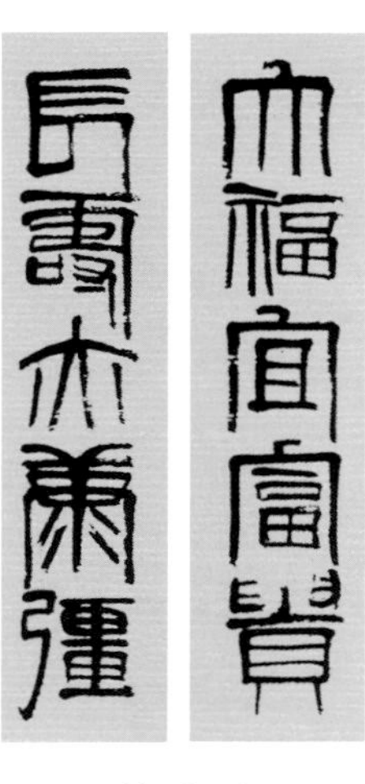

219. 篆書聯

對聯

紙本

約 40 年代

釋文：

大福宜富貴。

長壽亦康彊(强)。

收藏：

私人

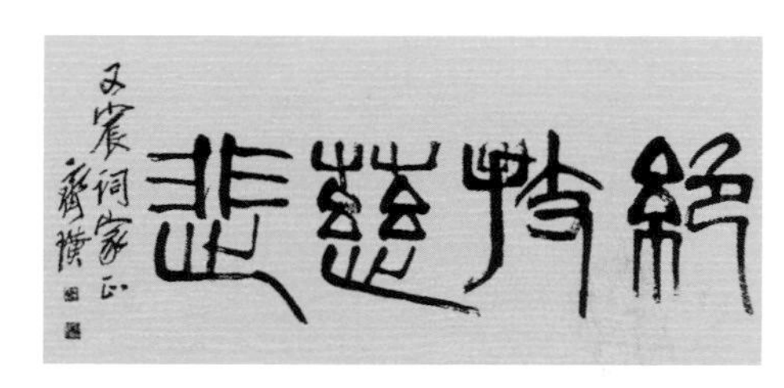

220. 篆書横幅

横幅

紙本

61.5×134.5cm

約 40 年代後期

釋文：

絶技慈悲。

又宸詞家正。齊璜。

印章：

七五衰翁(白文) □

收藏：

上海朵雲軒

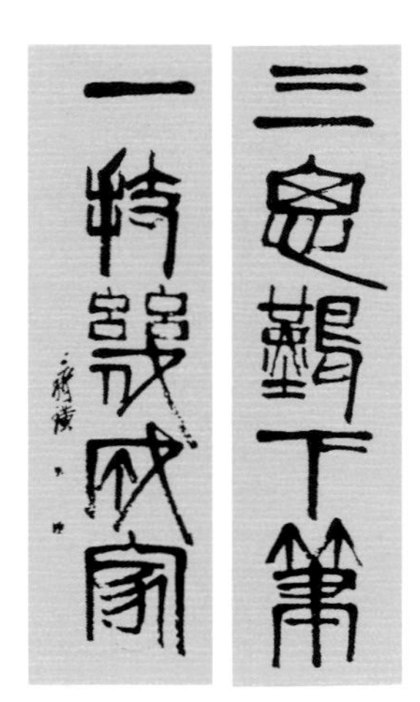

221. 篆書聯

對聯

紙本

約 40 年代後期

釋文：

三思難下筆。

一技幾成家。

齊璜。

印章：

□□

收藏：

私人

222. 篆書聯

對聯

紙本

133.5×35cm

1950 年

釋文：

持山作壽。

与(與)鶴同儕。

任潮先生雅正。九十歲白石老人。

印章：

白石(朱文)　借山翁(朱文)

收藏印：任潮心賞(朱文)

李濟深印(白文)

任潮鑒藏金石書畫之章(白文)

收藏：

廣西壯族自治區博物館

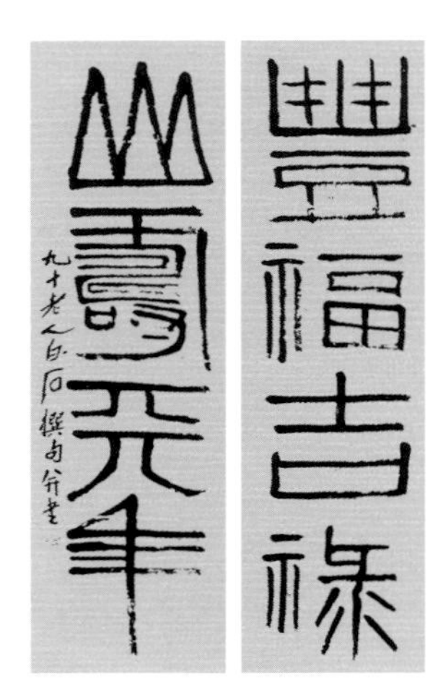

223. 篆書聯

對聯

紙本

1950 年

釋文：

豐福吉禄。

山壽天年。

九十老人白石撰句并書。

印章：

白石(朱文)

收藏：

私人

224. 篆書聯

對聯

紙本

128×29cm

1950 年

釋文：

仁者長壽。

君子讓人。

九十歲白石老人一揮。

印章:

白石(朱文)

收藏:

天津人民美術出版社

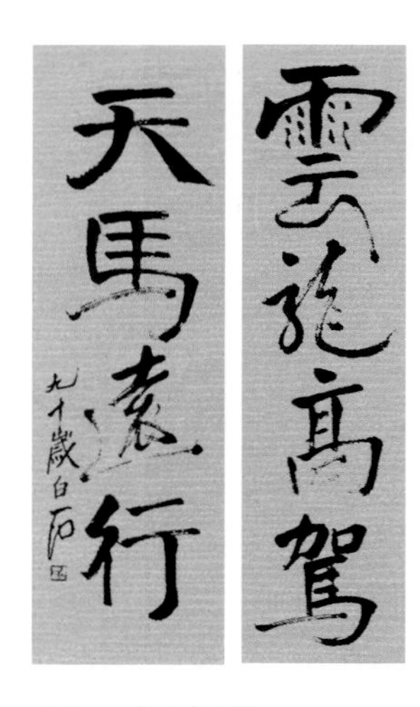

225. 行書聯

對聯

紙本

134×39cm

1950 年

釋文:

雲龍高駕。

天馬遠行。九十歲白石。

印章:

白石(朱文)

收藏:

中央美術學院

226. 行書立軸

立軸

紙本

225×54cm

1950 年

釋文:

從群衆中來。到群衆中去。

中央美術學院成立紀事。中華全國美術工作者協會。

人民美術社仝(同)賀。

印章:

白石(朱文)

收藏:

中央美術學院

227. 篆書聯

對聯

紙本

141×46cm

1950 年

釋文:

持山作壽。

與鶴同儕。

九十歲老人白石。

印章:

白石(朱文)

收藏:

北京榮寶齋

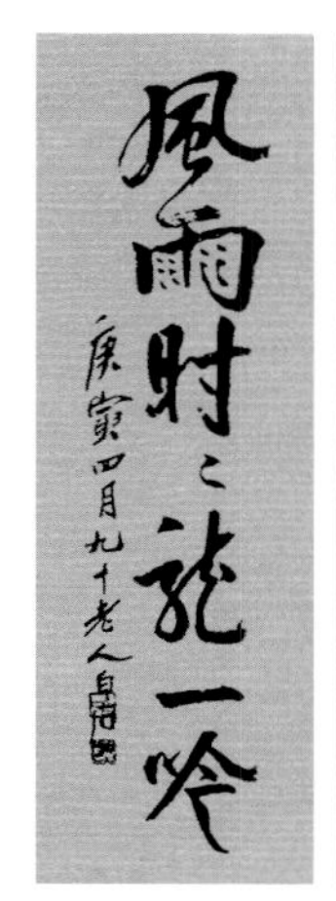

228. 行書聯

對聯

紙本

1950 年

釋文:

城鄉處處人長壽。

風雨時時龍一吟。

阿龍世賢姪(侄)論定。庚寅四月。九十老人白石。

印章:

君子之量容人(朱文)

白石(朱文)　齊璜之印(白文)

收藏:

私人

229. 篆書聯

對聯

紙本

1951 年

釋文:

昔者湘蘭見。

今人南樓逢。

秀儀女弟兩屬。辛卯。九十一歲白石老人書于京華城西白石畫屋。

印章:

白石(朱文)　大匠之門(白文)

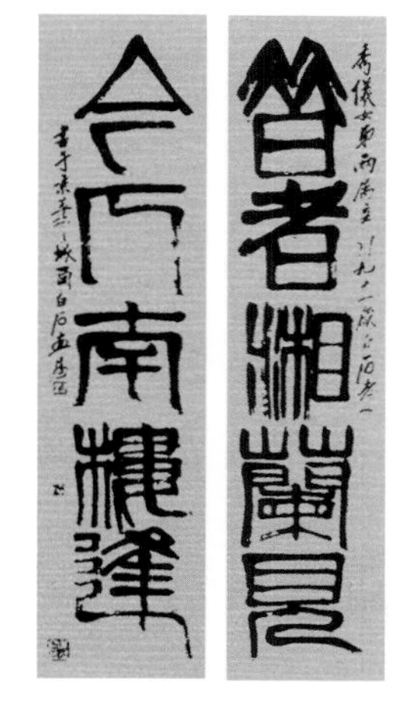

人長壽(朱文)

收藏:

私人

230. 行書立軸

立軸

紙本

1951 年

釋文:

已卜餘年見太平。

琪翔弟清正。九十一白石。辛卯。

印章:

白石(朱文)

收藏:

私人

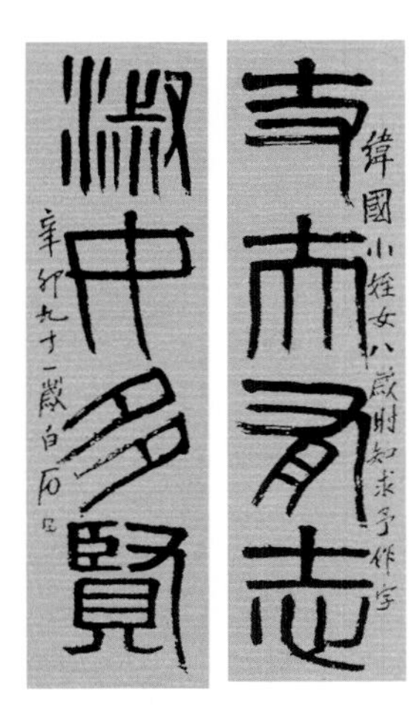

231. 篆書聯

對聯

紙本

117.8×31.8cm

1951 年

釋文：

丈夫有志。

淑女多賢。

緯國小姪(侄)女八歲時知求予作字。辛卯。九十一歲白石。

印章：

白石(朱文)

收藏：

楊永德

232. 篆書立軸

立軸

紙本

1951 年

釋文：

語花。

辛卯秋月。九十一歲白石。

印章：

齊白石(白文)

收藏：

私人

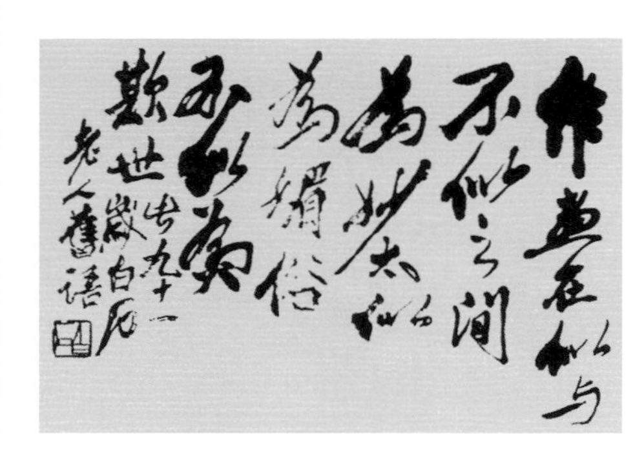

233. 行書題款

立軸

紙本

1951 年

釋文：

作畫在似与(與)不似之間為妙。太似為媚俗。不似為欺世。

此九十一歲白石老人舊語。

印章：

白石(朱文)

收藏：

私人

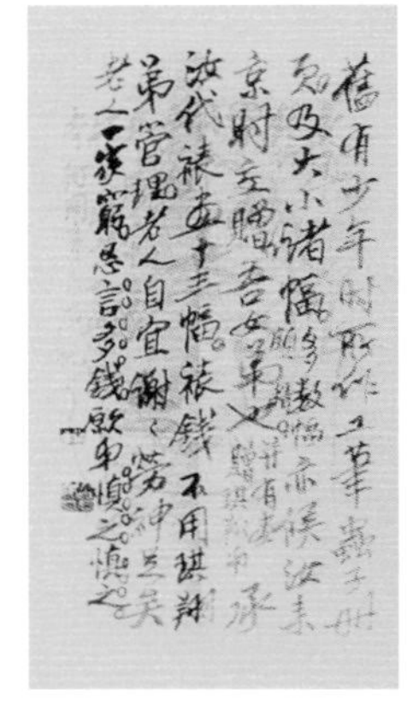

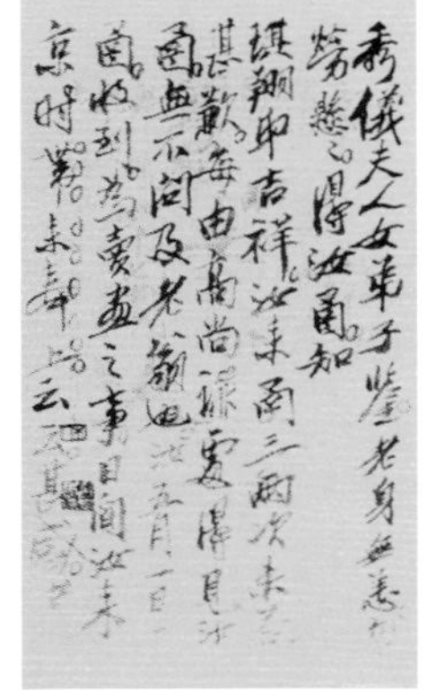

234. 行書信札

書信

紙本

23×16cm

1951 年

釋文：

秀儀夫人女弟子鑒。老身無恙。勿勞懸懸。得汝函。知琪翔弟吉祥。汝來函三兩次未答。甚歉。每由高尚謙處得見汝函。無不問及老翁也。汝五月一日与(與)函。收到。為賣畫之事。日間汝來京時帶來奉上云云。甚感。老人舊有少年時所作工筆蟲子册頁。及大小諸幅。多數幅頗精。亦候汝來京時交贈吾女弟也。并有畫贈琪翔弟。承汝代裱畫十三幅。裱錢不用琪翔弟管理。老人自宜。謝謝勞神足矣。老人一家窮。忌言多錢。願弟慎之慎之。

印章：

木人(朱文)　白石老人(白文)

木人(朱文)　白石老人(白文)

收藏：

郭秀儀

235. 篆書聯

對聯

紙本

139×34.5cm

1951 年

釋文：

丈夫能吐氣。

君子肯讓人。

君秋賢姪(侄)雅屬。

辛卯明日除日。九十一白石。

印章：

悔烏堂(朱文)　白石(朱文)

收藏：

上海朵雲軒

236. 篆書立軸

立軸

紙本

174.5×94.5cm

1951 年

釋文：

人和見太平。

嘯天弟屬。辛卯九十一白石。

印章：

白石(朱文)

收藏：

天津藝術博物館

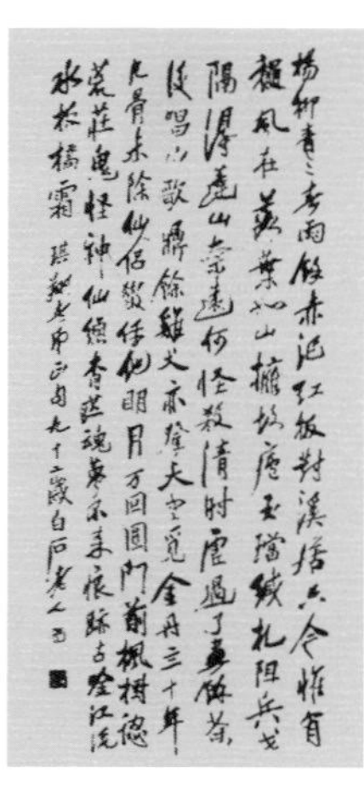

237. 行書立軸

立軸

紙本

1952 年

釋文：

楊柳青青春雨餘。赤泥紅板對溪居。只(衹)今惟有秋風在。落葉如山擁故廬。玉瑠緘札阻兵戈。隔得蓬山奈遠何。怪殺清時虚過了。畫餘茶後唱山歌。鼎餘鷄犬亦登天。空覓金丹三(四)十年。凡骨未除仙侶散。任他明月萬回圓。門前楓樹認荒莊。鬼怪神仙總杳茫。魂夢不來痕跡(迹)古。吟江流水板橋霜。

琪翔老弟正句。九十二歲白石老人。

印章:

借山翁(朱文)　齊璜之印(白文)

收藏:

私人

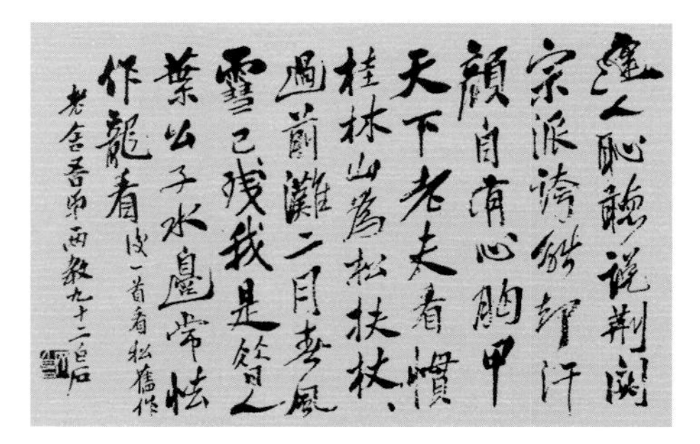

238. 行書横幅

横幅

紙本

35×53cm

1952 年

釋文:

逢人恥(耻)聽説荆關。宗派誇能却汗顔。自有心胸甲天下。老夫看慣桂林山。為松扶杖過前灘。二月春風雪已殘。我是昔人葉公子。水邊常怯作龍看。後一首看松舊作。老舍吾弟兩教。九十二白石。

印章:

齊白石(白文)

收藏:

中國現代文學館

239. 篆書横幅

横幅

紙本

1953 年

釋文:

百花齊放。

九十三歲白石。

印章:

悔烏堂(朱文)　齊璜之印(白文)

收藏:

中國藝術研究院美術研究所

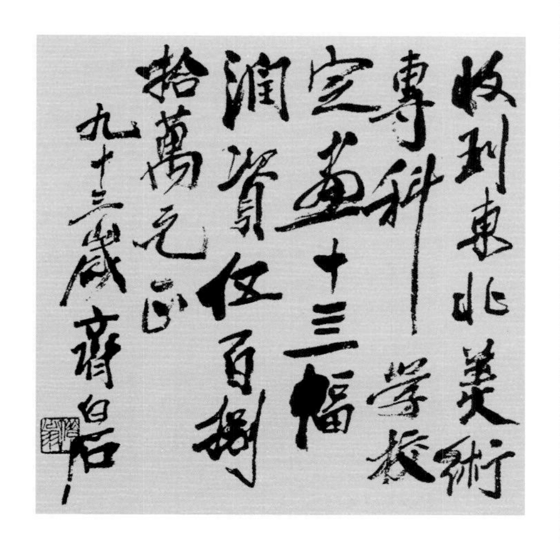

240. 行書手札

手札

紙本

33.3×33.3cm

1953 年

釋文:

收到東北美術專科學校定畫十三(四)幅。潤資伍百捌拾萬元正。

九十三歲齊白石。

印章:

借山翁(朱文)

收藏:

魯迅美術學院

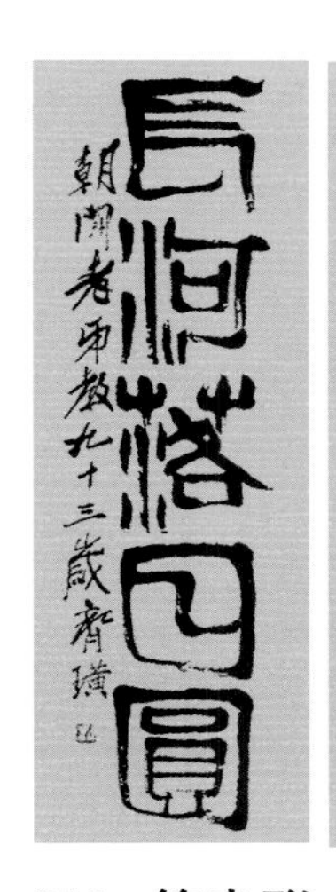

241. 篆書聯

對聯

紙本

144×44cm

1953 年

釋文:

大漠孤烟直。

長河落日圓。

癸巳春三月。朝聞老弟教。九十三歲齊璜。

印章:

白石(朱文)

收藏:

王朝聞

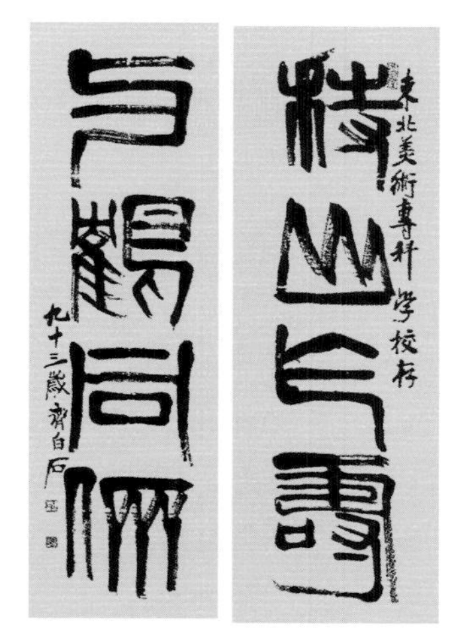

242. 篆書聯

對聯

紙本

173.2×47.8cm

1953 年

釋文:

持山作壽。

與鶴同儕。

東北美術專科學校存。九十三歲齊白石。

印章:

悔烏堂(朱文)　白石(朱文)

齊璜之印(白文)

收藏:

魯迅美術學院

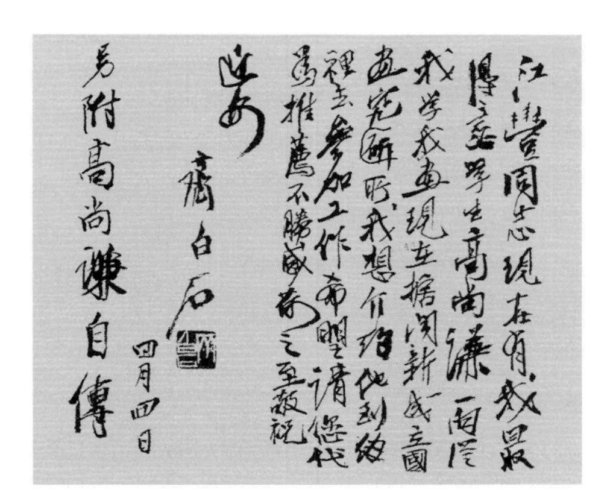

243. 行書信札

信札

紙本

28×36cm

1953 年

釋文:

江豐同志。現在有我最得意學生高尚謙。一向從我學我畫。現在據聞新成立國畫研究所。我想介紹他到那裡(裏)去參加工作。希望請您代為推薦。不勝感荷之至。敬祝近安。

齊白石。四月四日。

另附高尚謙自傳。

印章:

齊白石(白文)

收藏:

中央美術學院

244. 楷書聯

對聯

紙本

1953 年

釋文：

蛟龍飛舞。

鸞鳳吉祥。

九十三歲齊白石。

印章：

悔烏堂(朱文)　白石(朱文)

齊璜之印(白文)

收藏：

私人

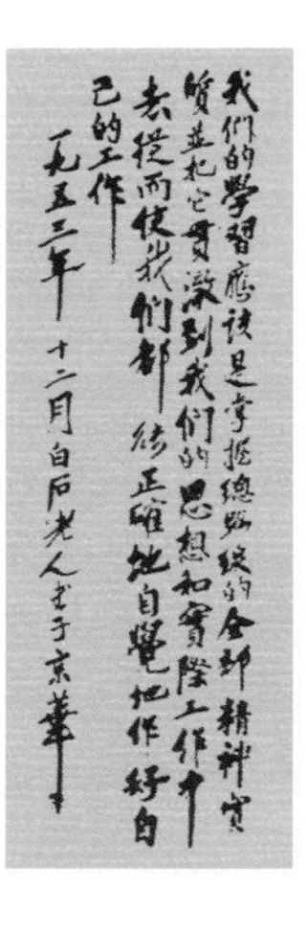

245. 行書立軸

立軸

紙本

1953 年

釋文：

我們的學習。應該是掌握總路線(綫)的全部精神實質。并把它貫澈(徹)到我們的思想和實際工作中去。從而使我們都能正確地自覺地作好自己的工作。

一九五三年十二月。白石老人書于京華。

印章：

□

收藏：

私人

246. 行書立軸

立軸

紙本

1953 年

釋文：

我們學習我國在過渡時期的總路綫。就是要學習馬克思列寧主義在中國的具體化。就是要使我們的共産主義覺悟提高一步。

一九五三年十二月。齊白石九十三(四)歲。

印章：

借山翁(朱文)

大匠之門(白文)

收藏：

私人

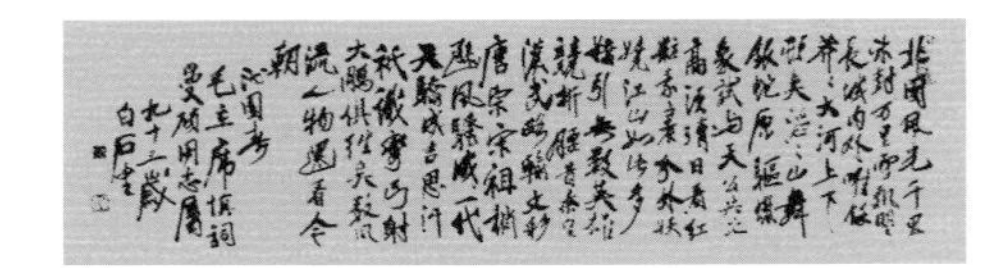

247. 行書橫幅

橫幅

紙本

1953 年

釋文：

北國風光。千里冰封。萬里雪飄。望長城内外。唯餘(余)莽莽。大河上下。頓失滔滔。山舞銀蛇。原驅(馳)蠟象。試(欲)與天公共(試)比高。須晴日。看紅粧(妝)素裹。分外妖嬈。江山如此多嬌。引無數英雄競折腰。昔(惜)秦皇漢武。略輸文彩(采)。唐宗宋祖。稍遜風騷。一代天驕。成吉思汗。衹識彎弓射大雕。俱往矣。數風流人物。還看今朝。

沁園春。毛主席填詞。曼碩同志屬。九十三歲白石書。

印章：

□　借山翁(朱文)

悔烏堂(朱文)

收藏：

私人

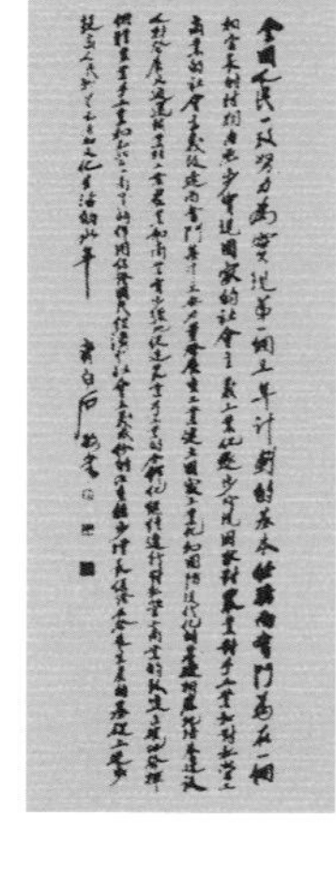

248. 行書立軸

立軸

紙本

1953 年

釋文：

全國人民一致努力為實現第一個五年計劃的基本任務而奮鬥，為在一個相當長的時期内逐步實現國家的社會主義工業化。逐步實現國家對農業對手工業和對私營工商業的社會主義改造而奮鬥。集中主要力量發展重工業。建立國家工業化和國防現代化的基礎。相應地培養建設人材。發展交通運輸業。輕工業。農業和商業。有步驟地促進農業手工業的合作化。繼續進行對私營工商業的改造。正確地發揮個體農業手工業和私營工商業的作用。保證國民經濟中社會主義成份(分)的比重逐步增長。保證在發展生産的基礎上逐步提高人民物質生活和文化生活的水平。

齊白石敬書。

印章：

白石(朱文)　借山翁(朱文)

齊璜之印(白文)

收藏：

私人

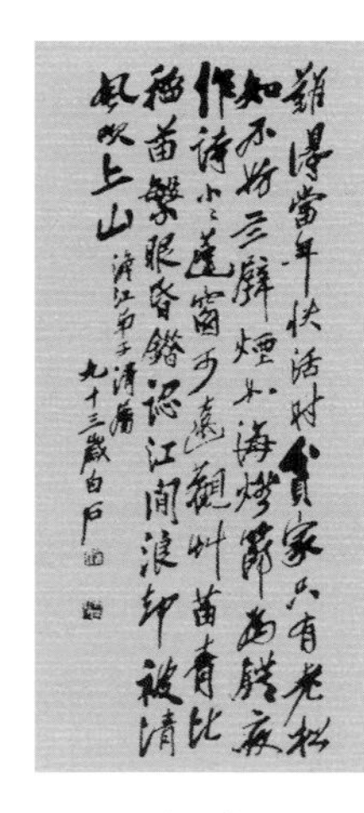

249. 行書立軸

立軸

紙本

1953 年

釋文：

難得當年快活時。貧家只(衹)有老松知。不妨三(四)壁煙(烟)如海。燃節為鐙(燈)夜作詩。小小蓬窗可遠觀。草苗青比稻苗繁。眼昏錯認江間浪。却被清風吹上山。

澹(淡)江弟子清屬。九十三歲白石。

印章：

借山翁(朱文)　大匠之門(白文)

收藏：

私人

250. 篆書橫幅

橫披

紙本

1954 年

釋文：

周舊邦。

九十三(四)歲齊白石書。

印章：

悔烏堂(朱文)　齊璜之印(白文)

收藏：

私人

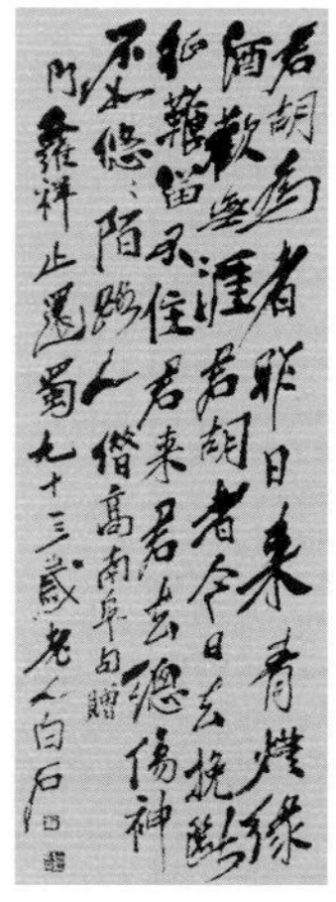

251. 行書立軸

立軸

紙本

91.5×33cm

1954 年

釋文：

君胡為者昨日來。青燈綠酒歡無涯。君胡(為)者今日去。挽斷征鞭留不住。君來君去總傷神。不如悠悠陌路人。借高南阜句。贈門人羅祥止還蜀。九十三(四)歲老人白石。

印章：

木人(朱文)　白石相贈(白文)

收藏：

陝西美術家協會

252. 行書橫幅

橫幅

紙本

1954 年

釋文：

發揚民族文化。

白石九三(四)華年。

印章：

□　□

收藏：

私人

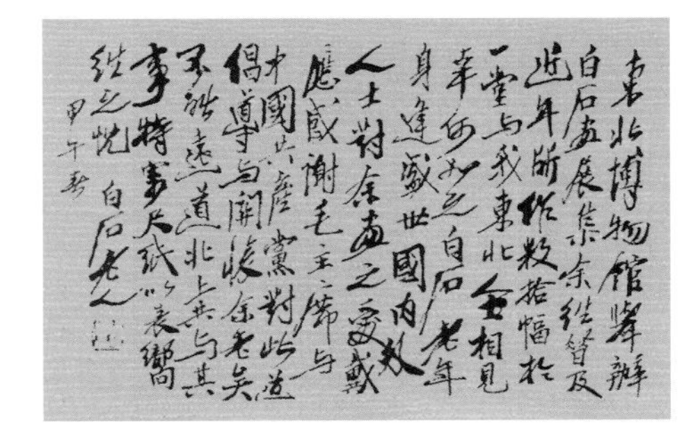

253. 行書橫幅

橫幅

紙本

1954 年

釋文：

東北博物館舉辦白石畫展。集余往昔及近年所作數拾幅於一堂。與我東北人士相見。幸何如之。白石老年身逢盛世。國内外人士對余畫之愛戴。應感謝毛主席與中國共産黨對此道倡導與關懷。余老矣。不能遠道北上共与(與)其事。特寄尺紙。以表嚮(向)往之忱。白石老人。甲午春。

印章：

白石(朱文)

收藏：

中國藝術研究院美術研究所

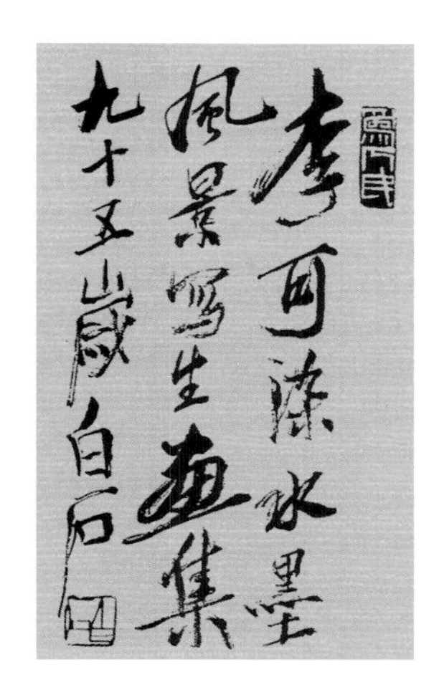

254. 行書題款

立幅

紙本

1955 年

釋文：

李可染水墨風景寫生畫集。

九十五歲白石。

印章：

為人民(白文)　白石(朱文)

收藏：

鄒佩珠

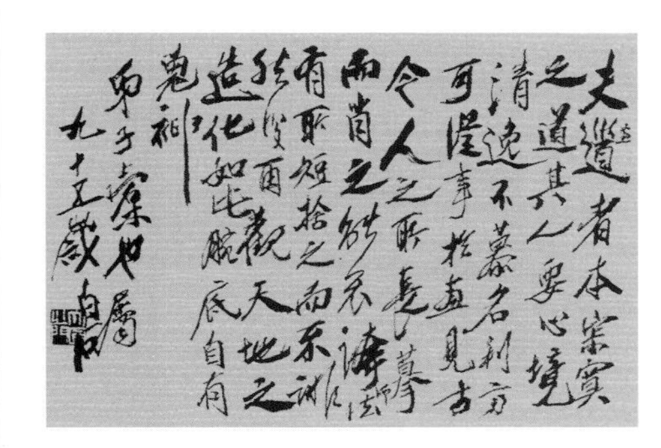

255. 行書手札

册頁

紙本

1955 年

釋文：

夫畫道者。本寂寞之道。其人要心境清逸。不慕名利。方可從事於畫。見古今人之所長。摹而肖之能不誇。師法有所短。捨之而不誹。然後再觀天地之造化。如此。腕底自有鬼神。

弟子橐也屬。九十五歲白石。

印章：

大匠之門(白文)

收藏：

私人

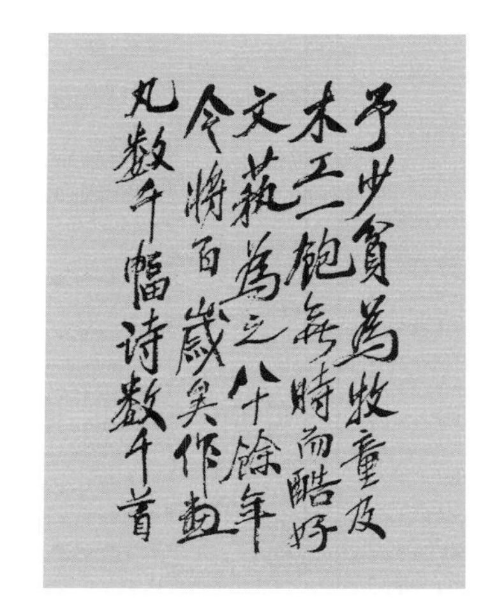

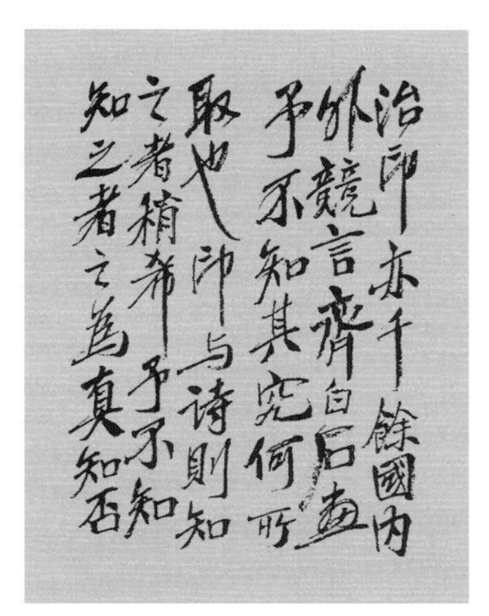

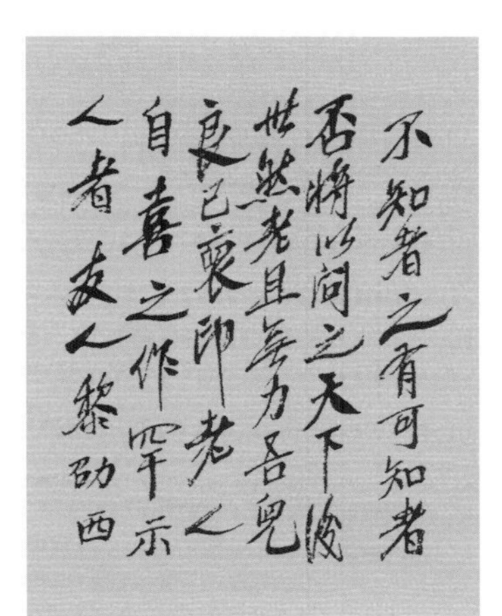

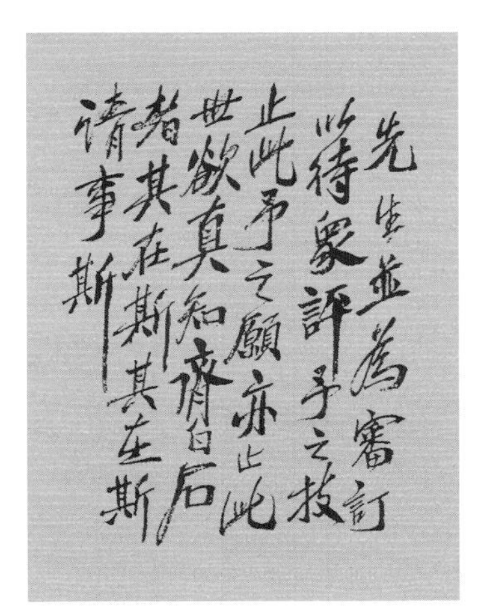

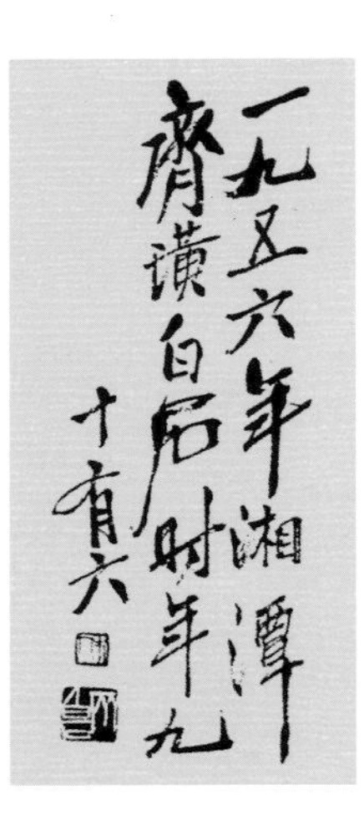

256. 行書序文(之一)
257. 行書序文(之二)
258. 行書序文(之三)
259. 行書序文(之四)
260. 行書序文(之五)

手卷
紙本
1956 年

釋文：

予少貧。為牧童及木工。一飽無時而酷好文藝。為之八十餘年。今將百歲矣。作畫凡數千幅。詩數千首。治印亦千餘。國内外競言齊白石畫。予不知其究何所取也。印与(與)詩則知之者稍希(稀)。予不知知之者之為真知否。不知者之有可知者否。將以問之天下後世。然老且無力。吾兒良已哀印老人自喜之作罕示人者。友人黎劭西先生并為審訂。以待衆評。予之技止此。予之願亦止此。世欲真知齊白石者。其在斯。其在斯。請事斯。一九五六年。湘潭齊璜白石。時年九十有六。

印章：

木人(朱文)　齊白石(白文)

收藏：

人民美術出版社

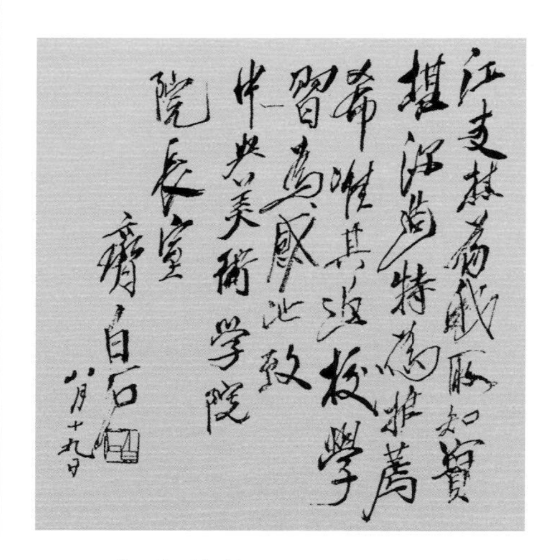

261. 行書信札

信札
紙本
33.5×31.5cm
50 年代

釋文：

江友□為我所知。實堪深造。特為推薦。希准其返校學習為感。此致。中央美術學院院長室。

齊白石。八月十九日。

印章：

白石(朱文)

收藏：

中央美術學院

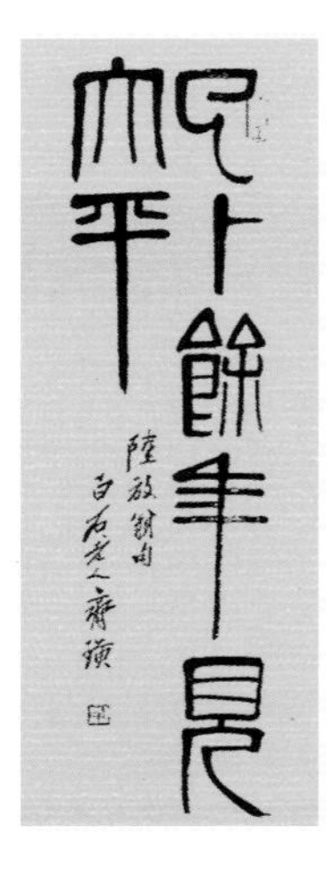

262. 篆書立軸

立軸
紙本
129.2×33.5cm
50 年代

釋文：

已卜餘年見太平。

陸放翁句。白石老人齊璜。

印章：

悔烏堂(朱文)　白石(朱文)

收藏：

四川省博物館

本卷承蒙下列單位與個人的熱情支持與大力協助。特此致謝!

湖南省博物館
北京榮寶齋
中國藝術研究院美術研究所
中央美術學院
首都博物館
炎黃藝術館藝術中心
天津藝術博物館
魯迅美術學院
上海市文物商店
上海朵雲軒
北京市文物公司
陝西美術家協會
浙江省博物館
天津人民美術出版社
中華書局
中國美術館
天津楊柳青書畫社
齊白石故居
四川省博物館
中央美術學院附中
廣西壯族自治區博物館
廣東省博物館
人民美術出版社
北京中南海
長沙市博物館
中國現代文學館
張叔文先生
齊良遲先生
楊永德先生
歐陽灕先生
王傳芬先生
鄒佩珠先生
王朝聞先生
吴作人先生
齊佛來先生
郭秀儀先生
梁　穗先生

(按所收作品數量順序排列)

總 策 劃：郭天民　蕭沛蒼
總 編 輯：郭天民
總 監 製：蕭沛蒼

齊白石全集編輯委員會
主　　編：郎紹君　郭天民
編　　委：李松濤　王振德　羅隨祖　舒俊傑
郎紹君　郭天民　蕭沛蒼　李小山
徐　改　敖普安

本卷主編：李松濤
責任編輯：鄒建平
圖版攝影：孫智和　黎　丹
著　　録：徐　改　敖普安　李小山
黎　丹　章小林　姚陽光
注　　釋：郎紹君　李松濤
英文翻譯：張少雄
責任校對：彭　英
總體設計：戈　巴

齊白石全集　第九卷

出版發行：湖南美術出版社
(長沙市人民中路103號)
經　　銷：全國各地新華書店
印　　製：深圳華新彩印製版有限公司
一九九六年十月第一版　第一次印刷

ISBN7—5356—0895—7/J·820